DUBAJ
PRAWDZIWE OBLICZE

JACEK PAŁKIEWICZ

DUBAJ

PRAWDZIWE OBLICZE

ZYSK I S-KA
WYDAWNICTWO

Redaktor prowadzący **Joanna Matkowska**
Redakcja tekstu **Irma Iwaszko**
Projekt okładki **David Rivas/Dymitr Miłowanow/Tobiasz Zysk**
Projekt graficzny i opracowanie techniczne książki
Barbara i Przemysław Kida

Strona internetowa autora **www.palkiewicz.com**

Wydanie I
ISBN 978-83-7785-949-0

ZYSK I S-KA
WYDAWNICTWO
ul. Wielka 10, 61-774 Poznań
tel. 61 853 27 51, 61 853 27 67, faks 61 852 63 26
dział handlowy, tel./faks 61 855 06 90
sklep@zysk.com.pl
www.zysk.com.pl

OD WYDAWCY

Autor poświęcił rok, aby odpowiedzieć na zadane sobie pytanie: jaki naprawdę, z pominięciem wszelkich mitów i stereotypów, jest Dubaj, rozdarty między beduińską tradycją, religijnym radykalizmem islamskim i ekstremizmem rozwoju. Poszukujące wciąż własnej tożsamości miasto-państwo epoki postnaftowej nie przestaje wabić. Status raju podatkowego we wszechświecie finansów islamskich nieustannie przyciąga poszukujących fortuny inwestorów i handlowców, a wyznaczający nowe trendy lider światowej turystyki rozbudza wyobraźnię i pragnienia, łechcząc mile snobistycznymi hotelami próżność zamożnych.

Strony internetowe zarażają entuzjazmem do tego miasta marzeń, będącego ekscytującą świątynią luksusu i stężonym koncentratem architektury XXI wieku w jednym. Miasta, którego motto mówi wszystko: „Zaskoczyć, oszołomić i oczarować". I to na każdym kroku. Do wielu przemawia ten oszałamiający wizerunek wszechobecnego przepychu, jakby wyjęty z reklamowej broszury ministerstwa turystyki. Cenią kreatywny hiperaktywizm, histeryczny wyścig ku awangardowości i rzucający się w oczy nadmiar. Powstały na bogatych w ropę piaskach emirat jest dzisiaj edenem dla tych, którzy kochają luksus, pięciogwiazdkowe hotele, piękną pogodę i zachwycają się basenami usytuowanymi setki metrów nad ziemią.

Ale są i tacy, którzy potrafią spojrzeć na Dubaj krytycznie, nazywając go miastem bez charakteru. Jak zauważa brytyjski pisarz Lawrence Osborne, „pełna skrajności i sprzeczności metropolia przybrała wymiar tandetnej groteski". Przekształciła się w futurystyczny koszmar całkowicie zdominowany przez *Księgę rekordów Guinnessa*, nieoficjalną konstytucję emiratu. Bo tutaj wszystko musi być większe i ładniejsze niż gdziekolwiek na świecie. W gąszczu ekscentrycznych budowli i ostentacyjnego, na pokaz zbytku brakuje czegoś, co w Starej Europie jest być może mało zauważalne, ale istotne dla jakości życia. We Wrocławiu, w Berlinie czy Madrycie każdy czuje się jak w domu. W Dubaju na pewno nie.

Idąc dalej tym tropem, Pałkiewicz wprost pyta, czy nie byłoby rozsądniej spojrzeć na Dubaj, synonim niewyobrażalnego bogactwa, shoppingu i luksusowych wakacji, z jeszcze większym krytycyzmem. Pamiętajmy, że to typowe kredytopolis, zadłużone u swoich wierzycieli na ponad 100 miliardów dolarów. Analitycy ostrzegają, że emiratowi wciąż grozi eksplozja niebezpiecznej mieszanki, jaką jest fuzja zwyrodniałych finansów z gigantyzmem infrastrukturalnym oraz niezdrową gospodarką, zmagającymi się z mieczem Damoklesa w postaci bańki nieruchomościowej. Jej pęknięcie mogłoby spowodować kompletne bankructwo, którego namiastki miasto doświadczyło już w 2008 roku. Autor często ucieka od świata czaru i zrywając jego złotą maskę, ujawnia drugie oblicze sztucznego raju. Oblicze, o którym głośno się nie mówi i nie pisze. Pokazuje nędzę Azjatów kontrastującą z baśniowymi warunkami bytowymi boskiej kasty etnicznych Dubajczyków, wnuków niepiśmiennych Beduinów. Zapuszcza się w miejsca skrajnego ubóstwa, na przykład do getta na obrzeżu miasta, gdzie w okrutnych warunkach bytuje armia azjatyckich robotników. To właśnie oni w ciągu jednego pokolenia zbudowali w niewolniczych warunkach sięgający nieba pustynny Manhattan. Przyjechali tu zwiedzeni dobrymi zarobkami i możliwością zapewnienia godnego życia swoim rodzinom, a zastali koszmar. Tego turysta nigdy nie zobaczy, bo — jak mówi Pałkiewicz — mogłoby to wysadzić w powietrze kreowany przez lata mit Dubaju. Coraz częstsza krytyka społeczności międzynarodowej sprawia, że temat taniej siły roboczej staje się wysoce kłopotliwy dla emira. Nic dziwnego, że dla przykrycia takich problemów w lutym 2016 roku pojawił się groteskowy temat zastępczy: nowo powstałe Ministerstwo Szczęścia.

Autor nie przeoczył też autorytarnego ustroju i drakońskich represji wobec działaczy na rzecz demokracji, bezprawnych aresztowań ani szokujących tortur. Unia Europejska wystąpiła co prawda do Zjednoczonych Emiratów Arabskich z apelem o poszanowanie praw człowieka i wolności obywatelskich, jednak bez skutku, bo petrodolary zapewniły szejkom pobłażliwość. Liderzy polityczni nie okazali się skłonni do złożenia interesów ekonomicznych na ołtarzu walki o wartości najwyższe.

W książce *Dubaj. Prawdziwe oblicze* Jacek Pałkiewicz obala utarte poglądy, a w zamian dokonuje wnikliwej oceny do niedawna nic nieznaczącej na mapie monarchii absolutnej, dziś jednego z najbardziej rozreklamowanych miejsc na świecie.

Szejkowie ZEA nie są zbyt wyczuleni na punkcie poprawności politycznej. Miejscowe sądy słyną z procesów skazujących na więzienie wyłącznie za to, że ktoś upomniał się o prawo do wolnych wyborów lub żądał wolności słowa. Albo też za umieszczenie na YouTube satyrycznego filmiku z wymyślonej szkoły sztuk walki młodych Dubajczyków, jak zdarzyło się to amerykańskiemu konsultantowi biznesowemu. Trzy lata temu został on skazany na rok więzienia, bo „ośmieszył miejscową młodzież, szkodząc w ten sposób wizerunkowi ZEA". Absurdalna kara grzywny dotknęła pewną Angielkę, która na swoim Facebooku napisała, że nudzi się podczas ramadanu. Nie ma więc wątpliwości, że Autor, który miał odwagę pokazać to wszystko, musi się liczyć z zaocznym skazaniem na dłuższe pozbawienie wolności. To dodatek do wyroku śmierci, który od dekady ciąży już nad nim z rąk Al Kaidy. Otrzymał go za sprzeciw wobec islamskiej inwazji na Europę. „Rzetelność należy do moralnego obowiązku dziennikarza. Zawsze pokazuję świat taki, jaki jest, a nie taki, jakim go kreują" — podkreśla Jacek Pałkiewicz.

DLACZEGO DUBAJ?

Zawsze podróżowałem, aby żyć, i żyłem, aby podróżować. Motorem tego nieustannego przemieszczania się była wrodzona dociekliwość i obsesyjny głód świata, kontaktu z osobliwościami przyrody i odmiennymi kulturami. Żyłem na granicy snu i rzeczywistości, narażałem się na przeciwności losu, choroby, trudy i niebezpieczeństwa, ale realizowałem młodzieńcze sny w świecie niezmienionym często od swego zarania. Nie ukrywam, że powiodło mi się w życiu, bo rzutem na taśmę zdążyłem poznać dziewicze krainy czy zagubione prymitywne plemiona tubylcze, co dostarczało mi emocji znanych Magellanowi, Marcowi Polo czy Beniowskiemu.

Ceniony przeze mnie pisarz Jan Grzegorczyk zdumiał się, kiedy podekscytowany relacjonowałem mu pomysł na nową książkę.

— Hm, wyprawa do Dubaju? — westchnął z powątpiewaniem. — Jak może ostatni Mohikanin podróży w stylu dziewiętnastowiecznych odkrywców, człowiek, który uczył astronautów i komandosów strategii przetrwania w skrajnie surowych warunkach, stać w tłumie turystów i gapić się z otwartą gębą na emiracką orgię bogactwa?

Drogi Janku, rzeczywiście celem moich podróży zawsze było poszukiwanie osobliwości ginących cywilizacji, niezwykłych zjawisk i mieszkańców krain odległych zarówno w sensie geograficznym, jak i czasowym. Takie eksploracje wymagają kolosalnego wysiłku, a w życiu każdego człowieka przychodzi dzień, kiedy trzeba pogodzić się z aktem urodzenia. Pamiętasz piosenkę *Niepokonani* zespołu Perfect: „Trzeba wiedzieć, kiedy ze sceny zejść niepokonanym"? Młodszy ode mnie osiem lat Krzysztof Wielicki też nie miał wątpliwości: „Doskonale zdaję sprawę, że już więcej nie pójdę na szczyt. Ale to jednak jest narkotyk i mojego świata nie porzucę. Wykorzystam swoje doświadczenie i wystąpię w roli szefa wyprawy".

W salach Muzeum Dubajskiego, w zakurzonym osiemnastowiecznym forcie Al-Fahidi, słuchałem przewodnika w długiej białej dżelabie, inaczej diszdaszu, i chuście przytrzymywanej na głowie dwoma sznurkowymi pierścieniami, który opowiadał historię miasta zrodzonego w niespełna pół wieku. Uświadomiłem sobie wówczas, że dotarłem do końca podróżniczej epoki.

Podróżowanie w dawnym stylu przestało istnieć na moich oczach. Świat raptownie się zmienił i skurczył, a innowacje technologiczne i dynamiczna ekspansja internetu zrewolucjonizowały filozofię tradycyjnie pojmowanej podróży. Procesy globalizacji prowadzące do unifikacji wzorów konsumpcyjnych i stylów życia niszczą różnorodność kulturową i zabijają lokalne tożsamości. A wiadomo, że podróżnik, nie bacząc na niepewność i mordęgę, chciałby zaspokoić głód świata gdzieś tam, na nieprzetartych szlakach, w konfrontacji z inną rzeczywistością, poszukując zanurzonego w czasie przeszłym autentyku. Brytyjski pisarz Lawrence Osborne w *The Naked Tourist* zauważa, że peregrynacja utraciła blask i sens. Twierdzi, że problem współczesnego globtrotera polega na tym, że nie wie, dokąd jechać, bo wszystko stało się bezlitośnie jednakowe.

Jesteśmy świadkami „śmierci podróży", której miejsce zajęła wszechobecna turystyka, a biorąc pod uwagę jej konsumpcyjny charakter, właściwiej byłoby ją nazwać nawet postturystyką.

Tkwiąca w jej szponach planeta stała się jednym gigantycznym kurortem, „globalną wioską". Gdziekolwiek człowiek się ruszy, w gardle czuje gorycz. Powszechny przemysł turystyczny przekształcił egzotyczne tradycje w komercyjny folklor, zrobił z naszej planety park rozrywki, jedną zunifikowaną cepelię, skazując nas na poruszanie się w granicach tej tragicznej imitacji. Ktoś powiedział, że turystyka przypomina stoisko z fast foodem: krótką wizytę w lokalu, gdzie spożywa się serwowane na poczekaniu pseudopożywienie. Przeróżne burgery, pizze, kebaby, hot dogi powodują, że znikła magia egzotyki, wszędzie na świecie czujemy się jak w rodzinnym domu.

Działania marketingowe sprawiają, że zwiedzamy nie to, co by nas interesowało, a jedynie narzucone przez plan i społeczne wymogi zabytki czy osobliwości przyrody. Bogactwo lokalnej kultury redukuje się do stereotypów. Brak miejsca na kontakt z tubylcami, na rzeczywiste poznanie kraju. Przybysz trafia w ręce zawodowców od turystyki, którzy prowadzą go po uproszczonym „świecie", folklorystycznym skansenie, zapewniającym iluzję realiów. A Henry Miller, autor książki *Zwrotnik Raka*, twierdził, że większy sens ma odkrycie jakiejś świątyni, o której nikt nie słyszał, niż zwiedzanie wśród kłębiących się tłumów Kaplicy Sykstyńskiej. Dzisiaj niestety już takich nieodkrytych świątyń nie uświadczysz. Nie bez żalu stwierdzam, że ekscytujący świat, do którego dotarłem, nielegalnie pokonując druty kolczaste żelaznej kurtyny, i w którym potem żyłem jako wieczny nomada, już nie istnieje.

Nie najlepiej poczułem się w nowych realiach, które pochwyciły mnie w pułapkę. Pułapka ta miała drugie dno, bo uświadomiłem sobie, że muszę pogodzić się z tym, co nieuniknione: mam przecież 73 lata, dawno wszedłem w ostatnią ćwiartkę i nie mogę tracić czasu na rzeczy bezużyteczne. Dręczył mnie niepokój, wzbierała tęsknota za tym, czego już więcej nie będę robić. Nieoczekiwanie znalazłem się u kresu wędrówki. Kilka lat temu ledwie wytrzymałem trudy przeprawy przez chińską pustynię Takla Makan. To wtedy dopadły mnie myśli, że to już pewnie ostatni raz.

Moja profesja i podstawa egzystencji, eksploracja odległego świata, ekstremalne szkolenia survivalowe w uciążliwych warunkach klimatycznych — to wszystko zostało za mną. Już nie gonię do przodu jak niegdyś. Dziesięć lat temu Reinhold Messner wyznał mi, że skończył sześćdziesiątkę i powoli będzie składać broń. „Nie mam już tej samej siły, sprawności i wytrzymałości. Chcę tylko zaliczyć jeszcze Gobi" — powiedział przed wyjazdem do Mongolii. Jestem od niego starszy o dwa lata, ale wtedy takie myśli jeszcze mnie nie nachodziły.

Dziś jestem świadom, że przekroczyłem Conradowską „smugę cienia", symboliczną granicę, poza którą niewiele miejsca pozostaje na kuszące perspektywy. Niedawno doznałem wstrząsu, bo młoda dziewczyna chciała ustąpić mi miejsca w tramwaju. Coś podobnego przeżyłem, mając trzydzieści lat, kiedy w dyskotece jakaś nastolatka zwróciła się do mnie: „Proszę pana". Droga stała się krótsza, kartki z kalendarza spadają coraz szybciej, nie ma już nadziei na młodzieńcze plany i zamierzenia. Lecz ile by się doznało satysfakcji w życiu, to zawsze pozostaje niedosyt.

Z fizjologią nikt jeszcze nie wygrał, nie można przeskoczyć odwiecznych praw natury. Nie bez trudu akceptuję ten fakt, tym bardziej że moje wyobrażenia o przyszłości są tymczasem bardzo mgliste. Powinienem znaleźć modus vivendi, by emocje nie straciły swojej barwy.

Czuję się w obowiązku podziękować Panu Bogu za bezcenny prezent — arcyciekawe życie. Uważam się za osobę nad wyraz uprzywilejowaną, właśnie ze względu na jego jakość. Jestem spełniony, bo zawsze robiłem dokładnie to, co sprawiało mi przyjemność. Niczego nie dostałem w spadku, sam byłem menedżerem własnego sukcesu, sam ustalałem scenariusz swojego życia.

Teraz powinienem powziąć nieodwołalną decyzję, a nie jest to łatwa pigułka do przełknięcia. Czym się zajmę, co zrobię, by dalej wieść życie bogate, pełne emocji?

Szansa na radykalne zmiany pojawiła się 26 listopada 2014 roku, kiedy po powrocie do swojego żoliborskiego mieszkania natknąłem się niespodzianie na ogromny bukiet kwiatów. Na wizytówce odczytałem: „Dla siebie samej, z szacunkiem, Linda". I nagle mnie olśniło! Trzydziesta ósma rocznica naszego ślubu. Rzadko, a właściwie bardzo rzadko świętowałem tę datę, bo albo byłem gdzieś daleko, albo po prostu o niej zapominałem.

Te kwiaty wzruszyły mnie do głębi. Dotarło do mnie, że powinienem, przynajmniej w jakimś stopniu, spłacić dług moralny. Egoistyczna realizacja moich przedsięwzięć zwykle odbywała się kosztem rodziny. Rzadko wyjeżdżaliśmy razem. Na dobrą sprawę chyba nigdy nie byliśmy na prawdziwych wspólnych wakacjach. Linda wypominała mi czasem, że nawet nie odbyliśmy podróży poślubnej, bo byłem zajęty wyprawą na Borneo. Nasze nieliczne eskapady ograniczały się zwykle do krótkiego pobytu w Stambule, Paryżu, Madrycie czy Buenos Aires. I nawet wtedy nie spędzaliśmy ich do końca razem, bo ją interesowały muzea, za którymi ja nie przepadam.

Linda jest malarką, ma artystyczną duszę, jest wrażliwa i ceni piękno, co zresztą odbija się w jej twórczości. Zawsze potrafiła znaleźć obraz lub rzeźbę zasługującą na miano prawdziwego dzieła sztuki. Jej dobry smak uwidacznia się przy doborze ubrania, biżuterii czy w opisie otoczenia. No i jest kreatywna. Kiedyś pracowała na zamówienie firmy złotniczej w Vicenzy, jej złoty pas wysadzany drogocennymi kamieniami trafił do Jacqueline Kennedy. Chłonie wszystko, co gustowne, ale też to, co leży na styku sztuki z luksusem. Przy tym wszystkim jest stuprocentową kobietą dbającą o swój wizerunek, elegancką i piękną, tak fizycznie, jak i duchowo. Dokąd więc ją zabrać, aby naprawdę czuła się szczęśliwa?

LINDA

Przypominam sobie pewien dzień w południowych Włoszech, w Bari, wiosną 2013 roku.

Linda otwiera balkonowe drzwi i wychodzi na taras. Spogląda zachwycona na błękitną zatokę, w którą głęboko wrzyna się skalisty cypel, od stuleci całkowicie zabudowany jasnymi bryłami murów obronnych i budynków. W ich ścianach widnieją niewielkie prostokątne oczodoły okien. Dalej, na skalistej wysepce, widać równie stary kościół, zajmujący całą powierzchnię wyniosłości wystającej z wody.

— Jacku, odpocznij sobie — wskazuje hotelowy tapczan. — Prowadziłeś samochód przez kilka godzin. Ja tylko...

Wiem, co to „tylko" oznacza. Wchodzi do łazienki i nikt obcy nie odgadłby, w jakim celu. Chyba trochę przesadza z tą higieną. Jak zwykle, kiedy jesteśmy w podróży, nie może obejść się bez dezynfekcji łazienki hotelowej. Prowadzenie samochodu nie zmęczyło mnie szczególnie, ale zgodnie z życzeniem żony siadam wygodnie i zerkam na jej rodzinne miasto.

Wprawdzie urodziła się w Wenecji, ale jej rodzice pochodzą stąd, z Bari nad Adriatykiem, gdzie już w roku 180 p.n.e. istniał ważny port morski. Rodzina dziadka Pasqualego Martina zaliczała się do najbogatszych w tym mieście. Mieszkała w luksusowym, pełnym przepychu pałacyku ze wspaniałym widokiem na XI-wieczną bazylikę Świętego Mikołaja, w której znajduje się nagrobek polskiej królowej Bony. W obszernym domu służyło kilkanaście osób, guwernantki i nianie dla ośmiorga dzieci. Don Pasquale był właścicielem stoczni, rafinerii naftowej oraz dużych zakładów przemysłu stalowego i maszynowego. Rodzina posiadała paradną karetę ze stangretem i lokajem, spacerowy powozik i bogato zdobioną karocę. Jej członkowie stali się też na początku XX stulecia właścicielami pierwszego w mieście auta bugatti, budzącego dziś pożądanie kolekcjonerów. Zbudowane przez dziadka imperium zostało w dużej części zniszczone przez synów, którzy zabijali irytującą nudę w kasynach gry w Monte Carlo.

Mama Lindy wyniosła z domu nienaganne maniery i rygorystyczne zasady wychowania, na zdjęciach widać kobietę o wyniosłej postawie, lecz przyjaznym spojrzeniu.

Z łazienki dochodzi szum prysznica atakującego wannę czy brodzik — nie wiem jeszcze, co tam mamy. To ona wybrała hotel i pokój.

Linda jest bardzo stanowcza i pod moją nieobecność zawsze doskonale radziła sobie z wychowaniem synów, nie rozpieszczając ich i utrzymując w należytej dyscyplinie. Nigdy też nie była nadopiekuńcza i nie ograniczała ich samodzielności. Możemy być dumni, że posiedli wszystkie cechy, które liczą się w życiu: charakter, osobowość, determinację, godność, lojalność i, kiedy trzeba, także zuchwałość.

Mój Boże, kazała mi odpocząć po kilku godzinach jazdy!

A przecież jeszcze kilka lat temu w razie potrzeby sama Linda wsiadała pod naszym włoskim domem do samochodu i po dwudziestu godzinach docierała do Warszawy. To — bagatela — 1400 kilometrów! Dziś woli zatrzymać się na noc w połowie drogi, w Wiedniu. Rozsądnie.

— Chciałabym przejść się po porcie dziadka. — Ukazuje się w drzwiach zadowolona ze swojego dzieła. Oto Linda! Nawet w gumowych rękawicach wygląda dostojnie. — I znam tu bardzo dobrą knajpkę, gdzie lokalni artyści wieszają od lat swoje obrazy. Zjemy tam kolację, zgoda? Sama dziś już nie jestem w stanie nic przyrządzić.

Każdy, kto bywa u nas na kolacji, nie szczędzi Lindzie komplementów za jej wspaniałe specjały kulinarne. „Zawsze przywożę z domu niezbędne produkty, które wypełniają całą lodówkę, bo bez nich nie stworzyłabym tych potraw" — wyjaśnia z właściwą sobie skromnością.

Linda mieszkała w wielu miejscach, co wiązało się ze służbowymi transferami ojca, komendanta karabinierów. Gdziekolwiek jednak jesteśmy, potrafi stworzyć domową atmosferę. Prowadzi dom według włoskich tradycji i jest perfekcyjną panią domu. W naszej willi w Bassano del Grappa wszystko jest doskonale ułożone. Wszędzie czuć jej rękę.

No, może z wyjątkiem terenu otaczającego willę i palm tu rosnących, bo nie przepada za pracami ogrodowymi, a ja nie mam na to czasu.

Znów wyszła na taras i wciągnęła w płuca wieczorne powietrze niosące z sobą zapach morza — ryb, glonów, soli, jodu zmieszanego z nieuchwytną niemal wonią murszejących murów.

— Dobrze, że nie skusił cię Hollywood — szepnąłem i przytuliłem Lindę. — W przeciwnym razie pewnie nie przywiozłabyś mnie do miasta swoich dziadków.

Zmarły niedawno znakomity piosenkarz i aktor filmowy Bing Crosby, jedna z największych postaci show-biznesu XX wieku z epoki Franka Sinatry, Cary'ego Granta czy Jima Stewarta, namawiał ją do pozostania w Ameryce, kreśląc przed nią wizję hollywoodzkiej kariery. To on wylansował kiedyś Katherine Hepburn. A Lindę traktował jak własną córkę. Była w rozterce. Powiedziała, że musi się zastanowić. Dzień później podjęła decyzję: wróci do Włoch, bo tam czeka na nią Jacek.

To nie było poświęcenie, a jej osobisty wybór. Mogłaby pozostać w Stanach, będąc wciąż moją żoną, choć widywalibyśmy się jeszcze rzadziej. Dalibyśmy radę — jest wyrozumiała, zazdrosna bez przesady, cierpliwa.

Ale wolała być blisko mnie, co oczywiście dało mi wielką satysfakcję.

Kiedy w zachodzącym słońcu stoi oparta lekko o barierkę tarasu, elegancka i atrakcyjna, a wiatr od morza muska jej czarne włosy, głaszcze idealny owal twarzy i chłodzi pełne usta niepotrzebujące modnej dzisiaj korekty, przypominam sobie jej fotografie wykonane swego czasu przez Marka Czudowskiego dla włoskiej edycji „Play-

boya". Artysta nadał im głębszy wymiar, więcej zakrywając, niż odkrywając, po prostu bardziej interesująca jest jej postawa i wyraz
twarzy. Urok pozostał.

— Chodź, zapraszam na wędrówkę po przeszłości mojej rodziny. — Ujmuje mnie pod rękę i wolnym krokiem idziemy do portu,
zamku i na nabrzeże.

Oto moja Linda.

Nie jestem ani miłośnikiem, ani zbieraczem klejnotów.

Poza tym jednym.

Linda zawsze robiła wszystko, aby stworzyć mi najbardziej
sprzyjające warunki do pracy zawodowej. Na tym polega tajemnica
udanych związków, choć może patrzę na to zbyt egoistycznie.

Kiedy piszący moją biografię Andrzej Kapłanek zapytał Be-
atę Tyszkiewicz, jaki jest Jacek, odpowiedziała: „Jest nieobliczalny
w swoich marzeniach, a jednak je spełnia. Godzi temperament z po-
wściągliwością, dobroć z szorstkością. Jest taki, jakim uczyniła go
jego pasja poznawania świata i surowa przyroda. Zawsze pewny wy-
granej. Ale czy udałoby mu się spełniać swe marzenia, gdyby nie
przystań, jaką stworzyła mu jego piękna żona Linda? To dzięki niej
jest, kim jest. Podziwiam ich partnerskie życie".

Tak, za to wszystko jestem jej wdzięczny całą duszą.

Nadeszła chwila, aby wypełnić powstałą lukę i poświęcić Lindzie
czas, którego wcześniej nie miałem. Zacząłem planować organizację
„małżeńskich wakacji życia", wszystko miało być na pięć gwiazdek.
Wybór padł na Azję Południowo-Wschodnią. I na Dubaj. Można by
zapytać, czy Włoszka, która ma w genach cudowną starą architektu-
rę i żyła pośród zabytków, odnajdzie się w tym supernowoczesnym
świecie. Ja jednak wiem, że tak, bo już raz tam z nią byłem. Ale zbyt
krótko.

DO EMIRATU PRZEZ AZJĘ

Dwa tygodnie później pod dom zajechała limuzyna, która odwiozła nas na lotnisko. Przy odprawie był czerwony dywanik przewidziany dla pasażerów zajmujących miejsce w przedniej części samolotu. Przyjazna atmosfera i życzliwość stewardes linii Emirates sprawiła, że czuliśmy się z Lindą szanowanymi i mile widzianymi gośćmi. To była przepustka do niepowtarzalnych wakacji.

Oczekiwałem jednak więcej, bo kiedy kilka lat wcześniej zacząłem latać tą linią, wyrafinowana obsługa była na najwyższym poziomie. Kreowany przez lata mit wspaniałości okazuje się przereklamowany. Na całym świecie Emirates zatrudniały w 2015 roku ponad 50 tysięcy pracowników, w tym więcej niż 20 tysięcy personelu pokładowego ze 130 państw, mówiącego w 50 językach. Wśród nich około 700 Polaków. Firma rozrasta się nieustannie i, niestety, nie jest już w stanie upilnować najwyższych standardów, zadbać o detale, okazać wyjątkową atencję, ofiarować pasażerom to, co najlepsze z emirackiego stylu życia. Ponadto wiele dziewczyn zaniża średnią urody personelu pokładowego.

Pomimo eleganckiego stroju: beżowej garsonki i czerwonego kapelusika z dopiętym białym welonem, odnotowałem kilka rażących minusów. Dwie stewardesy beształy niezbyt dyskretnie swoją marokańską koleżankę za zbyt leniwy stosunek do pracy. Drobna Chinka, która kiepsko mówiła po angielsku, i jeszcze jeden „kwiatek": Włoszka, niewiele mająca wspólnego z kinową aparycją kobiet z Półwyspu Apenińskiego, na dodatek w brzydkich okularach, nie okazywała zainteresowania pasażerami, tak jakby nie pamiętała, jaki zawód wykonuje.

Dubaj. Zatrzymamy się tutaj w drodze powrotnej, tymczasem po kilku godzinach przerwy kontynuujemy podróż na Wschód. W Szanghaju odwiedzimy Maksego, syna zakotwiczonego tam od sześciu lat. Opuścił Europę, bo, jak mówi, futurystyczna metropolia zapewnia młodemu przedsiębiorczemu człowiekowi lepszy start.

Największy samolot świata, Airbus A380, rozpędza się, a ja, patrząc przez jego okno znajdujące się na wysokości ósmego piętra, nie czuję nawet, kiedy delikatnie i nadspodziewanie cicho wznosi się w powietrze. Biznesklasa na górnym pokładzie zapewnia maksymalny komfort podczas długiej podróży. Trzy kamery zainstalowane na zewnątrz samolotu pozwalają na bieżąco obserwować przebieg lotu, pokaźny ekran umożliwia dostęp do rozrywki, filmów, muzyki i wiadomości z całego świata. Posiłki serwowane na porcelanie marki Royal Doulton z ekskluzywnymi sztućcami od Roberta Welcha i przygotowywane przez najlepszych szefów kuchni wyglądają przepięknie. Jednak dla takiej koneserki dobrej kuchni jak Linda pokładowy catering nie wyróżnia się niczym szczególnym. Przy fotelu wbudowany jest minibarek. Ponadto w tylnej części znajduje się salonik, gdzie można odprężyć się na wygodnych kanapach i zamówić bezpłatnie u barmana drinka i jakąś przekąskę.

Jeszcze kilkanaście lat temu namiastka takiego barku była w klasie ekonomicznej wszystkich towarzystw lotniczych obsługujących loty międzykontynentalne. Komfort podróży w przedniej części samolotu staje się bezcenny w najdłuższych połączeniach. My lecimy tylko osiem godzin, ale Emirates realizuje loty rekordowe, jak Dubaj–Los Angeles: 13 425 kilometrów — które przykuwają pasażera do fotela na szesnaście i pół godziny.

Tuż po północy stewardesa z gładko zaczesanymi w kok ciemnymi włosami, o nienagannym makijażu, w którym wyróżniają się kontrastujące z bielą zębów jaskrawe czereśniowe usta, nieoczekiwanie zaprasza mnie do baru.

— Szanowny panie — zwraca się do mnie po polsku z tajemniczą miną, a ja już się spinam, wyobrażając sobie, że nawet tu, w samolocie, potrzebne będą moje umiejętności survivalowe. Ale nie o to chodzi. — Z danych paszportowych wynika, że pańska małżonka właśnie obchodzi urodziny. Z tej okazji firma przygotowała tort, który, jeśli pan zechce, może pan wręczyć pani Lindzie.

Wskazuje dłonią za siebie i wówczas dostrzegam pod szklanym kloszem niewielki biały finezyjnie przyozdobiony tort z pięknymi czekoladowymi życzeniami.

— Dużo podróżuję po świecie — mówię do stewardesy — a tu dałem się zaskoczyć. Gratuluję. I oczywiście dziękuję za tort. Z przyjemnością go wręczę.

Idę ostrożnie, niosąc na wyciągniętych przed sobą dłoniach ozdobny wypiek. Za mną podążają dwie stewardesy.

Linda wciąż mnie nie widzi spod półprzymkniętych powiek. Okryta miękkim kocykiem spogląda w okno.

— Kochana — odzywam się po włosku. — Z okazji twoich urodzin, z życzeniami radości i miłości.

Odwraca głowę i przez sekundę sprawia wrażenie człowieka, który nie wierzy w to, co widzi. Potem na jej twarzy pojawia się szeroki uśmiech.

Dla takich chwil warto żyć.

Dawniej, kiedy latanie było czymś ekskluzywnym, zarezerwowanym dla najbogatszych, praca stewardesy uchodziła za zawód elitarny i romantyczny zarazem. Marzyły o niej dziewczyny z całego świata, bo to dalekie podróże, spanie w pięciogwiazdkowych hotelach, możliwość poznania znanych osób. W latach sześćdziesiątych na castingi Pan Am zgłaszało się nawet tysiąc dziewczyn, a przez eliminacyjne sito przechodziło zaledwie kilkanaście. Wtedy liczyła się uroda. Dziś jest inaczej. Od dawna obserwuję, że nawet u najbardziej znanych przewoźników stewardesy są anonimowe i daleko odbiegają od niegdysiejszego kryterium, bo dziś bardziej niż urodę ceni się profesjonalizm. Chociaż są przewoźnicy, którzy w komunikacie prasowym o naborze zapowiadają: „Wybieramy współpracowników o otwartym umyśle, przyjaznych i usłużnych”, bo życzliwe usposobienie wzbudza zaufanie, a pasażer musi czuć, że jest szanowanym i mile widzianym gościem.

Niekiedy zapomina się o pasażerze i o postępowaniu zgodnym ze zdrowym rozsądkiem. Ponad wszystko stawia się przepisy.

U arabskich przewoźników nie doszłoby do sytuacji, w jakiej znalazł się znany polski polityk w samolocie Lufthansy. Usunięto go z pokładu, zanim jeszcze samolot wzbił się w powietrze, bo... pokłócił się ze stewardesą o swój bagaż podręczny. Tymczasem nawet irytujący pasażer powinien być najważniejszy i trudny problem należałoby rozstrzygnąć na jego korzyść.

Lot trwał jeszcze wiele godzin. Zdążyłem więc porozmawiać z polską stewardesą na temat jej pracy.

— Nasz zawód jest bardzo specyficzny — opowiadała. — Pochodzę z małego miasteczka na Lubelszczyźnie. Śniłam, aby wyrwać się z atmosfery prowincjonalnego życia, marzyłam o poznaniu świata, o przeżyciu przygody. Ktoś powiedział, że świat jest podobny do książki i kto nigdy nie podróżował, zna tylko jego jedną stronę, a ja mam możliwość poznawania jednej strony dziennie. Pracuję w Emirates już drugi rok. Naszym podstawowym zadaniem jest troska o bezpieczeństwo pasażerów, a w razie potrzeby przeprowadzenie sprawnej ewakuacji czy udzielenie pierwszej pomocy. Poczucie bezpieczeństwa w trudnych sytuacjach uda się zapewnić wyłącznie spokojem i opanowaniem.

Moja rozmówczyni dostrzega zapaloną lampkę. Ktoś ją wzywa. Uśmiecha się przepraszająco i obiecuje za chwilę wrócić.

— To nie jest łatwy chleb, tylko ciężka, fizyczna robota, uznawana przez niektórych za elitarną. Kiedy nasza grupka z pilotami na czele dumnie maszeruje przez dworzec lotniczy, zawsze przykuwa wzrok podróżnych. Niektóre z nas zdobywają w ten sposób faceta, ale z reguły w pracy „na walizkach" na ułożenie sobie życia, a nawet zwykłe kontakty towarzyskie nie ma czasu. Zazdrości się nam, ale nie oszukujmy się, stewardesa to ktoś między podniebną służącą a kelnerką, kto dorabia prowizją ze sprzedaży perfum i alkoholu. Przede wszystkim jednak ma napoić, odgrzać posiłki i nakarmić, a potem sprzątnąć. Niestety, sprzątać trzeba też pokładowe toalety. Szara rzeczywistość szybko rozczarowuje i zachwyt się ulatnia. Mało kto zdaje sobie sprawę, ile to kosztuje wyrzeczeń. Musimy być ciągle dyspozycyjne, akceptować nieregularny grafik dyżurów. Każdy dzień jest inny, wszystko zmienia się dynamicznie. Po krótkim odpoczynku trudno się nieraz obudzić o czwartej nad ranem. A tu trzeba zrobić makijaż i do roboty. Bywało, że w ciągu 12 godzin miałam cztery starty i lądowania. Trudne są długodystansowe loty nocne, zmiany temperatur i stref czasowych. Uciążliwi bywają niekulturalni czy nawet chamscy pasażerowie. Podróżni przechodzą kończące się często zgrzytami i pyskówkami kontrole bezpieczeństwa na lotnisku od czasu do czasu. My tym stresującym procedurom poddajemy się każdego dnia i nie ukrywam, że zawsze odczuwam zażenowanie i pewien dyskomfort w takich chwilach. Do niedawna latało się do miejsc, gdzie czekało się kilka dni na powrót do domu, można było wiele zwiedzić. Dzisiaj mamy więcej połączeń i rotacja jest dużo większa. Nie ma czasu nie tylko na turystykę, ale i na pełny odpoczynek. Zawsze należy pamiętać o nienagannej prezencji.

Znów zapala się lampka. Dziękuję jej i wracam na miejsce. Przypominam sobie rozmowę ze znajomą stewardesą, która po paru latach nie wytrzymała i odeszła z zawodu. Nie mogła znieść atmosfery rywalizacji i zazdrości. Niektóre koleżanki, aby awansować, uciekały się do pisania oczerniających donosów. Dochodziło do tego, że główny steward, czyli szef nadzorujący pracę całego zespołu pokładowego, musiał notować wszelkie uchybienia zauważone podczas lotu. W przeciwnym wypadku firma zapraszała go na rozmowę i wyrażała wątpliwość, czy rzeczywiście nie zdarzają się w pracy żadne niedociągnięcia. Tak szantażowany szef pokładu, w trosce o swoje stanowisko, gotowy był sporządzać jak najsurowsze raporty.

Dubaj, który niespodziewanie znalazł się na najbardziej uczęszczanych szlakach lotniczych między Europą, Ameryką i Azją, ustawicznie rozwija siatkę globalnych połączeń, niestety kosztem pasażerów.

Mój włoski przyjaciel, latający często do Azji Południowo-Wschodniej, twierdzi, że owszem, Emirates to linia na wysokim poziomie, ale bez przesady. Rankingi w klasie ekonomicznej dają jej trzy i pół gwiazdki, a Aeroflotowi trzy. Różnica między tymi dwoma przewoźnikami polega wyłącznie na tym, że Arabowie serwują na pokładzie wszelkie alkohole, a Rosjanie tylko wino.

ORIENTALNA ATMOSFERA SZANGHAJU

Z synem witam się serdecznie, po męsku. Wyraźnie cieszy go nasz widok. Z Maksym, podobnie jak ze starszym od niego Konradem, w przeszłości nie układało się najlepiej. Rzadko bywałem w domu, trudy wychowania przejęła Linda, łącząc matczyną serdeczność i ciepło z ojcowską stanowczością. Okazała się silną i mądrą kobietą. Więzi emocjonalne w okresie ich dorastania, kiedy młodzi szukają własnej tożsamości, były niezwykle delikatne. Kiedy wracałem do domu, chciałem zaprowadzić twardą „męską" linię. Taka postawa ochładzała jednak relacje, prowadziła do buntu. Nie było wielkich konfliktów czy głębokich zranień, ale brakowało okazji do szczerych i otwartych rozmów, do okazania ojcowskiej troski. Prawidłowe reakcje pojawiły się, dopiero kiedy młodzi weszli w wiek męski. Częściej bywałem wtedy w domu, zacząłem dużo z nimi rozmawiać, wychodzić im naprzeciw, pojawiła się możliwość poświęcenia im więcej czasu, a tym samym zdobycia ich zaufania.

Jedziemy przez miasto, a mnie dopadają obawy. Z zasady staram się nie wracać do miejsc, które mnie niegdyś zafascynowały, bo wiem, że już tam nie odnajdę znajomych, intrygujących i wywołujących wzruszenie obrazów. A człowiek podświadomie stara się idealizować przeszłość, bo w zakamarkach duszy tkwi nostalgia za tym, co w wyścigu z czasem bezpowrotnie znika z horyzontu. Nie należę do fanów urbanistycznych, a już szczególnie do zwolenników mrocznych, przytłaczających metropolii, gdzie zachwiane zostały wszelkie normy i proporcje. Człowiek, który tęskni za pierwotnym środowiskiem, za przyrodą, z której nic już nie pozostało, ma prawo czuć tam lęk przed zagubieniem, wyalienowaniem i niemożnością porozumienia z drugą istotą. A także przed namacalną przemocą i każdym możliwym złem.

Tym razem jest inaczej, Szanghaj wciąga mnie bezgranicznie. Pamiętam, że niewiele ponad dwie dziesiątki lat temu, w dzielnicy Pudong po prawej stronie rzeki Huangpu, był jedynie rybacki port pośród pól ryżowych. Teraz rozciąga się tam zniewalający pejzaż: szanghajski Manhattan, pulsujące serce chińskiego biznesu. Od pewnego czasu dziennikarze porównują je z Hongkongiem, Nowym Jorkiem czy Tokio.

— Już tu kiedyś byłeś, tato? — Maksy zachęca mnie do opowieści.

— Byłem — odpowiadam. — Prawie wszędzie już byłem...

Zanim tu przyjechałem dwadzieścia lat temu, od dawna znałem już tamten klimat z pasjonującej powieści Jamesa Clavella *Tai-Pan*. To historia o upadku imperium chińskiego i narodzinach najbogatszej kolonii na Wschodzie oraz o dziejach właściciela spółki handlowej Noble House, toczącego wojnę o wpływy z handlu z Chinami. Ambitny kupiec, przez miejscowych zwany Tai-Panem, czyli „wszechpotężnym władcą", dzięki opium stworzył najpotężniejsze w Azji przedsiębiorstwo.

— Miałeś tu kiedyś robić jakiś film? — wyrywa mnie z zamyślenia Maksy.

— W 1985 roku otrzymałem od producenta Dina De Laurentiisa propozycję konsultacji merytorycznej przy realizacji filmu *Tai-Pan* z Seanem Connerym w roli głównej. Krótko przedtem ukazało się we Włoszech pierwsze wydanie mojej książki o żaglowcach i ktoś pomyślał, że mógłbym udzielić porad w temacie dżonek — chińskich statków handlowych z pękatym kadłubem i prostokątnymi żaglami z bambusa, używanych na wodach Azji Południowo-Wschodniej. Ale jeszcze przed ustaleniem warunków finansowych nadeszła informacja, że irlandzkiego aktora z powodu ograniczenia budżetu zastąpi Australijczyk Bryan Brown. A w ogóle to film nie wymaga konsultacji.

Z branżą filmową związał się mój syn Konrad. Przyjechał tutaj niedawno, bo zaproponowano mu reżyserowanie serii filmów w klimacie chińskiego horroru.

W ciągu tych kilku dni objeżdżamy z Lindą całą chińską metropolię. Opowiadam, wspominam, pokazuję. Ale i poznaję. Odnoszę wrażenie, że Linda czuje się trochę nieswojo pośród tego natłoku stali, szkła i betonu. Dopiero trzeciego dnia oddycha z radością.

Z epoki Tai-Pana pozostał w Szanghaju fascynujący obszar koncesji francuskiej, będący jakby cząstką Starego Kontynentu w centrum mocno zakorzenionego w swej bogatej historii Szanghaju. Tu moja żona czuje się prawie jak w domu. Uliczki przypominają miasta europejskie z domami najwyżej pięciopiętrowymi, przeplatanymi kolonialnymi rezydencjami, zanurzonymi w ogrodach, i nielicznymi wieżowcami łamiącymi harmonię krajobrazu. Dzielnica słynąca osiemdziesiąt lat temu z domów uciech i kasyn, z konstelacją butików z najbardziej znanymi na świecie markami i należącymi do dobrego tonu nastrojowymi restauracjami, to jeden z najbardziej eleganckich zakątków Szanghaju.

A mnie robi się najnormalniej w świecie smutno.

Urzekająca orientalna atmosfera, która zawsze przyciągała uwagę przybysza, z dnia na dzień nieuchronnie się ulatnia. Na każdym kroku napotyka się wiele sprzeczności, mieszankę bogatej chińskiej tradycji i ultranowoczesności, jakiej nie znajdzie się nigdzie w Europie. Zawrotne tempo przeplata się z powolnością, wykwintne europejskie restauracje — z kramami ulicznymi serwującymi szaszłyki z żab. Wytworne galerie sztuki zajęły miejsca palarni opium, kasyn i domów publicznych. Brytyjską Kompanię Wschodnioindyjską zastąpiły oddziały wielkich międzynarodowych firm, które wyniosły port na drugie miejsce w świecie pod względem przeładunków. Szerokie arterie krzyżują się z ciemnymi zaułkami, rowery zderzają się niemal z samochodami, pagody graniczą z salonami masaży energetycznych, gwarne i zatłoczone ulice handlowe z relaksową atmosferą porannej gimnastyki tai-chi w parku publicznym. W labiryncie wąskich, obsadzonych platanami uliczek wre tradycyjne życie. Ludzie pędzą tam żywot, rozmawiając, jedząc czy nawet śpiąc w skwarne, letnie noce. Obok suszącej się na drutach odzieży funkcjonują punkty gastronomiczne, krawcy, mechanicy skuterowi, stolarze. Dopiero kiedy człowiek znajdzie się w zatłoczonych tunelach metra, ziemia pochłania go, a wszelkie kontrasty i granice znikają.

Danni, chińska narzeczona Maksego, umówiła mnie z emerytem Yu Kepingiem, przewodniczącym komitetu blokowego, mieszkającym o dwa kroki od nadbrzeżnego bulwaru Bund. Spotykamy się w małej tawernie na Huqiu Road, na tyłach konsulatu brytyjskiego, gdzie z pomocą Danni słucham jego opowieści.

— Nieliczne już wspaniałości przeszłych czasów, które przetrwały niszczycielską furię, przechodzą na naszych oczach do historii — mówi z goryczą Chińczyk. — Miasto stawia na nowoczesność, wszystko, co dawne, burzy się bez sentymentów. Obserwuję, jak na tysiącach placów budowy ginie cząstka mojego miasta. Stare domy równane są z ziemią przez pracujące od świtu do zmierzchu buldożery, niepozostawiające żadnego śladu przeszłości. W przyśpieszonym, zachłannym na nowość kapitalizmie w wersji chińskiej liczy się wyłącznie przyszłość, rozwój gospodarczy i budownictwo. Koniec z wolną przestrzenią. Postęp ma zapewnić nam nieskończoną ilość dóbr poprawiających wygodę życia. Niestety, znaleźliśmy się w pułapce, za wszelkie zdobycze ludzie muszą płacić wysoką cenę. Unifikacja niszczy tożsamość, wyobcowuje. Człowiek zatracił zdolność do odczuwania emocji, stał się tylko kolejnym numerem w globalnej masie. Tęsknię za autentycznymi Chinami, które już nie wrócą, i za moją starą ulicą, pełną zapachów, smaków i życia, której lada dzień już w ogóle nie będzie.

Słucham nostalgicznych wywodów Kepinga, jednak wiem, że ostatni rok był dla Chin kolejnym rokiem gigantycznego skoku cywilizacyjnego. Blisko 100 milionów chińskich obywateli podróżowało po świecie, zostawiając za granicą 102 miliardy dolarów, czyli więcej od turystów amerykańskich i niemieckich. Chińczycy przesiedli się już z roweru na motocykl elektryczny, teraz coraz częściej jeżdżą samochodem.

Mieszkańcy Państwa Środka szybko odchodzą od konfucjonistycznej zgody na świat zastany, od spokoju, wyciszenia i akceptacji rzeczywistości. Chcą, wzorem zachodnich turystów, przełamywać bariery, walczyć o swoje miejsce w świecie biznesu, świadomie polepszać swój byt.

Dlatego chyba z tak wielkim odzewem spotyka się prelekcja, którą wygłaszam w Szanghaju. W czasie poprzedniej wizyty w tym mieście poznałem konsula Piotra Nowotniaka, osobę niezwykle mi życzliwą, w przeciwieństwie do jego poprzednika. Zaproponował spotkanie z Polonią i prelekcję dla firmy Zhongtai Lighting, znanej w Chinach z barwnych dekoracji świetlnych. Tworzy ona kompletne koncepcje, od projektu po realizację, świetlnych aranżacji miast, hoteli, wnętrz galerii sztuki, środków transportu czy świątecznych iluminacji centrów handlowych.

Zaproponowano mi temat, wydawałoby się, niepodróżniczy, choć w istocie jak najbardziej związany z eksplorowaniem świata: „Przełamywanie barier psychicznych i własnych ograniczeń".

Na spotkaniu padło wiele pytań dotyczących mojego samotnego rejsu przez Atlantyk w roli dobrowolnego rozbitka. Pytano o strach. Można być twardzielem, ale kiedy człowiek porusza się na krawędzi życia i śmierci, to zwierzęcy strach zaciskający gardło z pewnością go nie ominie. Ten niepokój to sygnał alarmowy w obliczu niebezpieczeństwa. Może stać się ojcem odwagi, bo spełnia funkcję mobilizacyjną, podnosząc poziom adrenaliny, która dodaje energii i stymuluje do działania. Podwyższony poziom stresu jest w stanie uruchomić pierwotne mechanizmy i wydobyć drzemiące w człowieku niesamowite siły, o których nie miał pojęcia. Strach i odwaga zazwyczaj się przenikają. Wobec odwagi jednak należy być ostrożnym, by nie przysporzyła kłopotów. Jej nadmiar da się zestawić z jej całkowitym brakiem. Obie postawy mogą okazać się tak samo niebezpieczne. Odwaga wynikająca z głupoty czy chęci budzenia podziwu u innych bywa często o wiele groźniejsza.

W krańcowych sytuacjach najbardziej pomagają przeświadczenie, że pokona się wszelkie trudności, hart ducha, optymizm i chęć życia. Kto ma kontrolę nad swoją wolą i zna jej siłę, może stawiać przed sobą najtrudniejsze wyzwania.

Pytano mnie też o wiarę w Boga w ekstremalnych chwilach. Na Atlantyku doświadczyłem głębokiej lekcji pokory. Błagałem: „Dobry Boże, pozwól mi wrócić do domu". Modliłem się do Matki Boskiej Częstochowskiej i czułem, że jakaś niewidzialna siła dodaje mi odwagi. Modlitwa w krytycznych sytuacjach wzmacnia morale człowieka. Hiszpańskie przysłowie mówi: „Wystarczy spędzić tylko jedną noc w małej łódce na wzburzonym morzu, by ateista stał się wierzącym".

Odzew na sali był niesłychany. Może dlatego, że nie były to puste słowa człowieka, który gdzieś te mądrości wyczytał. Własny sukces okupiłem półwieczem ryzyka, poświęceń, zaciskania zębów, ponoszenia odpowiedzialności za siebie i swoich współtowarzyszy w ekstremalnie zdradliwych zakątkach naszego globu.

Na zakończenie prelekcji przeprowadziłem mały quiz. Zacząłem od pytań: Kto pamięta, jak się nazywa człowiek, który przepłynął do Ameryki drugi, po Krzysztofie Kolumbie? Oczywiście nikt tego nie wiedział. Podobnie jak nikt nie miał pojęcia, kto jako drugi zdobył Mont Everest lub postawił nogę na Księżycu. To było nawiązanie do tematu prelekcji: drugi się nigdy nie liczy, ważny jest tylko pierwszy. To znaczy najlepszy! Przez półtorej godziny mówiłem, jak być numerem jeden, to znaczy o krok przed innymi. Jak pokonywać słabości, przekraczać własne ograniczenia, mierzyć się z barierami umysłu. Ogólnie biorąc, jak podnieść poczucie własnej wartości i kształtować postawę „mogę wszystko".

Na spotkaniu padło też z sali jedno elektryzujące dla mnie zdanie. Asystentka konsula generalnego Zjednoczonych Emiratów Arabskich w Szanghaju Ibrahima Almansouriego porównała mnie do władcy Dubaju, szejka Muhammeda ibn Raszida al-Maktuma, który podobnie jak ja nie używa słowa „niemożliwe".

Podobnych spotkań miałem jeszcze w Szanghaju sześć. Zorganizował je Maksy. Odbiły się one szerokim echem w chińskich mediach. Pisano, że gdyby Polska miała takich ambasadorów jak ja, to mogłaby zaoszczędzić na wydatkach związanych z promocją kraju.

Był też w Szanghaju czas na chwilę oddechu. Codziennie spacerowaliśmy z Lindą po legendarnym bulwarze Bund, przy którym stoją majestatyczne budowle art déco, pamiętające złote lata trzydzieste. Szanghaj, dawne finansowe serce Orientu, w którym rodziły się kariery milionerów, oczarował Charliego Chaplina, Marlenę Dietrich czy George'a Bernarda Shawa i wielu innych znanych ludzi.

Pewnego dnia na popołudniową herbatę wchodzimy do Peninsula, perły wśród azjatyckich hoteli. Zachowała się tu kolonialna atmosfera Azji Południowo-Wschodniej wraz z odziedziczonym po Brytyjczykach rytuałem *tea time*. Dojeżdża do nas Maksy ze swą urodziwą narzeczoną, a chwilę później i Konrad. To przedostatni dzień naszego pobytu w Szanghaju i chcemy spędzić czas w rodzinnej atmosferze. Dyskretna muzyka. Na stoliku oprócz herbaty zjawiają się minisandwicze, słone torciki i szeroki wybór ciastek. Trochę tego za dużo, bo za dwie godziny znów zasiądziemy do stołu. Jesteśmy bowiem zaproszeni do restauracji Da Ivo, też mieszczącej się przy bulwarze Bund, przez Giorginę Mazzero, szefową kuchni tego lokalu. Linda odnajduje w niej prawdziwie siostrzaną duszę. U Giorginy także można spotkać gwiazdy.

Widok z Da Ivo jest bezkonkurencyjny. Przez jedno okno widać cały pięknie oświetlony Bund, a przez drugie przeciwległy Pudong z lasem drapaczy chmur. Fama tej restauracji przybyła z Wenecji, gdzie bliźniaczy lokal gościł niezliczone sławne osobistości, od Harrisona Forda, Christiny Aguilery i Paula Newmana po Madonnę, George'a Clooneya czy Stinga. Dzisiaj nie ma tu żadnego VIP-a, ale Giorgina chce sobie zrobić ze mną zdjęcie, które zamierza powiesić w galerii znanych gości. Trudno jej odmówić.

Opuszczamy Szanghaj. Zamierzam pokazać Lindzie Indochiny, dawne kolonialne imperium francuskie, które swego czasu wypromowało mit egzotyki i błogiej egzystencji wśród monsunów. Zachwycający kalejdoskop ze swoją mozaiką etniczną, przyjaznymi ludźmi, wspaniałymi zabytkami, sprzyjającym klimatem, osobliwą urodą kobiet i zegarem czasu ze wskazówkami przesuwającymi się wolniej niż gdzie indziej wciąż jeszcze ma w sobie atmosferę minionych czasów.

Przylecieliśmy do Louangphrabang, dawnej stolicy Laosu, z hałaśliwego, opanowanego przez smog, przytłaczającego chaosem Bangkoku. Wrażenie niezatarte, jakbyśmy przenieśli się w jakiś surrealistyczny świat, gdzie globalizacja jeszcze nie zapuściła korzeni. Linda jest urzeczona ciszą miasteczka, zapachem jaśminu i drewna sandałowego, a wieczorem bajecznym zachodem słońca zalewającym niebo magicznym blaskiem złota różnych odcieni. Nikt się tu nie śpieszy, egzystencja jest odbiciem wyważonych ruchów buddyjskich mnichów, powolnego nurtu Mekongu i głębokiej duchowości, która stanowi integralną część życia mieszkańców tego kraju.

Także kolonialne skrzydło hotelu Villa Santi, w którym zatrzymaliśmy się na jedną noc, jest niczym ze stronic książek Conrada. Przestronny apartament z łóżkiem osłoniętym moskitierą i obracającym się powoli sufitowym wentylatorem podkreślają kolonialną atmosferę Orientu. Uroku dopełnia starannie utrzymany ogród, tamaryndowce, cenione ze względu na swoją piękną żółtoczerwoną barwę drzewa, i świeży zapach plumerii, docierający przez okno zabezpieczone drobną siatką.

Następny krótki etap to Birma, nazywana dzisiaj Mjanma. Nowe nazwy geograficzne nigdy nie będą jednak miały dla mnie takiego uroku jak dawne, ożywiające wyobraźnię, tajemnicze miana. W pamięci na zawsze pozostanie Sajgon, chociaż dzisiaj nazywają go Ho Chi Minhem, podobnie jak Cejlon Sri Lanką, Syjam Tajlandią albo Rangun Yangonem. To ostatni moment, by zobaczyć kraj, który jeszcze nie zdążył poznać masowej turystyki i kultu pieniądza. Po zaliczeniu unikatowej na skalę światową atrakcji, jaką jest Pagan z jego zachwycającymi świątyniami, postanowiliśmy odwiedzić miejsce od niedawna otwarte dla turystyki. Najpierw dolecieliśmy samolotem do Sittwe, potem płynęliśmy pięć godzin łodzią do Myauk U, ostatniej królewskiej stolicy prowincji Rakhine, dzisiaj bazy wypadowej do odległych wiosek mniejszości etnicznej Chin słynącej z kobiet o wytatuowanych twarzach. To pradawny, dziś już zakazany zwyczaj mający na celu obronę przed porywaniem kobiet przez nieprzyjazne plemiona. Prymitywny tryb życia w zagubionych osadach pozbawionych kontaktu ze współczesną cywilizacją — takie obrazki należą już do ostatnich związanych z przeszłością Birmy. Cieszę się, że Linda zdążyła to jeszcze zobaczyć.

I kolejny samolot. Wakacje mają dalszy ciąg na wyspie Bali — orientalnym raju na ziemi. Jeszcze w samolocie przeżywam mało komfortową dla siebie chwilę, kiedy młoda para Polaków prosi o autograf. Autografy oczywiście rozdawać lubię i to miłe być rozpoznawanym, ale nie w sytuacji, która burzy mój wizerunek. Ten, który przez całe życie przedzierał się przez puszcze, wędrował w karawanach wielbłądów, odżegnując się głośno od wszelkich wycieczkowych marszrut, teraz wmieszał się w międzynarodowy tabun urlopowiczów. Na dodatek udających się do turystycznej mekki. W obronnym odruchu chcę zaprzeczyć, że to nie ja... Jednak górę bierze rozsądek.

Wiele miejsc przechodzi nieuchronnie do historii. Jeszcze niedawno po zatoce Ha Long pływałem tradycyjną dżonką. Dzisiaj tutejsi rybacy przesiedli się na praktyczniejsze kutry motorowe. Na rzece Jangcy poznałem urok żeglowania sampanem, który obecnie zamieniono na komfortowe statki pasażerskie. Nie zapomnę słynnych na tej arterii wodnej Trzech Przełomów, schowanych teraz pod wodą po wybudowaniu gigantycznej tamy. Widziałem jeszcze dawny Związek Radziecki i otwartość duszy rosyjskiej. Na Kamczatce żywiłem się tylko kawiorem, bo innych produktów nie było. Nawet piękno Czarnego Lądu poznałem takie, jakie teraz można zobaczyć tylko w filmach *Śniegi Kilimandżaro* czy *Pożegnanie z Afryką*.

Szczególną satysfakcję sprawiło mi poznanie w połowie lat siedemdziesiątych grupy etnicznej Janomamów w górnym Orinoko, żyjącej w całkowitej izolacji od świata i niemającej kontaktu z białym człowiekiem. Gwałtowny proces wywłaszczenia terytorialnego w Amazonii, połączony z dewastacją środowiska, budową dróg, obecnością *garimpeiros*, poszukiwaczy złota i innych awanturników czy nielegalną eksploatacją drewna tropikalnego, stał się ich zgubą.

Bali, które poznałem kilkadziesiąt lat temu, wygląda teraz inaczej, głównie z powodu rzeszy przyjezdnych. Linda oczywiście jest zachwycona Ubudem, takim niby-kurortem, pełnym soczystej roślinności. W kulturalnej stolicy wyspy próbuje nawet odwiedzić wszystkie świątynie, galerie sztuki i warsztaty rękodzielnicze. I tradycyjne salony relaksujących masaży, te prawdziwe, niemające, tak jak w Tajlandii, podtekstu erotycznego. Do hotelu leżącego pośród pól ryżowych i hipnotyzującego zapachami kwiatów wracamy zwykle późnym wieczorem.

Nowy rok 2015 powitaliśmy jednak już w Dubaju, głównym celu naszej „podróży życia".

WITAMY W OAZIE LUKSUSU

Godzina piąta rano. Ekskluzywny terminal numer 3 międzynarodowego lotniska w Dubaju. Łagodne elipsy i półkola, kolorowe szklane ściany, łuki zadaszeń przypominające zastygłe w starcie skrzydła potężnego ptaka. Wszystko to oświetlone miękkim białym lub błękitnym światłem, czyste, zadbane, chronione przez dyskretnie rozlokowane kamery.

Już o tej porze lotnisko tętni życiem. Szybko mieszamy się z charakterystycznym dla Bliskiego Wschodu tłumem. Wśród Egipcjan i Jordańczyków, obowiązkowo z idealnie przystrzyżonymi, zadbanymi brodami, hinduscy komiwojażerowie w jaskrawych koszulach w kratkę i brytyjskie małżeństwa emerytów w bermudach. Ci ostatni siadają na miękkich kanapach elektrycznych wózków, które z cichym szumem uwożą ich w stronę wyjścia.

— Nie tędy — rzucam ukradkiem do Lindy i odciągam ją na środek holu pokrytego białymi błyszczącymi płytkami.

Blisko ściany bowiem pędzi prosto na nas pięćdziesięcioosobowa chyba wycieczka Japończyków. Nie oni jedni zresztą stanowią żywą bombę — jak okiem sięgnąć, roją się sfory turystów pod flagami różnych biur podróży.

W charakterystyczny sposób zachowują się młodociane Chinki z torebkami z butiku. Po opuszczeniu samolotu natychmiast włączają swoje smartfony i bezmyślnie przesuwając palcami po ich ekranach, świergoczą bez ustanku. Ich oprawione w różowe i fioletowe pokrowce komórki błyszczą światełkami pojedynczych diamencików — nie wiadomo — prawdziwych czy sztucznych. Przez chwilę bez sensu zastanawiam się, czy przez telefon wykładany diamentami łatwiej się rozmawia. Moje podejście do narzędzi — a telefon jest przecież jednym z nich — nie mieści się w kategoriach estetycznych, a jedynie utylitarnych.

Rodzina bladoskórych Skandynawów zatrzymuje się zachwycona pod wysokimi palmami ustawionymi wzdłuż szpaleru ławek i robi sobie zdjęcia na tle drzew rosnących w hali, ale Chinki najwyraźniej traktują otoczenie jako obszar do przejścia — a może bywają tu regularnie? — bo szczebiocząc bez chwili wytchnienia, mijają cuda urbanistyczne i zatrzymują się na ruchomej tafli przewożącej gości na niższy poziom.

Wreszcie mija nas grupka mało atrakcyjnych rosyjskich prostytutek, które najwyraźniej przyjechały do mozolnej pracy. Z daleka rozpoznawalne są po stroju: kroczą na obcasach tak wysokich, że przypominają cyrkowców na szczudłach. Wychudzone nogi prezentują aż po górną partię ud, jaskrawe proste sukienki opinają ich ciała z obowiązkowo wydatnym biustem. Kolorowe szale albo wielkie broszki niemal wołają, aby na nie spojrzeć. Dłonie zakończone odblaskowo pomalowanymi szponami dzierżą tandetne torebki z ekoskóry, a kolorowe nakrycia głowy podnoszą ich wzrost — ale na pewno obniżają klasę. Jeśli dodać do tego usta powiększone krzykliwą, czerwoną zwykle pomadką i mocno podkreślone czarną kredką oczy — nie potrzeba żadnej dodatkowej wizytówki, by wiedzieć, jaki zawód reprezentują. Ta upiorna atrakcyjność według mnie tylko straszy, ale z pewnością przyciąga określoną klientelę.

Bez pośpiechu, choć z wyraźnym celem, lotnisko przemaszerowują wszelkiej maści dubajscy notable w tradycyjnych białych, rzadziej kremowych czy szarych diszdaszach — długich, sięgających ziemi strojach.

Obok nas przechodzi wysoki, może czterdziestoletni jegomość z solidnym brzuchem. Podąża bezszelestnie w sobie znanym celu, nie ogląda się, choć dwa metry za nim kroczą jego cztery małżonki w czerni. Dla postronnego obserwatora różnią się jedynie wzrostem — cztery czarne postacie bez twarzy i kształtów, niczym wdowy w żałobie. „Gdyby taka grupa pojawiła się wieczorem w jakimś polskim zamku, na cały kraj rozniosłaby się legenda o straszących damach" — skomentował kiedyś podobny obrazek pisarz Krzysztof Petek, pasjonat takich osobliwości.

Natykamy się i na Polaków. Para młodych ludzi — on krótko ostrzyżony, barczysty, ona drobniutka, blond — wydają się zagubieni i usiłują wśród tysiąca wyświetlających się informacji odnaleźć tę najważniejszą: gdzie odbiorą swoje bagaże? Przegapili tłum współpasażerów pędzący po walizki i teraz miny mają takie, jakby ktoś porzucił ich w środku amazońskiej selwy.

— To lotnisko jest chyba większe od całego Olsztyna! — denerwuje się kobieta, trzymając pod rękę partnera, jedyny znany i budzący zaufanie element w tym obcym świecie.

Ale on nie stanowi w tej chwili żadnej ostoi. Rzuca na boki ukradkowe, nerwowe spojrzenia.

Jak im nie pomóc?

— Cześć, młodzieży — zagaduję i ruszam w stronę taśm, po których jadą już nasze bagaże. — Jesteście z Warmii? Chodźcie, już jadą walizki.

Mężczyzna z ulgą podąża za mną. Nie musi się przyznawać, że czuł się zagubiony. Honor uratowany.

— Tak, z Olsztyna — odpowiada. — Chcieliśmy w końcu zaliczyć wakacje, podczas których deszcz nie będzie nam cały czas utrudniał życia.

— To doskonale wybraliście — słyszę za sobą dystyngowany damski głos.

Może sześćdziesięcioletnia elegancka pani uśmiecha się do nas, trzymając pod rękę wyższego od siebie mężczyznę o krótkich siwych włosach i przystrzyżonej w szpic bródce.

Milczący pan wolną ręką popycha bez trudu lotniskowy wózek z dwiema solidnymi walizami. Nie odzywa się, ograniczając się jedynie do złożenia symbolicznego ukłonu. Za to jego żona z miną obieżyświata zwraca się do mnie:

— Wydaje mi się, że już gdzieś pana widziałam... A państwo na wakacje? — Przerzuca wzrok na młodą parę, nie czekając na moją odpowiedź. — Bo my z mężem pędzimy prosto z Zabrza tranzytem do Australii, by odwiedzić syna, którego nie widzieliśmy już trzy lata! O, a panie siedziały w samolocie za nami! Obie panie Agnieszki! — zwraca się do dwóch dwudziestolatek.

Jedna z nich, szczupła, wysoka, z długimi blond włosami i pociągłą twarzą, sprawia wrażenie pewnej siebie agentki. Z postawy i wyglądu przypomina mi filmową Larę Croft — tylko pozbawioną broni. Jej towarzyszka jest niską, okrąglutką szatynką.

— Tak — zgodnie z przewidywaniami odpowiada wysoka. Pewnym, niskim głosem. — Wakacje. Zerwałam z facetem, z którym byłam przez sześć lat, i zamiast niego do Dubaju wzięłam przyjaciółkę.

Starsza dama pewnie po raz pierwszy od dawna zapomina języka w gębie. Widać, że nie jest przyzwyczajona do tak otwartego mówienia o podobnych sprawach. Obrzuca wszystkich spłoszonym wzrokiem i kiwa głową.

— Do widzenia państwu. Śpieszymy się na kolejny samolot...

Po czym pociąga zdziwionego męża w przeciwną stronę ekskluzywnego terminalu numer 3.

Podążamy już spokojnie do rozświetlonej sali z transporterami wiozącymi bagaże.

— Dużo Polaków mieszka w Dubaju? Wielu tu przylatuje? — pyta Linda.

— Emirates weszły na polski rynek w 2012 roku — odpowiadam — a rok później można już było przyjeżdżać tu bez wizy. Nic dziwnego, że polska obecność jest tu zauważalna. Ale to i tak kropla w morzu, setka, może trochę więcej Polaków dziennie. Przecież to lotnisko obsługuje ponad czterdzieści siedem tysięcy przyjezdnych każdego dnia.

Rozglądamy się wokół. Nieskończone korytarze, zaułki, chodniki przecinają się, tworząc miasto w mieście. Zbytek bije w oczy, rzędy prawdziwych palm, miliony watów światła i eleganckie galerie handlowe ciągną się wzdłuż ścian lotniska, każąc zapomnieć, jakiemu właściwie celowi służy to miejsce. O samolotach, nawet najnowocześniejszych, zapewne nikt już nie myśli, skoro z każdym krokiem za szybami sklepów pojawiają się kolejne ekskluzywne marki: Armani, Hugo Boss, Escada, Next, sklepy z kosmetykami, wyrobami tytoniowymi, a wszystko otwarte całą dobę. Typowy dla lotnisk konsumpcyjny raj tranzytowych konsumentów, którzy podekscytowani wielkim światem skłonni są do nadzwyczajnych zakupów. Mówi się, że 15 tysięcy metrów kwadratowych powierzchni eleganckich sklepów, w których zatrudnionych jest 5600 ekspedientów, wypromowało się tu na największe w świecie centrum *duty free* z rocznym obrotem blisko 2 miliardów dolarów.

I oczywiście całe bogactwo lokali gastronomicznych.

Idąc wzdłuż kolorowej oświetlonej ściany, widzimy dziesiątki knajpek, restauracji, barów i fast foodów. Część z nich to idealna kopia znanych z całego świata wszelkich hamburgerowni i frytkodajni. Inne kuszą orientalnymi potrawami, niewielkimi, ale eleganckimi stolikami, przyjemnym dla oka wystrojem wnętrz i obsługą z wiecznym firmowym uśmiechem. Dwukrotnie zatrzymujemy się przed wielojęzycznym menu, aby zerknąć, co ciekawego można tu dostać. Natychmiast pojawia się kelner z gotową formułką:

— Czym mogę służyć? Mogę zaprosić do stolika?

Oczywiście zapraszać może, ale my tylko zerkaliśmy na orientalne dania. Idziemy dalej.

Zetknięcie absolutnej nowoczesności z tradycją jawi się na każdym kroku. Oto po chwili natykamy się na supernowoczesne pomieszczenie dla palaczy, oznaczone napisami i ikonami na szybach, wentylowane i klimatyzowane tak dokładnie, że można by tam składać całopalną ofiarę z wołu — a na zewnątrz i tak nikt nie wyczułby swądu.

Zaraz potem naszym oczom ukazuje się inny pokój, także dokładnie oznaczony. To rodzaj mikroskopijnej świątyni, pomieszczenie dla rozmodlonych muzułmanów. W odpowiednich porach na specjalnych matach wierni zanoszą tu modły do Allacha.

Linda jest zachwycona lotniskiem. Nie podzielam jej fascynacji, bo wprawdzie port jest duży, bardzo ładny i dobrze zaopatrzony, ale to samo znajdzie się też w Londynie, Frankfurcie albo Las Vegas czy Atlancie.

Wydostanie się z lotniska jest jak przeskok do nowego świata. Innego miasta. Pozostajemy jednak w konwencji blichtru i przesyconej luksusem gry komputerowej.

Dubaj robi wrażenie. Jeszcze do wczesnych lat siedemdziesiątych był to zapomniany przez Allacha miniaturowy skrawek pustyni, zamieszkany przez kilkadziesiąt tysięcy Beduinów, rybaków, pasterzy i poławiaczy pereł. A teraz to metropolia. Wsiadając do taksówki i jadąc przez to morze kolorów, labirynt drapaczy chmur i piekło zgiełku, mam wrażenie, że znalazłem się w galerii sztuki współczesnej, zawieszony pomiędzy estetyką i transgresją, dziełem kunsztu i nadętością, prowokacją i proroczą wizją. I nie ukrywam, że w jakimś sensie galeria ta mnie urzeka — mnie, weterana podróży do zakątków nieobjętych cywilizacją.

MARRIOTT MARQUIS

Z lotniska do starannie wybranego hotelu wiedzie nas tętniąca życiem dwunastopasmowa miejska autostrada Sheikh Zayed Road — ulica Szejka Zaida. To główna arteria Dubaju, właśnie wzdłuż niej powstało miasto. Ruch o tej porze jest już duży, ale bardzo płynny. Prawdziwe nieszczęście dotyka kierowców dopiero w godzinach szczytu. Przejeżdżamy przez gigantyczne, kilkupoziomowe skrzyżowanie, tunel, wiadukty, potem obok ogromnego drapacza chmur Dubai World Trade Center. Uwagę przykuwają podobne do otwieraczy butelek bliźniacze Emirates Towers, potem apartamentowce, biurowce, hotele: Millennium Plaza Hotel, Ritz-Carlton, Sofitel i wreszcie przyprawiający o zawroty głowy superwieżowiec Burdż Chalifa — 829 metrów stali, szkła i betonu. Kształt tego zjawiskowego budynku, przy którym pozostałe drapacze chmur jawią się jako kurduple, inspirowany liśćmi hymenocallis, lokalnego kwiatu pustynnego, przypomina odwrócony sopel lodu.

Jeszcze chwila i po przejechaniu 25 kilometrów zatrzymujemy się przed niedawno otwartym Marriott Marquis. Gdy podjeżdżamy, wstaje już świt, ale oświetlone złotym blaskiem latarń i reklam dolne kondygnacje wciąż toną w nocnej błyszczącej poświacie. Dwie potężne, na podobieństwo kaktusa kostropate, smukłe bryły niemal sięgają nieba. Najwyższy hotel na świecie: 76 pięter, 355 metrów wysokości. Górowałby nad panoramą większości miast, ale w Dubaju pozostaje w cieniu swojego ponad dwa razy wyższego sąsiada, Wieży Chalifa. Zachwycający pięciogwiazdkowy hotel ma ponad osiemset pokoi oraz kilkanaście restauracji i barów do dyspozycji gości.

Dwóch hotelowych bojów zabiera nasze bagaże — cóż za fanaberia! Zawsze sam nosiłem plecak czy wór transportowy! Ogromne lobby. Meldujemy się o szóstej rano, ale ku mojemu zaskoczeniu w recepcji przyjazna dziewczyna rodem z Kalkuty obiecuje dać klucz za pół godziny, a moglibyśmy przecież czekać do piętnastej, jak przewiduje regulamin.

— Będę wdzięczny za apartament na najwyższym piętrze z widokiem na morze — proszę uprzejmie.

— Dla palących czy niepalących? — chce wiedzieć recepcjonistka.

— Dla palących, bo moja żona nie może się obejść bez papierosów.

— Zatem mogę dać 51. piętro, wszystkie pokoje powyżej mamy tylko dla niepalących.

Szkoda, osobiście wolałbym jeszcze wyżej.

Do pokoju dowozi nas jedna z szybkich, niemal bezszelestnych wind. Apartament jest bardzo przestronny, o nowoczesnym wystroju i standardzie *deluxe*. Okno sięga od podłogi po sufit i oferuje nierzeczywisty widok na odległe o pięć kilometrów morze.

Łazienka, cała w bieli, także okazuje się absolutnie luksusowa i na mój gust — sterylna. Ale to nie przeszkadza Lindzie w dokonaniu obrzędów dezynfekcyjnych.

W swoich notatkach pozostawiam wpis: *Bardzo dobra lokalizacja, 10 minut pieszo do stacji metra Business Bay. Imponujący, nowoczesny hotel należący do holdingu The Emirates Group.*

Rozglądam się po hotelu. Nie tylko z ciekawości — to takie przyzwyczajenie nabyte podczas lat wypraw. Dobrze jest wiedzieć, co znajduje się na sąsiedniej polanie i dokąd prowadzi ścieżka wydeptana w selwie. W tym wypadku dżunglą jest 76 pięter wieżowca dominującego w okolicznym lesie gigantycznych budowli.

Wrażenie robi basen z widokiem na ekskluzywny hotel Burdż al-Arab. Basen wypełnia krystalicznie czysta, latem sztucznie schładzana woda.

Lindę zachwyca śniadanie w Kitchen 6. Mają tu naprawdę imponujący wybór potraw. Kiedy szuka ulubionego dania, z rozbawieniem obserwuję dwie podstarzałe Rosjanki w kreacjach wręcz sylwestrowych, a za chwilę dwóch osiłków, ich rodaków, na odmianę w strojach plażowych.

— Na kolację zapraszam cię do włoskiej restauracji Positano — obiecuję żonie. — Ma opinię jednej z najlepszych w mieście.

Na dźwięk nazwy restauracji Linda nadstawia ucha. A to z dwóch powodów. Po pierwsze dlatego, że Positano leży kilka kilometrów od Amalfi, perły wybrzeża uważanej przez wielu za najbardziej malowniczy punkt Europy. Jest to wymarzone miejsce na urlop, które we Włoszech koniecznie trzeba zaliczyć, tak samo jak Wezuwiusz czy Capri. I po drugie, że to urokliwe, zawieszone na skałach miasteczko było ulubionym plenerem w czasie jej studiów w neapolitańskiej Akademii Sztuk Pięknych. Można liczyć na to, że tutejsza kuchnia jest równie doskonała, jak ta na Półwyspie Sorrentyńskim.

Hotel wydaje się absolutnie luksusowy, ale w tym niedoskonałym świecie nie ma niczego idealnego. Internet okazuje się dodatkowo płatny. Przy tych cenach mogliby sobie darować podobną niespodziankę.

Ale zapłaciłem.

Zaczyna się nasza arabska przygoda. Dla Lindy oznaczająca rozkosze zwiedzania i korzystania z luksusów, a dla mnie zbieranie informacji do książki. Na początek mam umówione spotkanie z Abdallahem Najjarem, dziennikarzem z pierwszego kanału informacyjnego telewizji w Dubaju. Linda ma mi towarzyszyć. Po południu taksówka — kremowa toyota z czerwonym dachem — wiezie nas do siedziby dubajskiej telewizji. Abdallah nazajutrz wyjeżdża, więc może się spotkać tylko tego wieczoru. Jest to swoisty rewanż z jego strony, gdyż podczas mojego poprzedniego pobytu w Dubaju robił ze mną wywiad o moich podróżach.

Budynek telewizji, jak wszystko tutaj, jest nowoczesny, futurystyczny. Beton i szkło naszpikowane elektroniką, do tego dyskretne ozdoby.

Siadamy w wygodnych fotelach w redakcyjnym barze — napoje i przekąski czekają.

— Przyjeżdżającym z zewnątrz turystom i dziennikarzom trudno uwierzyć — opowiada z zapałem — że awangardowa metropolia, połączenie muzułmańskiej i arabskiej tradycji z najnowszą generacją technologiczną, wyrosła od zera dosłownie na naszych oczach!

Przyznaję mu w myślach rację. Kolosalne projekty i szalone inwestycje zmieniły piaski emiratu o powierzchni niedużo większej od Warszawy w pępek współczesnego świata.

— W miejscu pustynnego traktu ciągnie się wzdłuż wybrzeża Zatoki Perskiej długie na 70 kilometrów państwo-miasto, z wielopasmową drogą szybkiego ruchu Sheikh Zayed Road. Z twojego hotelu w dzień i nocy widać niekończący się sznur najdroższych aut. Przejeżdża ich tędy ponad trzysta tysięcy dziennie. Nic dziwnego, że wciąż są korki i bez przerwy słychać klaksony zniecierpliwionych kierowców. Ale to jest cena, jaką płacimy za rozwój.

Przerywa na chwilę, podaje Lindzie szklankę z sokiem, po czym kontynuuje:

— Szokująca skala i tempo postępu zadziwiły ludzkość. W ciągu jednego pokolenia księstwo dokonało przeskoku z osiemnastego wieku bezpośrednio do postmodernizmu.

W tym przyśpieszeniu Dubajczycy nieuchronnie też wiele utracili. Któregoś dnia zobaczę w galerii sztuki eleganckich młodych ludzi w nieskazitelnych diszdaszach, z większym zainteresowaniem przyglądających się ogromnym zegarkom sponsora niż dziełom sztuki. Albo na aukcji Christie's znudzone żony pracoholików z Zachodu lekkomyślnie podbijających cenę, aby zobaczyć, jakie to zrobi wrażenie na obecnych.

— W kilkadziesiąt lat wyrosło zaskakujące swoimi atrakcjami futurystyczne, dwumilionowe miasto — ciągnie dziennikarz. — Powstał kryty kompleks sportów zimowych, gdzie śnieg sypie się ze sztucznej chmury, i największy park rozrywki na świecie, zdolny przyjąć dwieście tysięcy osób dziennie. Musicie się tam wybrać! Na dnie przybrzeżnego szelfu usypano zespół ogromnych wysp — galaktykę kurortów, ekskluzywnych osiedli mieszkaniowych i komfortowych rezydencji dla wyrafinowanej klienteli. W 2008 roku wybu-

dowano Dubai Mall, największe centrum handlowe świata. Powstało jeszcze wiele innych monstrualnych przedsięwzięć inżynieryjno-
-architektonicznych. W miejscu niedawnej osady rybackiej i jaskini
przemytników wyrosły imponujące drapacze chmur, porównywane
do tych w Singapurze czy Las Vegas. Na dobrą sprawę emirat swoim
blichtrem przyćmił te symbole światowej rozrywki, ale niestety wy-
przedził je także pod względem nadmiernego zużycia wody i energii
elektrycznej. Jednak monumentalna urbanistyka odróżnia się od innych ambitnych miast tym, że tu wszystko musi być światowej klasy,
czyli trafiać do *Księgi rekordów Guinnessa*.

— Miasto bez wad? Bez problemów? — pytam.

Abdallah uśmiecha się.

— No, może jedyną wadą naszego kraju jest pogoda. Każdego
dnia budzimy się i odkrywamy intrygujące nowinki z zakresu za-
aawansowanej technologii, kreatywności i dynamizmu. Tylko, niestety, klimat jest wciąż ten sam, zbyt gorący.

Gdy żegnamy się z zabieganym dziennikarzem, zdaję sobie sprawę, że nie da się przekazać w ciągu krótkiego czasu esencji Dubaju,
który bardziej przypomina Hongkong niż arabską metropolię.

Taksówka pojawia się przy krawężniku, gdy tylko podnoszę
rękę. Jednocześnie obejmuję spojrzeniem monstrualne budynki ki-
piące od kolorowych reklam, błyszczących ozdób i tysięcy świateł.
Ich intensywność, barwa, aktywność przyśpieszają bicie serca. Nawet
jeśli nie mamy bladego pojęcia, co reklamują, większość ludzi ogar-
nia gorączka, którą ugasić mogą tylko zakupy. Ja na szczęście jestem
niewrażliwy na tę presję i stawiam się w tej chwili niejako z boku,
w roli obserwatora. Linda też nie biega z kartą kredytową do sklepu,
ale nietrudno mi zrozumieć, jak działa ten marketing.

W drodze do hotelu zapisuję sobie, iż Dubaj, podobnie jak
Hongkong, kojarzy się raczej z „miejscem" niż miastem-państwem
czy emiratem. Bez wątpienia jest synonimem nieosiągalnego luksusu, który zdumiewa, a z perspektywy Polski szokuje. Potem, po
kilku dniach, dopisuję: *Ten sztuczny raj, gdzie człowiek nie znajdzie
rzuconego na ulicę skrawka papieru, niedopałka czy puszki coca-coli,*

gdzie publiczne toalety w supermarketach i stacjach metra wydają się salami operacyjnymi w szwajcarskiej klinice, pozwala na jakiś czas zapomnieć o realiach naszych miast.

Gdy tak przemierzamy metropolię, nie sposób nie unosić głowy, by sprawdzić z niedowierzaniem, jak wysoko w niebo strzelają wieżowce. A oddanie do użytku każdego z nich rozgłaszane było na cały świat. Bo Dubajczycy nie tylko budują, ale potrafią to doskonale rozpropagować.

Nie wszyscy umieją się tak dobrze sprzedawać.

My, Polacy, nigdy nie potrafiliśmy tego robić. Nie potrafiliśmy nawet dobrze opowiadać o naszych „cudach". Na przykład o odbudowie powojennej Warszawy, określanej swego czasu jako jeden z największych projektów architektonicznych na świecie. Pewien architekt, stojąc w 1945 roku na jej zgliszczach, powiedział podobno, że trzeba stu lat, żeby się podniosła z ruin. Warszawiacy i przyjezdni dokonali cudu w ciągu lat kilkunastu — siłami społecznymi i politycznymi dźwignęli miasto zbombardowane bardziej niż Drezno, Londyn czy nawet Hiroszima, która stała się symbolem niewyobrażalnej tragedii wojennej. Niestety nie potrafiliśmy się tym chwalić.

Choć istnieje chwalebny wyjątek: film dokumentalny *Jak feniks z popiołów*, który przypadkowo obejrzałem kilka lat temu. Tytuł filmu nawiązuje do symbolu zmartwychwstania, legendarnego ptaka spalonego na stosie i odrodzonego z popiołów. „Ten epizod w historii Polski powinien być przedmiotem naszej dumy, argumentem wiary we własne siły — wypowiedział święte słowa współtwórca filmu, architekt Marek Krawczyński z Australii. — Trudno uwierzyć, jak mało szanujemy nasze największe sukcesy".

Zaprzyjaźniony ze mną australijski pisarz Michael Moran uzupełnił: „To najlepszy film dokumentalny o kraju europejskim, jaki kiedykolwiek oglądałem".

Cóż z tego, skoro więcej niż o naszym cudzie odbudowy mówi się w świecie o nowych dubajskich hotelach?

SZOKUJĄCY PRZESKOK

Losy tego niezwykłego miasta, zrośniętego w jeden organizm z emiratem, trudno w ogóle traktować w kategoriach historycznych. Rzymskie muzeum ukazuje artefakty od czasów *ab urbe condita*, czyli od 772 roku przed naszą erą. Londyn czy Paryż szczycą się z górą dwoma tysiącami lat historii, Madryt sięga II wieku przed naszą erą, nie mówiąc już o andaluzyjskim Kadyksie z biografią liczącą ponad trzy tysiące lat. A Dubaj? Jeśli liczyć maleńką rybacką osadę wspomnianą w zapiskach weneckiego podróżnika Gaspara Balbiego z roku 1580, można mówić o niewiele ponad czterystu latach osadnictwa. Miasto zaś, jakie oglądam w tej chwili, to dzieło jednego człowieka i jednego pokolenia — efekt zaledwie półwiecza nagłego boomu.

Trzeciego dnia pobytu umawiam się z Basią Żołnierczyk, przewodniczką po emiracie, znaną mi z poprzedniego tu pobytu. Proszę, by mi pokazała wszystkie smaki tego zakątka świata. I tak oto, opierając się o zbudowany z jasnej cegły mur fortu Al-Fahidi, patrzę na rozświetlony Dubaj z jego najstarszego zachowanego punktu. Warownia powstała prawdopodobnie w roku 1787 dla obrony osady przed koczowniczymi plemionami i jest najstarszą budowlą Dubaju. Leży nad naturalną zatoką Creek, wcinającą się wąskim, długim na 14 kilometrów przesmykiem głęboko w ląd. Gdyby nie fakt, że na samym końcu, przy Ras Al Khor Wildlife Sanctuary, jest znacznie szersza niż na początku, przypominałaby typowe ujście rzeki. Fort był wykorzystywany jako pałac władcy, później koszary i więzienie. Dziś mieści się w nim Muzeum Dubajskie, otwarte w 1971 roku z inicjatywy szejka Raszida ibn Sa'ida al-Maktuma, ówczesnego władcy emiratu, który dwa lata wcześniej poprosił swojego kolegę z Kuwejtu o przysłanie specjalisty muzealnika.

— Z badań archeologicznych wynika — opowiada Basia — że istniała tu osada, której mieszkańcy trudnili się połowem pereł. Statki tutejszych kupców wiozły je do Chin, a stamtąd wracały z jedwabiem i porcelaną, które wysyłano dalej, do Europy.

Sięgam wzrokiem na drugi brzeg — równie gęsto zabudowany i oświetlony, mimo że do zachodu słońca pozostało jeszcze co najmniej pół godziny. Ale na polu bezwzględnej, kapitalistycznej walki o klienta żaden sposób przyciągnięcia gotówki nie może być zaprzepaszczony. Dlatego kolorowe tablice, neony i ogromne telebimy pracują na długo przed zapadnięciem zmroku.

Wchodzimy do skromnej restauracji QD's, obok pięciogwiazdkowego Park Hyatt Hotel, bezpośrednio nad Creek.

— Kuchnia może nie jest tu jakaś szczególna, ale reszta zdecydowanie tak — zapowiada Basia.

Rzeczywiście, jestem jej wdzięczny, że mnie tu przyprowadziła. Widok na kanał i nieustanny ruch barek wyładowanych po brzegi towarami jest przesiąknięty duchem przeszłych czasów. W środku panuje spokojna atmosfera, tak różna od przepychu widocznego stąd lasu szklanych wieżowców.

— W XVI wieku — kontynuuje moja przewodniczka — południowe wybrzeża Zatoki Perskiej opanowali Portugalczycy, by całkowicie zdominować tam handel. O zmierzchu życie na uliczkach zamierało, a Portugalczycy i Azjaci chowali się w swych domach. Do kryjówek schodzili też arabscy korsarze, za których sprawą region ten zdobył złą sławę Wybrzeża Piratów, jednak klęski w potyczkach z flotą brytyjską ukróciły ich niecny proceder. W 1820 roku doszło do podpisania traktatu pomiędzy rządem brytyjskim a szejkami plemion mieszkających nad Zatoką Perską o protektoracie mającym na celu zwalczanie piractwa i handlu niewolnikami. W ten sposób Europa bogaciła się, a lokalne plemiona zyskiwały dostęp do jej zdobyczy technicznych i społecznych.

Kroniki mówią, że w roku 1833 kilkuset członków klanu Beduinów znanych pod nazwą Bani Yas z rodu Maktum, którzy zresztą do dziś rządzą tym terytorium, osiedliło się nad zatoką przecinającą centrum Dubaju. Był to zalążek delikatnego organizmu państwowego kierowanego przez plemię władające okolicznymi terenami. Traktat z Anglikami zapewniał im suwerenność i obronę przed inwazją turecką, a Londynowi pozwalał na kontrolę tego terytorium. W 1903 roku otrzymali z Imperium Brytyjskiego małą flotyllę parowców, co pozwoliło na regularne połączenie z Anglią i Indiami. Korzystne położenie geograficzne przyczyniło się do rozkwitu gospodarczego. Dubaj zaliczany był do głównych portów nad Zatoką Perską, dużego znaczenia nabrał wówczas miejscowy bazar, główny rynek złota na Bliskim Wschodzie. Niewielu zdaje sobie sprawę z tego, że właśnie w zaułkach Złotego Suku, który jest jedną z największych atrakcji turystycznych i handlowych Dubaju, zrodziło się niebywałe bogactwo tego miasta.

Z czasem filarem gospodarki stał się czarny rynek złota i połów pereł. Eksport tych ostatnich załamał się w roku 1940 ze względu na to, że światowy rynek zdominował produkt sztucznie hodowany w japońskich farmach.

George Chapman, Anglik, który w 1951 roku przyjechał z Europy do Dubaju, był porażony tym, co zastał. „Wszędzie tylko piasek i piasek, wybudowanie miasta wydawało się niemożliwe — pisał swego czasu w swoich wspomnieniach opublikowanych we włoskim magazynie «Epoca». — Już wtedy była to miejscowość kosmopolityczna. Większość spośród sześciu tysięcy mieszkańców stanowili Beduini, ale dużo też było Arabów z Bahrajnu i Kuwejtu, Persowie, Hindusi i garstka Brytyjczyków. Nie było elektryczności, w nocy panowały ciemności, więc przywiozłem generator i zamontowałem na dachu swojego domu 200-watową żarówkę. Pokazałem mieszkańcom, co to jest światło, którego oni nigdy nie widzieli. Zatrudniłem na Creek, szerokim niczym Tamiza, ludzi, którzy latarniami oświetlali kanał, ułatwiając przewóz ładunków ze statków stojących na redzie. Latarnie wprowadziłem też w wąskich uliczkach suku, gdzie kręciły się różne rzezimieszki. Nie było służby do ochrony bezpieczeństwa ludzi i mienia. Pierwszy komisariat policji został stworzony w 1956 roku i zatrudniał 29 funkcjonariuszy dowodzonych przez Brytyjczyków, którzy pozostali w służbie do roku 1975. Oczywiście nie było samochodów, co najwyżej wózki straganiarzy, zaprzęgnięte w osły, wielbłądy i kozy".

Miasto nie znało udogodnień zachodniego świata. Toalety nawet dla władców tych ziem stanowiły luksus. W krainie straszliwych upałów nie znano lodu. Pojawił się on wraz z elektrycznością dopiero w 1960 roku. Od południa do godziny szesnastej wszyscy szukali zbawczego cienia w *barasti*, tradycyjnych chatach plecionych z wikliny i gałęzi palmowych. Wciąż brakowało bieżącej wody, nie istniały prysznice, a i mydło też było rzadkością, zamiast niego używano błota. Ale najwięcej dawał się we znaki brak wody pitnej, studnie były rzadkością i nie mogły napoić wszystkich. Często więc wynikały o nie ostre spory, nieraz używano pięści. Lekarzy i lekarstwa poznano wprawdzie w 1950 roku, ale przez wiele lat nikt się do tego faktu nie przyzwyczaił. Nie było możliwości zdobycia wykształcenia, większość ludzi to byli analfabeci, a brak pracy zmuszał mieszkańców, by emigrowali do Kuwejtu, Bahrajnu czy Arabii Saudyjskiej. Nadzieja na poprawę życia pojawiła się w 1958 roku, kiedy Zatokę zelektryzowała wiadomość, że w sąsiednim emiracie Abu Dhabi, albo, według obowiązujących teraz reguł, Abu Zabi, pojawiły się szyby naftowe. W rzeczywistości powstały osiem lat wcześniej, ale były nieprodukcyjne i nie przynosiły efektów.

Historia Abu Dhabi to opowieść o kopciuszku pośród miast. Wyliczono, że gigantyczne zasoby ropy naftowej stanowiły prawie dwunastą część złóż światowych. Na zlecenie lokalnego szejka ich eksploatacją zajął się Petroleum Development Trucial Coast. W rezultacie pojawiła się lawina petrodolarów spływających bezpośrednio na prywatne konto emira, który zgodnie z prawem plemiennym uważał się za wyłącznego właściciela ropy i majątku uzyskanego z jego sprzedaży. Kiedy okazało się, że mało roztropny władca nie bardzo wiedział, co z nimi robić, rządy przejął w pokojowy sposób jego brat Zaid, który zreformował kraj i w krótkim czasie zapewnił mu dobrobyt.

Sześć lat później czarne złoto popłynęło też w Dubaju. Uśmiech losu zapewnił jego mieszkańcom świetlaną przyszłość.

A jak skorzystał na tym Dubaj?

Aby poznać odpowiedź, jedziemy z Lindą taksówką na umówione spotkanie do dwunastokondygnacyjnego hotelu Sheraton Dubai Creek. Zaprojektowano go w roku 1978 i był wtedy najwyższą budowlą, ale krótko dominował nad miastem. Niespełna rok później oddano do użytku, w miejscu, gdzie bierze początek główna arteria miasta, 39-piętrowy drapacz chmur Dubai World Trade Center. Ceremonii otwarcia dodała splendoru obecność brytyjskiej królowej Elżbiety II. Na fali wielkich inwestycji wybudowano też lotnisko i otwarto lokalną linię lotniczą Emirates.

Kiedy z góry spoglądamy przez kawiarniane szyby na miliony kolorowych świateł, nie sposób nie zgodzić się z twierdzeniem, że Raszid ibn Sa'id zostawił swoim synom miasto z doskonale przygotowanym zapleczem infrastrukturalnym, dającym niezwykłe możliwości dalszego rozwoju.

— Przepraszam za spóźnienie — słyszę za sobą melodyjny głos.

Wstaję na powitanie eleganckiej kobiety, która świadoma swojej wartości wyciąga do mnie dłoń. Pewnie i spokojnie. Do tego patrzy nam w oczy — ale bez cienia wyższości, po prostu bez strachu czy uniżoności.

Amira Yasmin, pół-Brytyjka prowadząca tu interesy w branży modowej, przysiada się do nas i pyta o moje ostatnie wyprawy. Potem, zagadnięta o historię, opowiada:

— Po odkryciu złóż ropy w Abu Dhabi sąsiadującemu przez miedzę siostrzanemu Dubajowi trafił się skarb, choć dużo skromniejszy. Po śmierci szejka Sa'ida ibn Maktuma w 1958 roku i po jego 46-letnim panowaniu skończyła się era senności. Przywództwo emiratu objął Raszid ibn Sa'id al-Maktum. Mający zaledwie podstawowe wykształcenie szejk zamierzał wykorzystać swój mandat do wypromowania Dubaju na świecie. Potomek niepiśmiennych poganiaczy wielbłądów uznał, że ropy jest zbyt mało, by budować na niej przyszłość. Wykazał się nadzwyczajną rozwagą i zadbał, aby to czarne złoto nie okazało się ulotną fortuną. Działał niezwykle dynamicznie. Ktoś porównał dzieje kraju w owym czasie do eksplozji wulkanu. Dzięki proroczej wyobraźni szejk stworzył podwaliny nowoczesnej metropolii, która byłaby w stanie zarabiać na siebie, gdy skończą się złoża ropy. Długoterminową wizję rozwoju poparł mądrymi decyzjami. Budowniczy Dubaju, jak nazwano szejka, zwrócił się do Kuwejtu z prośbą o pożyczkę wielokrotnie wyższą od ówczesnego PKB, i wykorzystał ją na pogłębienie i rozbudowanie naturalnego starego portu w zatoce Creek, tak aby mógł przyjmować statki o większej wyporności. Rozpoczęto budowę doków pływających. To wszystko pozwoliło konkurować z sąsiadami, a zwłaszcza z Szardżą, w której był główny port regionu. Na dodatek został on zniszczony przez wyjątkowo silny sztorm i stał się bezużyteczny, co skierowało transport morski do Dubaju. Teraz to do niego płynęły towary z Indii. Tak jak w ciągu zaledwie jednego roku władca stworzył nowoczesny port, tak w ciągu czterech lat doprowadził wszędzie energię elektryczną, założył telefony i wodociągi, a w ciągu sześciu lat oświetlił ulice całego miasta. Później szejk zaangażował się w jeden z najambitniejszych projektów w regionie: budowę największego między Rotterdamem a Singapurem kontenerowego portu Jebel Ali (według polskiej transkrypcji Dżabal Ali), oddanego do użytku w roku 1976. Wkrótce utworzono tam strefę wolnocłową, umożliwiając obcokrajowcom składowanie towarów przed wejściem na rynki Zatoki. Dzisiaj jest to lokum dla tysięcy firm handlowych i przemysłowych.

Taka oaza intratnego biznesu, bez obecności związków zawodowych i partii opozycyjnych, ucieleśnienie marzeń europejskich konserwatystów, została umiejętnie zaprezentowana światu poprzez perfekcyjny PR i marketing, w który zaangażowano ogromne fundusze.

— Ale przecież Anglicy pilnowali tu swoich interesów.

— Tak — przyznaje Amira Yasmin. — Ale w roku 1968 siły brytyjskie ogłosiły, że wycofają się z Półwyspu Arabskiego, bo subkontynent uzyskał niepodległość i nie było już potrzeby sprawowania kontroli nad szlakiem do Indii. Wówczas szejk zaproponował władcy Abu Dhabi, szejkowi Zaidowi ibn Sultanowi al-Nahajjanowi, stworzenie federacji dziewięciu szejkanatów jako przeciwwagi dla marksistowskich partyzantów w Omanie, a później dla islamskiego reżimu w Iranie. Nie było to przedsięwzięcie łatwe, zainteresowane strony dzieliło zbyt wiele konfliktów dynastycznych, dochodziło do napięć związanych z ustaleniem granic, ponadto niektórzy szejkowie mieli wątpliwości co do kwestii formalno-prawnych w tak istotnych dziedzinach, jak ustrój nowego organizmu państwowego. Kością niezgody okazała się też lokalizacja przyszłej stolicy. Bahrajn i Katar poczuły się zlekceważone i zerwały negocjacje. Ale 18 lipca 1971 roku władcy sześciu emiratów: Abu Dhabi, Adżmanu, Dubaju, Fudżajry, Szardży i Umm al-Kajwajn podpisali umowę o utworzeniu państwa federalnego Zjednoczone Emiraty Arabskie ze stolicą w Abu Dhabi. W roku następnym dołączyła do nich Ras al-Chajma. Szejkowi Dubaju przypadła jedynie funkcja wiceprezydenta, pozycja raczej zaszczytna niż wiążąca się z realną władzą. Wkrótce ZEA zostały uznane przez społeczność międzynarodową i przyjęte do Organizacji Narodów Zjednoczonych.

Przypomnę, że szejk Zaid, który przejął władzę w 1966 roku po obaleniu w przewrocie pałacowym swojego starszego brata, był więcej niż symbolem, był po prostu prawdziwą ikoną. Jego dobroduszna twarz z delikatnym uśmiechem po dziś dzień spogląda z gigantycznych portretów rozwieszonych wszędzie: na billboardach wzdłuż autostrady, na ścianach meczetów i centrów handlowych, na wieżowcach w budowie. To on kilka lat wcześniej zlecił pewnemu młodemu urbaniście angielskiemu zrealizowanie jego wizji nowoczesnej metropolii z „mieszkaniami państwowymi pośród piasków dla koczowniczych Beduinów", których głównym zajęciem była hodowla wielbłądów. Niezależnie od tego uchodzący za jednego z najbogatszych ludzi na świecie władca prowadził tradycyjne, pobożne życie muzułmańskie. Zadbał o to, by poddani nie musieli przemieszczać się więcej niż kilometr, aby dotrzeć do miejsca modlitwy. Ogromne i luksusowe lub małe, ale o nowoczesnym designie meczety są w każdym zakątku miasta: pośród banków i centrów handlowych, w starszych dzielnicach oraz wzdłuż dzielnicy biznesowej.

Niewątpliwymi gwiazdami wśród sojuszników były emiraty Abu Dhabi i Dubaj, synonimy nieograniczonego bogactwa i przepychu, zapewniające swoim obywatelom bajeczne warunki życia. Pierwszy, zachłyśnięty własną zamożnością, korzystając z błogosławieństwa petrodolarów, wolał pozostać przy tradycyjnych zasadach. Dubaj zaś, wyznaczający nowe horyzonty luksusu i nowe granice możliwości technologicznych, postawił na wolny, bez restrykcji finansowych handel i, co warte podkreślenia, potrafił się lepiej wypromować. O pozostałych pięciu księstwach nikt prawie nie słyszał. Ale nie zawsze tak było. Przed utworzeniem ZEA dominowały właśnie Szardża i Ras al-Chajma. Abu Dhabi i Dubaj nie liczyły się w ogóle, bo nie aprobowały brytyjskiego protektoratu, który rozpoczął się pod koniec XIX wieku i trwał do 1971 roku.

Dubaj dokonał fenomenalnego wyczynu, zdołał się doskonale sprzedać na Zachodzie jako idealne miejsce dla turystyki, wypoczynku, pracy i inwestycji. Zdumiewające, że wszystko to uzyskał prawie wyłącznie dzięki zaciągniętym kredytom.

Kręcę głową: to rzeczywiście zdumiewające. Przypominam sobie czytany niedawno świetny artykuł Mike'a Davisa, który określił Dubaj jako monarchię absolutną w przebraniu demokracji. Pomimo że podobnie jak pozostałe emiraty jest on de facto monarchią dziedziczną, to w dokumencie powołującym do życia Zjednoczone Emiraty Arabskie jest pomysłowa klauzula mówiąca, że gdy kraj wystarczająco się rozwinie, zostanie przekształcony w monarchię konstytucyjną. Dzięki tak sformułowanemu zapisowi decyzja pozostaje w rękach szejka.

— Ale szejk Raszid ibn Sa'id al-Maktum założył Dubaj, nadał kierunek działaniom — i zmarł — rzucam prowokacyjnie.

— Co nie zatrzymało rozwoju — ripostuje nasza rozmówczyni.

— Po śmierci architekta sukcesu Dubaju ster władzy przejął w 1990 roku jego syn, szejk Muhammad. Jak podają hagiografowie, nowy władca postawił na dywersyfikację gospodarki, głównie na usługi finansowe, handel i turystykę. Nas, przedsiębiorców, skusił rajem podatkowym, a turystów — luksusem i wyjątkowością. Swoje wysokie pozycjonowanie na rynku światowym zdobył poprzez „jakość i innowacyjność".

— Jednym słowem, szejk zbudował miasto będące sercem globalnego biznesu i turystyki.

— Tak jest — potwierdza bizneswoman. — Mówi się, że żądał od swoich doradców rzeczy niemożliwych, chciał miasta porażającego rozmachem i okazałością, odwagą i perfekcją. I to wszystko wbrew stuleciom kulturalnego zacofania czy piekielnemu klimatowi, który dokucza przez dziewięć miesięcy w roku. I wiesz co? Dostał to wszystko. Rozejrzyj się.

Rozglądam się od kilku dni. Gdyby nie fakt, że odwiedziłem już wszystkie cywilizacje świata, pewnie chodziłbym po tym mieście z ustami otwartymi ze zdumienia. Naj, naj, naj...

— Dubaj potrafił skorzystać z inwestycji dynastii żyjących z ropy naftowej — ciągnie Amira. — Ale pojawili się i inni. Po rewolucji Chomeiniego w roku 1979 emirat stał się w pewnym sensie Miami Zatoki Perskiej, ostoją pokaźnej diaspory irańskich uchodźców, spośród których wielu wyspecjalizowało się w handlu złotem, papierosami i alkoholem, skierowanym do Indii i swojej purytańskiej ojczyzny — Iranu.

— Miasto-państwo żyło też z recyklingu pieniędzy, prawda? — wtrącam. — Na wzór Tangeru lat czterdziestych ubiegłego wieku czy Makao z lat sześćdziesiątych, które spełniały rolę użytecznego schronienia.

— Tak — przytakuje Amira i zamawia jeszcze jedną kawę. — Dużo później Dubaj, pod tolerancyjnym okiem Teheranu, przyciągnął wielu bogatych Irańczyków, którzy stworzyli tutaj swoją oazę. Szacuje się, że dziś ci „lepszej" kategorii imigranci monitorują ponad jedną czwartą tutejszych firm deweloperskich i budowlanych.

Żegnamy kobietę biznesu — pędzi do swoich obowiązków. Linda także pędzi — do Abu Dhabi. Czeka ją półtorej godziny jazdy samochodem z Agnieszką, Polką od kilku lat mieszkającą w Dubaju. Na wyspie Saadiyat, na obrzeżu emirackiej stolicy, rośnie kompleks składający się z filii najsłynniejszych muzeów, centrum kultury i przestrzenie wystawiennicze. Ten kompleks ma budować nowy wizerunek emiratu pozostającego w cieniu Dubaju. Okazuje się, że brat obecnego emira, szejk Muhammad ibn Zaid al-Nahajjan, wykorzystując fakt, że historyczne centra arabskiego świata, Bagdad, Kair, Bejrut czy Damaszek, są od lat nękane wojnami domowymi i zastojem gospodarczym, ma ambicję przekształcenia miasta w nowe centrum kultury w tej części świata. Oba księstwa wywodzą się z tego samego plemienia Bani Yas. Przodkowie rodziny al-Maktum, która rządzi w Dubaju, byli poławiaczami pereł, a często też piratami. Rodzina al-Nahajjan zaś pochodzi od żyjących na pustyni Beduinów. Rody są skoligacone przez związki małżeńskie. Niegdyś cementowały swoje siły do walki z innymi plemionami, dzisiaj wiążą się, by stawić czoło zazdrości świata. Mimo wszystko rywalizują ze sobą i dzieli je punkt widzenia. Dubaj to park rozrywki dla dorosłych, jego sąsiad ma ambicję, by stać się centrum kulturalnym całego basenu śródziemnomorskiego.

Wyprawa Lindy okazuje się niewypałem, bo ten „hipermarket kultury" wciąż jest jeszcze nieukończony. Ale po powrocie z ożywieniem opowiada o swoim małym odkryciu.

— Wpadłam na kawę do hotelu Emirates Palace i zobaczyłam tam coś osobliwego. Przyzwyczajeni jesteśmy do korzystania, a przynajmniej do oglądania automatycznych dystrybutorów z kawą, ze słodyczami, z kosmetykami i tak dalej. A tam stał sobie „Gold To Go", elegancki automat ozdobiony motywem płatków złota, w którym można kupić zafoliowane sztabki złota o wadze jednego, pięciu lub dziesięciu gramów czy monety o różnych wzorach i wadze. Wszystko w realnej cenie, uaktualnianej co 10 minut przez komputer. Przy zakupionym produkcie była też informacja, że jeśli klient nie jest z niego zadowolony, może odesłać złoto producentowi bez podawania przyczyny. Ze zwykłej ciekawości kupiłam sobie pamiątkową, gustownie zapakowaną złotą monetę. Przedtem musiałam zeskanować swój paszport, wyobraź sobie... Ciekawe po co?

Wiem, po co, i wyjaśniam żonie.

— Chodzi o to, aby specjalny system kontrolujący liczbę transakcji dokonanych przez danego klienta i wymuszający kilkudziesięciogodzinną przerwę między nimi mógł zapobiec ewentualnemu wykorzystania automatu do prania pieniędzy.

Linda odpoczywa po swojej pierwszej samodzielnej wyprawie do Abu Dhabi, ja zaś myszkuję w notatkach i internecie, by po chwili trafić na ślad swojego starego przyjaciela z Gdańska, kardiologa Kaziego, czyli Kazimierza. W stanie wojennym ściągnąłem go wraz z kilkoma innym żeglarzami do Włoch do pracy na 24-metrowym keczu „Stormvogel", który pływał w czarterze po Morzu Śródziemnym. W końcu Kazi znalazł się w Londynie, gdzie rozpoczął zagraniczną karierę od felczera, ale szybko awansował na ordynatora kardiologii w jednym ze stołecznych szpitali. Jego kolega akademicki sprowadził go 18 lat temu do Kuwejtu, skąd w 2006 roku trafił do Dubaju. Oczywiście jest zadowolony, ma świetną posadę w klinice należącej do małżonki możnowładcy, cieszy się szacunkiem w kręgach, powiedzmy, tutejszej elity rządzącej.

Kazi natychmiast zaprasza mnie do swojej rezydencji.

W eleganckiej willi, na ekskluzywnym liściu Palm Islands, prawie na końcu palmy, z widokiem na Atlantis Hotel, do późnej nocy wspominamy żeglarskie czasy.

Kazi obiecuje pomóc mi w nawiązaniu właściwych kontaktów niezbędnych w zebraniu materiału do książki.

Pierwszym człowiekiem, który przychodzi mu na myśl, jest Izmir, któremu uratował życie, kiedy w beznadziejnym stanie przywieziono go do kliniki.

— Nie odkryję pewnie dla ciebie Ameryki, mówiąc, że kontakty z miejscowymi są bardzo powierzchowne — napomyka kardiolog.

— Ten mój były pacjent nieraz przypominał mi o swojej wdzięczności. Myślę, że to najlepszy kontakt, na jaki mógłbyś liczyć w tym mieście. Bo widzisz, Izmir należy do jednej z liczących się rodzin w Dubaju, tych, które posiadają w swoich rękach dziewięćdziesiąt procent przedsiębiorstw prywatnych, w tym wszystkie największe projekty przemysłowe i handlowe. Jego ojciec otrzymał na początku lat sześćdziesiątych od szejka ładną połać ziemi, która w trakcie budowy miasta przyniosła mu ogromny majątek. Bracia odsunęli go nieco od najwyższych kręgów tutejszej elity, bo kiedyś wyszły na jaw jego niezbyt dobrze postrzegane w świecie arabskim skłonności seksualne. Izmir ma wspaniałą rodzinę, ale co jakiś czas gustuje... jakby to powiedzieć... No, przelotnie, bez zobowiązań, gustuje w mężczyznach, a na dobrą sprawę jest biseksem. Nie afiszuje się ze swoją odmiennością, ale też specjalnie się z nią nie kryje. Nie zadawałem mu osobistych pytań, nie chciałem być niedyskretny. Ten biseksualizm pojawił się u niego dość późno. W wieku 31 lat ożenił się i ma dwie dorosłe córki. Myślę, że dręczy go „poczucie niespełnienia", frustracji, wykluczenia z tradycyjnego patriarchalnego modelu rodziny. Świat arabski żąda dowodów męskości właśnie w postaci potomków, w przeciwnym wypadku mężczyzna jest traktowany jak osoba niepełnowartościowa. Homoseksualizm oficjalnie nie istnieje, ale wiadomo, że wielu mężczyzn uprawiało seks z innymi mężczyznami tylko dlatego, że nie mieli szans robić tego z kobietą przed ślubem. I chociaż dzisiaj, tak jak Izmir, mają rodziny, to bywa, że kontynuują swoje przygody w męskim towarzystwie.

Tego wieczoru nie mogłem przypuszczać, jak bardzo pomocny w odkrywaniu Dubaju okaże się ten Izmir.

NIEZASTĄPIONY IZMIR

A oto i on. Przedstawiciel bogatej kasty, który może nie robić absolutnie nic, gdyż jego umocowanie w strukturach administracyjnych czy korporacyjnych jest tak silne, trwałe i niezmienne, że horrendalne wynagrodzenie otrzymuje z tytułu samego swojego istnienia. Idealna biel jego sięgającego do ziemi stroju — łącznie z nakryciem głowy — podkreśla nietykalność tego człowieka.

Siedzimy z dala od ludzkich oczu, w kącie kawiarni w Dubai Marina Yacht Club. Mój rozmówca ma 54 lata, jest dobrze zbudowany, niezbyt wysoki, z jego owalnej twarzy niemal nie znika uśmiech odsłaniający rząd białych zębów. Nawet gdy się nie uśmiecha, z jego brązowych oczu emanuje pogoda ducha. Cienie pod oczami nie muszą świadczyć o zmęczeniu — Izmir ma już swoje lata, a w tym klimacie ciała starzeją się szybciej, wysuszane wiatrami pustyni, na które żyjący nawet w najwyższym komforcie co jakiś czas bywają wystawieni. Elegancki Izmir zaczesuje swoje rzadkie włosy do tyłu, nie ukrywa coraz wyższego czoła. Najwyraźniej też nie wstydzi się siwych włosów, pozwalając im opadać na uszy.

Izmir zgadza się rozmawiać i pomóc w pisaniu książki, ale zastrzega, by nie zdradzać jego tożsamości. Zdaję sobie sprawę z tego, że mój rozmówca to źródło o najwyższej wiarygodności, lecz z racji kontrowersyjnych, nieraz delikatnych tematów mam moralny obowiązek zachowania w tajemnicy danych umożliwiających jego identyfikację. W tej naszej relacji bardzo liczy się wzajemne zaufanie.

Zmienię zatem imię, miejsce i czas naszych konwersacji oraz inne elementy, które mogłyby pomóc w jego rozpoznaniu.

— Nie bój się, chcę z tobą rozmawiać raczej o historii Dubaju — zastrzegam się.

— Jak wiesz, historia też ma nieskończoną liczbę wersji. Zależy, kto ją pisze.

Trudno nie przyznać mu racji.

Izmir patrzy mi prosto w oczy.

— Widzisz, Jacku, wiążą mnie rodzinne koligacje z wysokimi sferami, ale wszyscy udają, że mnie nie widzą. Że zapomnieli mnie zaprosić, zadzwonić, o czymś powiedzieć. Każdy człowiek chciałby odrobiny szacunku i akceptacji, choćby od najbliższych. Nie jestem opryszkiem, głupcem, ale...

— Ale...? — Przechylam głowę wyczekująco, choć wiem, co chce powiedzieć.

— Nie akceptują mojej inności, bo... pociągają mnie zarówno kobiety, jak i mężczyźni.

Kiwam głową na znak zrozumienia.

— To odrzucenie przez osoby mi bliskie, w kraju, który dla mnie dużo znaczy, i w religii, w której wzrastałem, jest dla mnie bolesne.

Nie dziwię się — przebiegło mi przez głowę. — Nawet w Polsce tacy jak on muszą się w pewnych środowiskach ukrywać, co dopiero w kulturze islamu. Powinien się cieszyć, że mieszka tu, w Dubaju, a nie w sąsiedniej Szardży, gdzie pewnie już by nie żył.

A Izmir ciągnie:

— Zacząłem patrzeć na swój kraj mniej bezkrytycznie. Może przemawiał przeze mnie osobisty żal, ale też ten sam żal otworzył mi oczy na wiele spraw. To są ważne elementy życia, których większość moich rodaków stara się nie dopuszczać do świadomości, nie widzieć. Bo żyje im się wspaniale, wygodnie, spokojnie. Tego, co ci mówię czy pokazuję, nie usłyszysz od innych. Pytanie jednak, Jacku, co chcesz usłyszeć, co zobaczyć. Czy prawdę, czy mit, na którym wyrósł mój kraj? Bo mitów możesz się nasłuchać i naczytać do woli, nie jestem ci do tego potrzebny.

— Chcesz więc Dubajowi przyłożyć? Zaszkodzić? — prowokuję go.

Kręci głową zdecydowanie.

— Absolutnie nie. Chcę, aby się zmieniał i szedł w stronę tolerancji i szacunku dla ludzkiej różnorodności. I temu celowi służy po prostu prawda. Zakłamana kultura nie uczyni postępu, i to niezależnie od tego, na jakiej glebie wyrosła. Chcę ci pokazać, jak jest, a nie jak oni chcą, aby o nich mówić. Tylko tyle.

Zapisuję parę słów w notatniku.

— Po prostu nie czujesz się zobowiązany do lojalności?

Izmir milczy przez chwilę, spoglądając za okno.

— I tak, i nie. Chcę być lojalny wobec Dubaju. Ale nie muszę wykazywać lojalności wobec poszczególnych ludzi, polityków. Dubaj zyska na ujawnieniu prawdy. Zyska — w ostatecznym rozrachunku.

Piszę jeszcze przez chwilę. Zastanawiam się, ile w tym człowieku musi być goryczy, skoro zgadza się zaryzykować własną karierę, a może i wolność, by zbuntować się przeciw systemowi. Dobrze jednak, że go spotkałem. Bez Izmira i jego buntu nie zdobyłbym tak wielu źródeł informacji.

Temat jego motywów uznaję za zamknięty. Rozpieram się wygodnie i rzucam pierwszą przynętę:

— Porozmawiajmy może o ostatniej dekadzie — proszę.

Izmir kiwa powoli głową, jakby zastanawiał się, od czego zacząć.

— Po wydarzeniach 11 września 2001 roku sytuacja międzynarodowa sprzyjała Dubajowi, bo zszokowane państwa naftowe Zatoki Perskiej uznały, że Stany Zjednoczone przestały być najbezpieczniejszym schronieniem dla ich petrodolarów. Szacuje się, że sami Saudyjczycy w panice wycofali co najmniej jedną trzecią swojego kapitału, czyli trzy biliony dolarów! Pewna część tej kwoty została ulokowana w regionie. Fachowcy podliczyli, że Saudyjczycy tylko w roku 2004 zainwestowali w Dubaju nie mniej niż siedem miliardów dolarów w dużych projektach nieruchomościowych. Gospodarce kraju pomógł też oczywiście biznes uciekający z zagrożonych wojną krajów Zatoki Perskiej i zwyżkujące ceny ropy, spowodowane wojną w Afganistanie i Iraku, strajkami w Wenezueli czy rosnącymi potrzebami energetycznymi Chin i Indii.

Izmir nie mówi tym razem nic, przez co mógłby mieć kłopoty. Ale słowa, które padły w następnych dniach, usprawiedliwiły żądanie dyskrecji. Korzystając z kilku godzin, jakie zechciał poświęcić mi Izmir, postanawiam powalczyć z tematem, który męczy mnie od chwili przyjazdu.

Jak to w ogóle możliwe, że na płachcie pustyni, po której bezkarnie hulał wiatr, na obszarze pozbawionym wody i wszelkiego życia w ciągu tak krótkiego czasu postawiono najnowocześniejsze miasto świata?

Na usta cisną się różne pytania. Rozumiem — były na to środki. Ale trudno pojąć, jak pokonano przeszkody techniczne, logistyczne, naturalne.

— Znam paru ludzi, którzy opowiedzą ci o tym lepiej ode mnie — żywo gestykulując, odpowiada Izmir i łapie za smartfon.

Już po chwili macha ręką na taksówkę. Wiezie mnie na spotkanie z Kathryn Goodenough, doktorem geologii z Brytyjskiego Instytutu Badań Geologicznych. Ta niewysoka kobieta zarządzała zespołem, który opracował ultradokładną mapę emiratów. I sprawia wrażenie, jakby bez żadnych szkoleń mogła wyruszyć na jedną z moich wypraw. Po kilku minutach rozmowy, w której nakreśliłem jej swoje pytania, zaprasza mnie na pouczającą przejażdżkę. Po wydostaniu się z miasta pędzimy w kierunku gór Al-Hadżar oddalonych od Dubaju o 130 kilometrów na wschód. Bez oznak zmęczenia prowadzi po kamienistych zakamarkach wielką terenową toyotę.

— Woda! — rzucam hasło. — Woda mnie interesuje. Jak może funkcjonować dwumilionowe miasto na pustyni? Przecież ludzie nie tylko piją, kąpią się, ale zużywają ogromne ilości wody do chłodzenia! Czytałem, że przeciętnie na mieszkańca Dubaju dziennie przypada 550 litrów wody. Skąd ona się bierze?

Odpowiedź nie pada natychmiast. Są to raczej pojedyncze odsłony. Trzeba wykazać się cierpliwością.

— Zjechaliśmy całą pustynię — opowiada Kathryn. — Wspinaliśmy się na górskie szczyty i przemierzaliśmy doliny. Przebadaliśmy 30 tysięcy punktów obserwacyjnych. Wniosek był oczywisty. Kiedyś na terenie dzisiejszych emiratów płynęły rzeki. Przed dwoma milionami lat był to obszar mocno nawodniony. Ale temperatura rosła, woda opadała, wreszcie rzeki zapadły się, a ich koryta zasypał piach. Ale one płyną! — Wskazuje palcem w dół. — Tam, pod nami, głęboko, wciąż przeciskają się między skałami.

— A więc Dubaj korzysta z wód podziemnych?

— Tak. Też. Początkowo to wystarczało, by zaspokoić potrzeby rozrastającej się metropolii. Dziś jednak pełną parą pracują nad oceanem potężne zakłady odsalania. Dubaj potrzebuje przecież co minuta kilku milionów ton słodkiej wody.

No tak. Gdyby pod miastem płynęła Amazonka, wystarczyłoby wody dla wszystkich. W końcu u ujścia ta rzeka, rozpoczynająca się maleńkim andyjskim strumieniem, osiąga szerokość trzystu kilometrów! Ale tutejsze cieki nie byłyby w stanie zaspokoić potrzeb Dubaju...

Doktor Goodenough, jako geolog, ma też odpowiedź na inne ważne pytanie.

Kiedy opracowywano koncepcję postawienia metropolii na pustyni, szejkowie nie mogli liczyć li tylko na wsparcie Allacha — musieli sprowadzić inżynierów, którzy rozwiązali problem stawiania potężnych gmachów na piasku. Dlaczego na przykład wieżowce przy ulicy Szejka Zaida, ważące po milion ton kolosy, nie zapadają się, nie osuwają i nie krzywią jak zęby starca? Jest ich tam pięćdziesiątka, więcej niż na Manhattanie. I stoją równo jak komandosi podczas porannego apelu.

— Góry Al-Hadżar to było niegdyś dno morskie — opowiada pani geolog. — W wyniku zderzenia płyt kontynentalnych zostało ono wyniesione o trzy kilometry w górę, tworząc jakieś 30 milionów lat temu górski łańcuch. W okresie, gdy był to obszar pełen burz i deszczy, kruszące się skały wymywane były i spłukiwane w stronę morza. Trwało to kilka milionów lat. Potem te miliony ton rumowisk zostały scalone czymś na kształt cementu, co powstało w wyniku odkładania się minerałów węglanowych z wody. W ten sposób powstały skaliste podłoża Dubaju.

W drodze powrotnej z gór Izmir prowadzi ożywioną rozmowę telefoniczną z kolejnym człowiekiem. Dzięki jego koneksjom trafiamy do inżyniera, który oddał ostatnio do użytku dwustumetrowy apartamentowiec Burjside Boulevard.

Dzięki fotografiom i zapisom filmowym towarzyszymy inżynierowi Nasrowi Nasrowi, głównemu szefowi projektu, w całym procesie tworzenia tej niezwykłej budowli. Tym razem moje pytanie dotyczy technicznej strony osadzenia takich potężnych obiektów w pierwotnej skale, która znajduje się przecież czterdzieści metrów pod piaszczystym płaszczem pustyni.

— Ten budynek waży sto tysięcy ton — informuje inżynier. — Aby prawidłowo rozłożyć jego ciężar, potrzebowaliśmy solidnego fundamentu. W innych krajach podłoże znajduje się dość płytko. Nie trzeba głęboko kopać, by odpowiednio zakotwiczyć wieżowiec. Tutaj, gdy projektujemy budynek, musimy liczyć się z piaskami powierzchniowymi. Sięgają one trzydziestu metrów.

Jak się okazuje, by ustabilizować fundament, budowlańcy muszą przebić się przez piach i wwiercić w skałę. Zalewają taki otwór rodzajem gliny, by nie zasypał go piasek. Potem w każdy z tych otworów wpompowuje się sto ton betonu. I robi się to wyłącznie nocą, w dzień bowiem beton sechłby zbyt szybko — i pękał. Zestaw takich betonowych prętów stanowi rodzaj palowego fundamentu.

— Na Manhattanie też się tak buduje. Tam jednak, by postawić wieżowiec, potrzeba kilku takich pali. Tu, w Dubaju, pod samym Burjside Boulevard ustawiliśmy ich dwieście pięćdziesiąt.

Przypominam sobie przemiłą wędrówkę po Wenecji, gdy starsza, zmęczona życiem, ale sympatyczna wenecjanka z urodzenia opowiadała o tysiącach kilkumetrowych pali wbitych w muliste dno. Na nich całe miasto stoi do dziś. Tu, w Dubaju, spotykam oto nowszą technologicznie wersję tej samej koncepcji budowy miasta. Miejsce drewnianych pali zajmuje beton, zamiast bagna jest pustynny piach — ale pomysł ten sam.

Pozostaje jeszcze jeden problem. A w zasadzie wyjaśnienie kwestii, którą już wcześniej podjąłem. Woda.

Prowadząc przez dziesięciolecia szkoły przetrwania, po tysiąckroć przekonałem się, że do przetrwania w warunkach skrajnych nic nie jest tak niezbędne, jak woda właśnie. Można nie jeść przez trzy tygodnie, można być rannym, trawionym chorobą, cierpieć chłód i znosić niewygody. Ale brak wody zabija błyskawicznie. Dwa, trzy dni — i przenosimy się w mękach do lepszego ze światów.

Skąd woda — już wiem.

— Ale jak poradzono sobie przez te kilka dziesięcioleci szybkiej rozbudowy z rozprowadzeniem jej po mieście? Jak trafia na wysokość pół kilometra i więcej, by w luksusowych biurach i apartamentach zasilać łazienki, kuchnie i klimatyzatory? — pytam.

Nasr Nasr uśmiecha się.

— Jeśli chcesz, umówię cię z człowiekiem, który zna odpowiedzi na wszystkie pytania z tej dziedziny...

Okazuje się nim inżynier John Zwet. Spotykamy się z nim przed Burdż Chalifa. Na jego wizytówce można przeczytać: „Główny specjalista do spraw rozwoju, TAMMEER". To on nadzorował projekt i wykonanie systemu rozprowadzającego wodę w najwyższych wieżowcach.

Strzelająca w niebo iglica Burdż Chalifa to imponujący, 163-piętrowy pomnik tryumfu myśli ludzkiej nad naturą. Chwilowego tryumfu, bo żadne ludzkie dzieła nie są wieczne. Ale stoi, działa, funkcjonuje od stycznia 2010 roku! Jim Krane, autor książki *City of Gold: Dubai and the Dream of Capitalism*, twierdził, że Wieża powstała głównie dla zaspokojenia pychy. Zużywa tyle elektryczności, co cały dwumilionowy Dubaj. Ludzie zjawiali się z pieniędzmi na zakup pomieszczeń już od chwili, kiedy projekt się dopiero rodził. Chętnych było tak wielu, że wprowadzono ograniczenia, wolno było kupić nie więcej niż dwa piętra. Ta potężna budowla w pomieszczeniach biurowych i mieszkalnych może pomieścić 35 tysięcy osób!

Nie przyjechałem tu jednak, by podziwiać strzelistość budynku. Mam pytania, na które odpowiedź znają tylko specjaliści.

— System jest bardzo złożony — opowiada inżynier Zwet. — To przypomina spaghetti.

Moja półwłoska natura w tym momencie reaguje szczególnym zainteresowaniem. Spaghetti? Jak on to wyjaśni?

— Woda doprowadzana jest na każde piętro, w każdy zakątek budowli.

Dowiaduję się, że praktycznie niemożliwe, a na pewno niebezpieczne byłoby używanie do wtłaczania wody na najwyższe piętra budynku takiego jak Burdż Chalifa jednej pompy. Powstające ciśnienia rozerwałyby urządzenia i rury. A jednak specjalista taki jak John Zwet poradził sobie z tym problemem.

— Na czterdziestym piętrze umieszczono wielki zbiornik, do którego wodę pompują urządzenia usadowione w podziemiach wieżowca — wyjaśnia. — Część zasobów jest wykorzystywana do zasilenia wszystkich kondygnacji poniżej. Reszta wody wędruje, wtłaczana już osobnymi pompami, do kolejnych, coraz mniejszych zbiorników, sięgających dachu budowli. A z każdego z nich oczywiście trafia na kondygnacje poniżej, z czym doskonale radzi sobie grawitacja.

Ćwierć miliona litrów wody dziennie. Tylko w tym wieżowcu. To imponujące przedsięwzięcie.

Badając historię Dubaju, trafiłem na kolejne zagrożenie, z którym miasto jak dotąd nie poradziło sobie skutecznie. To pojawiające się co jakiś czas burze piaskowe. Tysiące ton maleńkich posłańców pustyni upominają się czasem o swoje. Potężna chmura nadciągająca od lądu potrafi na kilka dni sparaliżować supermetropolię. W tej kwestii jedyne, co mogli zrobić konstruktorzy, to uczynić wieżowce szczelnymi.

Na koniec odwiedzamy z Izmirem Curtain Wall Testing Laboratory, które testuje dla Dubaju szkło, uszczelnienia i elementy montażowe, poddając je najbardziej wyszukanym torturom. Do symulacji wiatru pustynnego, osiągającego czasem prędkość 140 kilometrów na godzinę, używa się tu samolotowego silnika ze śmigłem. Wichrowi dodaje się wodę, piach i pustynne porosty. Kamyki i pył. A wewnątrz ma pozostać sterylna czystość.

— Jeśli technologia się nie sprawdza, jest odrzucana. Elewacja wieżowca nie może powstać z niepewnych elementów — wyjaśnia nam Thomas Bell-Wright, specjalista do spraw inżynierii lądowej.

Opowiada też, jak powstają ruchome szkielety budynków zabezpieczające wieżowce, choćby słynny hotel Burdż al-Arab, przed wichrami.

Nadszedł wieczór, późny, rozświetlony milionami lamp. Izmir zdaje się kopalnią wiedzy, namawiam go więc, by spotkał się ze mną ponownie już następnego dnia.

Gdy wracam, Linda przysypia z książką w wygodnym fotelu. Ale czeka. Opowiadam jej wrażenia z moich eksploracji.

Odtwarzam jeszcze dwie anegdotki, które usłyszałem kilka dni wcześniej od Izmira, a które pospolity zjadacz chleba mógłby odebrać jako policzek. Znakomicie odzwierciedlają obraz świadomości mieszkańców Dubaju:

— Do hotelu Burdż al-Arab przychodzi facet z walizką i ściszonym głosem zwraca się do recepcjonisty, że chciałby przechować w sejfie swoje oszczędności, sto tysięcy dolarów. Na to słyszy odpowiedź: „Proszę nie szeptać, ubóstwo to żaden wstyd".

I jeszcze dorzucam drugą:

— Podobno w ręce prasy wpadła kiedyś taka korespondencja: „Kochany ojcze, Londyn jest wspaniałym miejscem i świetnie się tu czuję. Tylko trochę się wstydzę, bo przyjeżdżam moim złotym bugatti do szkoły, podczas gdy moi koledzy i nauczyciele dojeżdżają pociągiem. Twój kochający Safij". I odpowiedź: „Kochany synu, wysyłam ci 25 milionów dolarów. Przestań nas hańbić i też kup sobie pociąg. Twój czuły ojciec".

Ot, taki jest Dubaj, który przed stu laty był portową osadą zasypywaną piaskami pustyni.

SZARDŻA

Niełatwo jest otworzyć oczy, gdy do drugiej w nocy spacerowało się po rozgrzanych chodnikach, zadzierając głowę, by obejrzeć strzelające w niebo, roziskrzone reklamami fasady drapaczy chmur.

Dźwięk budzika, ściągający mnie o szóstej z luksusowego łoża, choćby nie wiadomo jak subtelny, przywołuje na myśl wszystkie zdradliwe ciosy karate, które trenowałem przed laty. Otwieram jedno oko, drugie — i już wiem! Szardża!

Całe lata reżimu wyprawowego nauczyły mnie skutecznej walki z pojawiającą się słabością. I choć tym razem wyprawa oznaczać będzie ledwie jednodniowy wyjazd samochodem wygodną szosą do sąsiedniego emiratu — zrywam się i wpadam pod prysznic.

Pół godziny później pozostawiam śpiącą jeszcze Lindę. Zgodnie z umową ona odwiedzi dziś starówkę w towarzystwie Lucy, z którą zapoznał nas Piotr Długosz, mój stary znajomy mieszkający od kilku lat w Dubaju.

Jak Izmir tego dokonał — pozostanie tajemnicą. Ale w tym narastającym jazgocie poranka znalazł zupełnie legalne miejsce parkingowe dwadzieścia kroków od wyjścia z mojego hotelu.

Bez kłopotu też, naciskając klakson, włączył się do ruchu. Oczywiście niemal otarł się o błotnik białej taksówki, ale owo „niemal" jest powszechnym towarzyszem poruszania się tutejszymi drogami. Trudno więc się dziwić, że wypadki samochodowe to w emiratach prawdziwa zmora.

— Do Szardży? — pyta, życzliwie patrząc mi w oczy, gdy sięgam po pas bezpieczeństwa.

Odruch zapinania pasa mam od czasów, kiedy w Polsce jeszcze wiele aut w ogóle takich zabezpieczeń nie posiadało. Ale pas ani drgnie.

— Zostaw, sam się zapnie — stwierdza Izmir i poprawia swój biały jak śnieg diszdasz.

Potem wkłada kluczyk w stacyjkę lśniącego infiniti i sprzączka pasa rzeczywiście wędruje wzdłuż górnej krawędzi szyby, aby zablokować się obok mojego fotela. Jestem zabezpieczony.

Samochód mknie szeroką szosą, która w pewnej chwili traci jeden pas. Potem kolejny. Ruch w tym kierunku nie jest jeszcze zbyt duży, ale w stronę przeciwną jest już bardzo tłoczno. W pewnym momencie nawierzchnia staje się mniej gładka, jakby na tym odcinku ktoś zapomniał o nią zadbać.

Dopiero za chwilę zrozumiem, że wszystko to ma swój cel.

Izmir milczy dłuższy czas, aż nagle, gdy po prawej zostawiamy za sobą port lotniczy, zaczyna opowieść takim tonem, jakby przerwał ją przed sześcioma sekundami.

— Relacje Dubaju z sąsiadami są wyjątkowo zawikłane, Jacku. Oto właśnie przekroczyliśmy granicę między państwami. Księstwa prowadzą między innymi wspólną politykę zagraniczną czy obronną, ale każdy z nich ma oddzielną administrację. Wystarczy przejechać kilka kilometrów, a natychmiast ukazują się pierwsze widoczne gołym okiem kontrasty. Spójrz. — Ruchem brody wskazuje ciąg budynków błyszczących błękitem szyb o wschodzie słońca. — Między Dubajem a Szardżą granica jest niewidoczna, ale od razu można dostrzec inny świat, bardziej surowy pod względem moralności, czego oznaką jest liczba zakwefionych kobiet.

Teraz dopiero rzuca mi się w oko ten element krajobrazu. Faktycznie, absolutna większość przedstawicielek płci pięknej nosi tradycyjne stroje.

— Bo widzisz, mimo uścisków wymienianych oficjalnie przez władców obu naszych mikroskopijnych państewek przez cały czas istnieje między nimi cicha rywalizacja. Szardża, biedniejszy brat wspaniałego Dubaju, pełnego przesadnego *glamour*, gdzie wszystko świeci i błyszczy, samozwańczo proklamuje się stolicą dziedzictwa i kultury emiratów. Tu sześć dziesiątków lat temu otwarto pierwszą szkołę w regionie, a dziś organizuje się różnego rodzaju festiwale, Międzynarodowe Targi Książki czy Światowy Przegląd Koni Arabskich. W 2014 roku Szardżę ogłoszono stolicą kultury islamskiej, a rok później Rada Arabskich Ministrów Turystyki wybrała ją na stolicę turystyki arabskiej. I zważywszy, że ceny są tutaj o kilkadziesiąt procent niższe, rozwija się ona coraz energiczniej. Szardża patrzy ze szczególną podejrzliwością na sąsiada libertyna, który umożliwia sprzedaż alkoholu bez ograniczeń w dużych hotelach i bezkarne poruszanie się po ulicach Dubaju skąpo ubranych kobiet. Ale wiadomo, że nawet w tej części świata konkurencja jest kwestią pieniędzy, a nie moralności. Szardża w ciągu ostatnich lat, ze swoimi drapaczami chmur będącymi brzydkimi kopiami Dubaju, stała się tańszą bazą mieszkaniową przeznaczoną dla imigrantów, sypialnią dla ludzi zatrudnionych w Dubaju, których nie stać na czynsz rzędu pięćdziesięciu tysięcy euro rocznie. Dubaj, tworząc infrastrukturę, stara się zaszkodzić sąsiadowi. Sam widzisz. Nowe, sześciopasmowe w każdym kierunku drogi docierają tylko do granic Szardży. Tu już mamy węższą, niewygodną trasę. Kreatorzy polityki Dubaju liczą na to, że kiedyś dojeżdżającym znudzi się uwięzienie w nieustannych korkach w drodze do pracy i z powrotem. I kosztem finansowych wyrzeczeń zdecydują się na wynajem mieszkania w Dubaju. Metro również tak zbudowano, by nie było zbyt komfortowego połączenia z Szardżą. Nie wsiądziesz sobie w centrum Dubaju i nie przejedziesz tutaj w pół godziny. Są przesiadki, zawrotki.

Zbliżamy się do trzech wieżowców połyskujących turkusem morza odbijającym się w wielkich taflach szyb. Niby jak Dubaj, a jednak wszystko tu wydaje się niższe, skarlałe.

No i przestrzeń.

Tu, w Szardży, wciąż widać niezagospodarowane przestrzenie. Kiedy z estakady zjeżdżamy w stronę gmachów przypominających grube szklane ołówki, widzę po prawej wielką łachę piasku w formie szerokiej plaży. Po lewej zaś dobre pół hektara ogrodzonego obszaru, równie piaszczystego jak Pustynia Arabska. Już stoją tam koparki, już ktoś montuje gniazda prądu, ale to wciąż wolny teren. W samym Dubaju takiego obszaru się nie uświadczy.

Zagadnięty o to Izmir kiwa głową.

— W Dubaju wykupuje się mniejsze budynki, aby je zburzyć i postawić wieżowce. Tu jeszcze wiele czasu upłynie, zanim będzie się tak dziać.

— Co jest tego przyczyną? — pytam.

Mój przewodnik wyraźnie wyzbył się wszelkich obaw w stosunku do mnie, a może jest desperatem, bo odpowiada coraz bardziej otwarcie:

— Czynnik ludzki. Dynastia al-Kasimi, która rządzi tym emiratem nieprzerwanie od prawie trzystu lat, na czele z panującym od czterech dziesięcioleci Sultanem III ibn Muhammadem al-Kasimim, wciąż utrzymuje tu system prawa muzułmańskiego, czyli szariatu, boskich zasad postępowania. To niepisana interpretacja zapisów Koranu, zestaw norm i wytycznych określających w sposób bardziej lub mniej jasny, co jest dozwolone, a co zakazane przez Boga. Prawo jest tu najsurowsze w całej federacji, a to dlatego, że Szardża pozostaje w strefie wpływów konserwatywnej Arabii Saudyjskiej. Niedawno widziałem tutaj plakat reklamowy: *Smile, you are in Sharjah* — Uśmiechnij się, jesteś w Szardży. Dubajczycy to hasło odwracają, mówiąc: *Cry, you are in Sharjah* — Płacz, jesteś w Szardży.

— To co? Nadal wolno mieć dziesięć żon? — próbuję żartować, ale mój znajomy wyraźnie nie ma humoru.

— Wolno, wolno. Chyba za karę, ja ledwie z jedną wytrzymuję. Ale nie o to chodzi. Żony masz albo nie, nikt cię nie zmusza. Ale... Zresztą — sam zobacz.

Izmir swoim zwyczajem, bez wrzucania kierunkowskazu czy zmniejszania prędkości, zaskakuje nagłym manewrem nie tylko mnie, ale wszystkich jadących za nim kierowców. Trąbią na niego też ci, którzy jadą z naprzeciwka. Ale on, jakby zupełnie nie słyszał tych wściekłych sygnałów, dwoma ruchami kierownicy ustawia auto naprzeciw niskiego, może sześciopiętrowego budynku i wyłącza silnik.

— Chodź. Będzie test.

Podczas tego typu testów czuję się nieswojo. Nie jestem u siebie, mogę nie rozumieć pewnych kulturowych zależności, znaczeń, słów.

Ale to nie była propozycja. Izmir już podszedł do szklanych drzwi. Ich grube tafle bezszelestnie rozsunęły się na boki, zapraszając do wnętrza.

Rad nierad poszedłem za nim, zastanawiając się, kiedy ja właściwie ostatnio robiłem jakieś zakupy spożywcze. No, tak, w Chinach, przed wyjazdem na pustynię Takla Makan. Ale prywatnie? W markecie?

Przekraczam próg jasnego sklepu — otwiera się przede mną bezszelestnie szeroka ściana wykonana z grubego matowego szkła. Za chwilę zamknie się szybko, by nie wpuszczać do klimatyzowanego pomieszczenia zbyt wiele ciepła.

Byłem już w jednym supermarkecie w Dubaju — choć zwykle bywam ledwie w kilku rocznie — i nie zdziwiły mnie jasno oświetlone i wyeksponowane słodycze, pieczywo, kolorowe słoiki, ozdobnie pakowane przyprawy, sery, mięsa i ozdoby.

— Teraz, Jacku — słyszę zza pleców — wyobraź sobie, że robisz zakupy na przyjęcie.

— Tym akurat zajmuje się żona...

— Zgoda, ale masz wyobraźnię. Czego potrzebujesz? Przejdź po sklepie i pokaż mi.

Niezręczne to, ale Izmir nie jest błaznem, jego działania mają jakiś ukryty cel. Dlatego spaceruję i otwartą dłonią pokazuję mu przekąski, soki, sery, chleby...

Sklep się kończy, przy kasach widzę trzy kobiety w hidżabach, czyli chustach w wymyślny sposób owiniętych wokół głowy, obsługujące nielicznych o tej porze klientów.

Coś pominąłem.

No tak!

Zawracam i szukam półki z alkoholami. Wybiorę dobre wino i może jakiś likier. Zaraz, ale gdzie jest stoisko z alkoholem?

Gdy zatrzymuję się po przejściu hali raz jeszcze, dostrzegam iskierki w oczach Izmira.

— Odkryłeś to, prawda? No, chodźmy. Sam widzisz. Tu nie chodzi o ubiór kobiet ani o ostrzejsze prawo karzące złodziei. W tym
emiracie nie kupisz nigdzie alkoholu! Oto różnica! I chyba to jedna
z przyczyn, dla której w Dubaju pojawia się o wiele więcej turystów.

— Nie kupię alkoholu? Nigdzie?

Mój przewodnik uśmiecha się szeroko, a brązowe oczy obrzucają
mnie taksującym spojrzeniem. Mruga znacząco, ale nie wypowiada
ani słowa. Czas nam w drogę powrotną.

Dopiero po przekroczeniu granicy Dubaju Izmir odzywa się
znowu, jakby koniecznie pragnął podsumować wszystko, o czym
rozmawialiśmy.

— Oficjalnie Szardża i Dubaj trwają w dobrosąsiedzkiej przyjaźni. Szejkowie pokazują się razem. Ale to tylko pozory. Tarcia są widoczne nawet dla przyjezdnych. Pozostałe pięć emiratów pozostaje
z dala od tej bratobójczej walki i próbuje wykroić sobie jakieś własne
miejsce, własną niszę. Abu Dhabi jako stolica Zjednoczonych Emiratów Arabskich cieszy się oczywiście atencją należną rządzącemu,
a Dubaj nie mniejszą estymą świata. Inne księstwa jakoś sobie radzą.
Któreś próbuje postawić na turystykę, inne idzie w stronę pełnej li-
beralizacji handlu alkoholem.

— Krótko mówiąc — dodaje Izmir po chwili, znów jak kaskader
parkując poślizgiem przy moim hotelu w luce niewiele dłuższej od
samego pojazdu — każdy stara się zdobyć coś dla siebie, zdając sobie
sprawę z tego, że nigdy nie będzie w stanie konkurować z Abu Dhabi,
a zwłaszcza z Dubajem.

MOŻNOWŁADCA, WIZJONER I MEGALOMAN

Z hotelowego saloniku na 37. piętrze, gdzie można spotkać się ze znajomymi i zjeść o każdej porze dnia i nocy wykwintne lekkie potrawy, rozciąga się wspaniały widok we wszystkie strony świata. Miriady maleńkich świateł, jak nieskończone stada świetlików, zlewają się w płynące nieprzebraną kaskadą kolorów wodospady jasności. Obłokiem blasku oplatają szczyty wieżowców drapiących niewidoczne chmury finezyjnymi ostrzami, zaprojektowanych z rozmachem i niemal lekceważeniem praw fizyki. Ale stoją, wychwalając swoich twórców i wizjonerów, którzy dzięki nieprzebranym majątkom powołali je do życia.

— Nie sądzisz — zwracam się do Krzysztofa, swojego gościa, specjalisty od handlu nieruchomościami, rezydenta podatkowego Dubaju, gdzie kupił apartament — że jeśli Rzym jest Wiecznym Miastem, a Manhattan apoteozą urbanistyki XX wieku, to Dubaj można uznać za prototyp nowego miasta postglobalnego?

Wysoki mężczyzna chwyta szklankę dżinu, zerka na sunącą pod nami linię samochodowych świateł i powoli kiwa głową.

— A mógłbyś rozszerzyć myśl? Bo wydaje mi się ciekawą syntezą.

Mógłbym, oczywiście. Także sięgam po swoją lampkę wina — jak dobrze, że to nie Szardża! — i ciągnę:

— Obejrzałem Dubaj. Tryumfują tutaj dzieła tuzów architektury: George'a Katodrytisa czy Jona Jerde'a, których cyklopowa fantazja konsekrowała miasto na skrajnie nowoczesne. Przytłaczające ogromem, czasem kontrowersyjne projekty najwyraźniej mają na celu zwrócenie uwagi świata.

— A wszystko to — uzupełnia, żywo gestykulując, Krzysztof, zgadzając się z moją opinią — dzięki obecnemu władcy, szejkowi Mo, jak nazywają tutaj Jego Wysokość Muhammada ibn Raszida al-Maktuma. Mówią, że jego prawdziwą pasją jest skrajna architektura. Ale trudno czynić mu z tego zarzut. Dzięki niepohamowanemu entuzjazmowi i atencji dla betonu i stali zmienił piaski i namioty nomadów w główną bramę prowadzącą na rynek całego Bliskiego Wschodu. Zapewnił krajowi przewagę nad odwiecznym rywalem, Abu Dhabi, stolicą polityczną Zjednoczonych Emiratów Arabskich. I to praktycznie bez zasobów finansowych pochodzących z ropy, która dzisiaj przynosi krajowi zaledwie cztery procent PKB. Żeby zbudować metropolię na ugorze, potrzebny był taki właśnie wizjoner.

Krzysztof sięga do stojaka pełnego czasopism — nie tylko lokalnych, ale i znaczących światowych tytułów. Krótko przegląda „Timesa" i „Wall Street Journal" i jeszcze inne zadrukowane płachty, po czym kładzie na stoliku otwarte gazety.

— Popatrz — wskazuje dłonią. — Nazwisko szejka pojawia się na stronicach ekonomicznych największych gazet świata. Głównie za sprawą jego odważnych decyzji związanych z rozwojem Dubaju. Otaczają go tutaj ogólna cześć i respekt. Czytałem, że jeśli ambasador Francji zostaje nagle do niego wezwany, to normalne, że odwołuje swoje spotkania i szybko przybiega. A nawet przyklęka. Natomiast gdy szejk zmieni plany i nie zjawi się na światowym sympozjum, to nikt się nie oburza. Należy jednak przyznać, że na swój sposób jest „zwyczajnym" facetem.

— Zwyczajnym? Pod jakim względem?

— Potrafi nieraz samotnie, incognito, wsiąść do metra, zrobić jakieś zakupy w supermarkecie albo osobiście usiąść za kierownicą swojego mercedesa.

— Trudno mi sobie wyobrazić polskiego prezydenta w takiej sytuacji. Więc jaki on jest naprawdę?

Krzysztof wskazuje te same gazety.

— Kalejdoskop oficjalnych portretów nie da ci odpowiedzi, bo w zależności od sytuacji raz widać go w wersji białego szejka, raz dżentelmena we fraku, o, popatrz! Innym razem w europejskim garniturze lub paradnym wojskowym mundurze. Albo w stroju *casual* lub dżokeja, bo szejk ponad wszystko przepada za końmi. Jak każdy człowiek ma wiele twarzy, co podkreśla różnymi strojami.

Biznesman płynnym ruchem, wynikającym najwyraźniej z wieloletniego treningu, sięga po swój duży smartfon. Szybko odnajduje w sieci interesującą go witrynę i pokazuje mi uśmiechniętego szejka dosiadającego wierzchowca, gotowego, by ścigać się w przełajowych crossach.

Podpis pod fotografią niestety nic mi nie mówi.

— Przepraszam, mój arabski ogranicza się do rozmówek pustynnych — wskazuję znaki arabskiego alfabetu.

— Kocha konie, tę pasję rozwijał od dziecka — szybko tłumaczy Krzysztof. — Pamiętam, jak kupił Authorizeda, zwycięzcę prestiżowego derby w Epson. Wydał, zdaje się, miliony euro. A za japońskiego konia Admire Moona zapłacił tylko 24 miliony. Dla niego nie ma konkurentów na aukcjach w Wielkiej Brytanii czy Stanach Zjednoczonych. Ludzie z branży twierdzą, że jest właścicielem największych na świecie stajni, kupił setki wspaniałych koni czystej krwi i wygrywał na nich najbardziej prestiżowe zawody na świecie. Lubi je — i stać go na nie.

Fakt.

Przed obiadem kartkuję książkę szejka *Flashes of Thought* (Chwile refleksji), będącą efektem dialogu ekspertów różnych dziedzin na szczycie rządu ZEA w 2013 roku. Władca Dubaju dzieli się tu swoim doświadczeniem i przemyśleniami, które mają służyć narodowi i nieść mu szczęście i dobrobyt.

Co jakiś czas unoszę głowę i na włoski tłumaczę fragmenty Lindzie, zajętej sporządzaniem jakichś swoich notatek:

— O, posłuchaj: „Nie zmęczę się powtarzaniem, że rodząca się z optymizmu energia pozytywna daje perspektywę dobrego życia i uzbraja w ambicję, impuls i motywację, cechy niezbędne do osiągnięcia celu. Ponadto nasza religia uczy, że optymista znajdzie to, czego szuka".

Nie doczekuję się komentarza, ale skinienie głowy oznacza przyjęcie do wiadomości słów szejka. Niezrażony po chwili odzywam się znów:

— „Praca rządu polega na zapewnieniu pomyślności swojemu narodowi. W naszej wizji nowoczesności będzie on działać 24 godziny na dobę, siedem dni w tygodniu, przez cały rok, i w jakości usług musi przerastać sektor prywatny. Chcemy, aby nasz rząd zapewnił społeczeństwu serwis najwyższej jakości, bardziej profesjonalny niż w hotelarstwie, i aby efektywniej od banków zarządzał wszelkimi procesami".

— To możliwe? — dziwi się moja żona.

— Specjaliści od biurokracji mówią, że niemożliwe. Że biznes prywatny zawsze będzie bardziej wydajny od państwowego. Ale to państwo w zasadzie jest własnością prywatną, więc może działać jak prywatna korporacja. Byle starczyło środków...

Zmieniając ubranie przed wyjściem na lunch, doczytuję jeszcze inne fragmenty:

— „Przyszłość należy do tych, którzy odważą się śnić i zebrać się na odwagę, aby realizować swoje marzenia".

A po chwili dodaję z entuzjazmem:

— W słowniku ZEA nie istnieje słowo „niemożliwe". Popatrz, jak u mnie!

— Si — przytakuje Linda. — Czasem myślę, że mógłbyś szejkowi podać rękę i razem z nim budować Dubaj.

Cofam się pamięcią do spotkania w Szanghaju i słów asystentki tamtejszego konsula generalnego Zjednoczonych Emiratów Arabskich. I jak tu nie wierzyć w przeznaczenie? Takich jak ja i szejk głoszących, że słowo „niemożliwe" nie istnieje, jest na tej planecie co najmniej kilku, ale to miłe.

— Wiesz, że ktoś już mi to mówił? — odpowiadam Lindzie.

— Niemożliwe — śmieje się.

— Posłuchaj tego — zmieniam temat. — „Mamy już za sobą etap równouprawnienia kobiet. Teraz powinniśmy nimi wzmocnić społeczeństwo. Naszym zadaniem jest stworzenie sfery, która pozwoli im osiągnąć ich najwyższy potencjał. Jestem przekonany, że stać je na dokonanie autentycznych cudów".

Linda faktycznie odrywa się od pisania i zerka na mnie ciekawie.

— Jacku, to on jest bardziej postępowy od tych waszych polityków w Polsce.

— Tylko od niektórych — prostuję. — Kraje arabskie mają więcej od Polski do nadrobienia w kwestii praw kobiet... Ale, wiesz, chciałbym, żeby nasz prezydent z takim zapałem pisał: „Mamy wszelkie prawo marzyć, aby stać się jednym z najlepszych krajów na świecie" albo: „Konieczne jest, aby patrzeć na świat w duchu rywalizacji, bo dzień, w którym go stracimy, będzie początkiem naszego odwrotu". A potem żeby zakasał rękawy i wziął się do realizacji takich postulatów.

Po obiedzie, w porze sjesty, która zwykle męczy mnie przymusowym bezruchem, na chwilę zagłębiam się w lekturze i wynotowuję sobie jeszcze kilka cytatów.

„Nasz kraj może jest i mały, ale nasz naród jest wyjątkowy i wyczyny, których dokonaliśmy, są niesamowite".

Tak, to mi pasuje. Podobnie jak jeszcze jeden, bardzo mi bliski:

„Największym ryzykiem jest niepodejmowanie ryzyka. Podjąć ryzyko i nie podołać to nie jest porażka. Prawdziwe bankructwo to obawa przed podjęciem ryzyka".

Wieczorem także Linda sięga po książkę szejka, a potem rozmawiamy o tym wizjonerze. Wiem już sporo — w ciągu kilku godzin można zebrać naprawdę spory materiał.

— Powinieneś się z nim spotkać — mówi Linda.

— Żartujesz...

— Chcesz powiedzieć, że wierzysz w słowo „niemożliwe"?

Jedyną moją odpowiedzią jest uśmiech.

— No dobrze, tymczasem opowiedz mi o nim — prosi moja elegancka żona, zajmując miejsce na wygodnej kolorowej kanapie.

— Z przyjemnością. — Sięgam po notatki. Opowiadając, porządkuję je sobie w głowie. — Muhammad ibn Raszid al-Maktum jest premierem i dziedzicznym księciem Dubaju. Majątek tego urodzonego w 1949 roku władcy wyceniany jest na 16 miliardów dolarów. To ma oczywiste znaczenie, ale chyba nie wystarcza, aby wytłumaczyć nieprzerwaną wspinaczkę na szczyty autorytetu. Nikt nie ma wątpliwości, że to lider o niebywałych zdolnościach wizjonerskich, którego charyzma pozwala na kandydowanie z urzędu na przywódcę nie tylko emiratów, ale i całego bliskowschodniego regionu.

— Mocno udziela się w polityce?

— Małomówny i pryncypialny Muhammad zawsze chciał iść w ślady ojca i już jako dwudziestolatek został komendantem głównym policji Dubaju, a dwa lata później ministrem obrony ZEA. Ale kiedy w 1990 roku zmarł szejk Raszid, to nie on zajął jego miejsce, a jego starszy brat Maktum. W 2006 roku, po jego niespodziewanej śmierci, Muhammad został głową państwa. Zaraz po przejęciu władzy rozpoczął generalną reorganizację rządu, wielu skorumpowanych urzędników zastąpił nowymi ludźmi. Gdy powołano go na urząd wiceprezydenta i premiera ZEA, zrobił porządek także z biurokratami federacji. W porozumieniu z prezydentem szejkiem Chalifą wymienił część rządu, wprowadzając ludzi bardziej rzutkich, i wdrożył nowe zasady pracy. Nowo mianowany minister edukacji miał podnieść kulejący do tej pory sektor nauczania, a minister zdrowia — podwyższyć standardy opieki zdrowotnej. Wreszcie rodzinom z wyższych sfer, otaczających się tabunem służby, polecił pozbyć się części personelu, niań, kucharzy, masażystów, służących, szoferów, lekarzy, ogrodników, osobistych trenerów. Ponadto zobligował wszystkich ministrów do wykazania maksymalnej inicjatywy oraz opracowania strategii mającej na celu poprawę jakości i dyscypliny pracy. Zapewnił, że osobiście będzie sprawdzać ich poczynania. Zapowiedział, że zachowają swoją pozycję, pod warunkiem że w ciągu roku wejdą na wyżyny światowych rankingów konkurencyjności, przejrzystości i skuteczności.

— To tak, jakby urodził się do rządzenia — zauważa Linda.

— Tak. Szejka charakteryzuje niepohamowany duch przedsiębiorczości. Jest obecny na otwarciu kolejnych obiektów, które można określić jako „naj". Dubaj ma olśniewać i przyciągać uwagę świata.
Niby to nic dziwnego, bo każda metropolia stara się jakoś wyróżnić, ale władze emiratu nie znają umiaru. Nieważne są koszty, istotne
tylko, by było mega, największe, najnowsze, najszybsze, najdroższe,
wyjątkowe i żeby zaraz pisali o tym w gazetach. Władca wyróżnia się
niebagatelną komunikatywnością, sprytnie flirtuje z mediami, pod-
ekscytowanymi opowieściami o niesamowitych projektach. Zaprasza dziennikarzy, gości ich jak prominentów, licząc na przychylne na-
główki. Ten happening trwa nieprzerwanie, gra mająca nieustannie
zachwycać, pozwalająca ciągle być w świetle jupiterów ma przekazać
wieść, że to Dubaj stał się nowym eldorado, a nie sąsiednie Abu Dhabi. Zapewne z tego samego powodu szejk pojawia się na forum ekonomicznym w Davos i rozdaje miliony na cele charytatywne.

— Sądzisz, że to tylko gra? Kupuje sobie popularność?

— Nie siedzę w jego głowie. Ale nawet jeśli to tylko kupowanie
publiki, to i tak tysiące biednych i osieroconych na tym korzystają.
On również. Dzięki zabiegom marketingowym stworzył nowy Dubaj
ze wszystkimi jego ekscesami, przekształcił małe państewko w iko-
nę urbanistycznego kapitalizmu. Obserwatorzy twierdzą, że potrafił optymalnie połączyć historyczność z nowoczesnością, orientalną
kulturę z zachodnim pragmatyzmem oraz umiarkowany islam z nie-
okiełznanym kapitalizmem. Czy jednak, kierowany swoją maksymą
„otwarte drzwi, otwarte umysły", nie przesadził w tym wyścigu?

— A przesadził?

Znów sięgam po książkę i otwieram w miejscu zaznaczonym
serwetką.

— Usprawiedliwia się w jednej ze swoich strof poezji: „Ciemne
noce i trudne dni; przyjmuję je tak, jak były mi przekazane, bo nie
boję się przyszłości. Kroczę po ścieżce jeszcze nieprzetartej, a jeśli
szlak jest trudny, to tym bardziej czuję się spełniony".

Linda odkłada wreszcie na bok jakieś kolorowe czasopismo i zagląda mi w oczy.

— I co? On tak biega od rana do nocy, zatwierdza budowy wieżowców i jeździ konno? A jego życie prywatne?

No proszę. Kobiety zawsze uderzą w jeden punkt.

— Ma — odpowiadam zdecydowanie. — Szejk sam opowiada,
jak spędza prywatnie dzień.

Znów posługuję się książką i tłumaczę:

— „Zaczynam od porannej modlitwy, potem zjadam śniadanie
z rodziną i poświęcam czas na ulubione hobby. Jeżdżę na motocyklu
lub wybieram się na koniu na pustynię, gdzie chętnie oglądam jele-
nie i króliki na łonie natury, co zapewnia mi spokój psychiczny. Nieraz dzwonię do przyjaciół i jedziemy do jakiejś pobliskiej restauracji
na obiad lub na spacer po plaży. Czasami kogoś odwiedzam albo jadę
na polowanie. Mój dzień jest prosty, podobnie jak całe moje życie,
ale jestem szczęśliwy. Życie powstało w prosty sposób i z istnieniem
człowieka wiąże się skromność, dlatego ważne jest, aby żyć z umia-
rem. To zapewnia pokój duszy. Nie lubię sobie komplikować żywota,
o czym wiedzą ci, którzy mnie znają".

Rzeczywiście prosty żywot. Gdyby większość ludzkości zechcia-
ła tak żyć, o ileż piękniejszy byłby ten świat.

Znacznie później, gdy Linda znów znikła w jasno oświetlonych
wnętrzach którejś z galerii sztuki, wróciłem do hotelowego pokoju
i zmniejszyłem nawiew klimatyzacji. Nie przepadam za tym wyna-
lazkiem. Na zewnątrz jest 40 stopni, w pokoju 20, o przeziębienie
nietrudno. Całe lata w podróży, penetracja Afryki, Azji i Amazonii
przyzwyczaiły mnie do nieeuropejskich temperatur. A szum klima-
tyzatora rozprasza.

Czytam o szejku Mo i rysuję sobie jego sylwetkę.

Wcale nie kieruje się absolutną prostotą, tak jak to deklaruje.
Niestety dość wątpliwe wydaje się jego wyznanie o umiarze.

Kiedy pokazano mu projekt okrągłej wyspy mającej powstać
u wybrzeża, zwrócił uwagę, że ten kształt jest zbyt banalny, i zasuge-
rował palmę. „Bo symbolizuje ona nasze dziedzictwo i będzie odno-
sić się do naszego codziennego dnia — powiedział. — Dziś Wyspy
Palmowe są punktem odniesienia dla całego świata i reprezentują na-

szą przynależność. Są symbolem naszych ambicji, pozytywnego nastawienia i formatu naszych możliwości. To jedyny w swoim rodzaju sposób wyrażania ducha kreatywności i innowacyjności". I znów miał rację — choć jego wizja pociągnęła za sobą kolejne miliony dolarów.

Znalazłem też jego wypowiedź wyjaśniającą gest wystawionych trzech palców, który widuje się na fotografiach. Otóż publicyści nieraz pytają szejka o znaczenie tego gestu pokazywanego w momentach tryumfu.

„Służy zamiast uniwersalnego, zwycięskiego V, który ludzie stosują w wielu częściach globu z wyjątkiem świata arabskiego. Pomyślałem sobie bowiem: Dlaczego mamy posługiwać się językiem innych? — odpowiada Mo. — My, Arabowie, mamy cywilizację o głębokich korzeniach, mamy bogaty i kreatywny język. Wymyśliłem więc własny znak zwycięstwa. Wznoszę trzy palce dla wyrażenia płodności, zwycięstwa i miłości. Ten symboliczny gest wyraża naszą osobowość, możemy być dumni z naszego języka i dziedzictwa".

Mogłoby się wydawać, że sukces Dubaju należy zawdzięczać szejkowi Mo. Jednak on sam w swoich licznych wypowiedziach przypomina, że to zasługa „naszych ojców", założycieli państwa, szejków Zaida i Raszida, czyli jego dziadka i ojca.

Czy więc szejk Mo jest władcą doskonałym?

Znalazłem w sieci wywiad z nim przeprowadzony przez bryjyjskiego dziennikarza. Anglik tak skomentował swoją rozmowę z szejkiem:

— Jego „wizja" i władza są bezwzględne. „Wielkie", dodają niektórzy. A moim zdaniem jest po prostu nad wyraz ambitny, mogąc pozwolić sobie na przekraczanie wszelkich barier, stawia pomniki w postaci najnowocześniejszych osiągnięć architektonicznych. Jest przyzwyczajony do bycia bezwzględnym liderem, który sam decyduje o wszystkim. Czuje się niczym Bóg czy chociażby któryś z egipskich faraonów, którzy chcąc uchodzić za nieśmiertelnych, budowali sobie piramidy.

Ale przecież ma podstawy, by tak traktować swój emirat. Cały Dubaj to prywatne, niczym w systemie feudalnym, przedsięwzięcie dynastii al-Maktum, rządzącej tym skrawkiem ziemi od 1833 roku.

Jego Wysokość Emir, szejk Muhammad ibn Raszid al-Maktum, dostojnie i władczo spogląda z wymownych niezliczonych, olbrzymiej wielkości billboardów. Jest niczym współczesny Nabuchodonozor, który w VI wieku p.n.e. zbudował wielki Babilon, najwspanialszą metropolię swoich czasów, z wiszącymi ogrodami zaliczanymi do siedmiu cudów świata starożytnego. Można bez przesady stwierdzić, że zamożna ludność autochtoniczna, w przeważającej mierze muzułmanie sunnici, spośród których czwarta część ma irańskie korzenie, naprawdę kocha swojego księcia.

GRILL U AHMEDA

Gdy przemierzam miasto niemal klinicznie czystymi chodnikami i alejami, surowe, świdrujące spojrzenie szejka śledzi mnie na każdym kroku. Miejscowi twierdzą, że jeśli jesteś w miejscu, gdzie w zasięgu wzroku nie ma zdjęcia szejka Mo, to pewnie już nie jesteś w Dubaju.

Te spojrzenia dostrzegalne są także, kiedy jedzie się taksówką. Dzisiaj jadę na ulicę Oud Metha, mieszkalne zaplecze miasta, gdzie zostałem zaproszony na tarasowy grill. Linda wolała pojechać z Lucy zwiedzać miasto.

Przyglądam się rozpalonemu obszarowi zalanemu ostatnimi promieniami słońca. Połacie zieleni nawadniane są tu bez przerwy. Otoczone dyskretnymi, choć solidnymi murami osiedla czy pojedyncze domy zielenią się palmowymi liśćmi. Mijamy rząd ekskluzywnych sklepów i restauracji, zapewne kształtem celowo przywołujące wspomnienie egipskich piramid, potem hotel Raffles Dubai. Obrzucam spojrzeniem przybytki handlu przy Lamcy Plaza i sportową wioskę Al-Boom. Zmierzam pod wskazany adres, gdzie już pewnie od godziny kilka osób pochyla się nad grillem. Wcale im nie zazdroszczę. Wolę stanąć przy rozżarzonych węglach, dopiero kiedy znad oceanu nadciągnie wieczorny chłód.

W bramie strzegącej dostępu do miniosiedla wybieram podany mi kod. Oko kamery ożywa, świecąc mi w twarz kilkunastoma białymi diodami. Potem słyszę zniekształcony przez elektronikę głos Izmira:

— Wchodź, proszę!

Elektroniczny zamek wpuszcza mnie do środka, ale furtka zatrzaskuje się za mną natychmiast.

To Izmir zaprosił mnie na ten wieczór, ale nie on jest gospodarzem. Drzwi otwierają dwie filigranowe, ciche i dyskretne Azjatki, po czym zdejmują mi buty, podają pantofle domowe, a po chwili wodę, odświeżające i pachnące serwetki. Na powitanie wychodzi mi tęgi niski łysy Arab o głowie okrągłej niemal tak, jak reszta jego ciała. Mógłby stanowić idealną miarę do produkcji styropianowych bałwanków. Nawet marynarka, najwyraźniej szyta na miarę, opina go niczym część komunijnego garniturku zdarta z młodszego brata. Sprawia wrażenie, jakby krawcowi opadły ręce i dał za wygraną.

Usposobieniem jednak chyba nie odbiega od innych rodowitych Dubajczyków.

— Dzień dobry, Jacku! — wita się po angielsku, z daleka wyciągając rękę. — Jestem Ahmed. Bardzo mi miło w moich skromnych progach gościć wielkiego eksploratora i odkrywcę!

Skromnych? On naprawdę użył angielskiego przymiotnika *modest*?!

Apartament rozłożony na najwyższym piętrze niewysokiego jak na te warunki, 12-piętrowego budynku budzić może różne skojarzenia, uchodzić za siedzibę naftowego potentata, znanego aktora aż po kuzyna samego szejka, ale trzeba by naprawdę bujnej i zwichrowanej wyobraźni, żeby nazwać go skromnym.

Dobre dwieście metrów pomieszczeń, korytarzy, antresoli i zaułków wykończonych wysokogatunkową glazurą zdobią olejne obrazy, tradycyjne makatki, złote precjoza i głowy upolowanych zwierzaków.

Zwierzęta osobiście wolę oglądać w naturze, gdy biegają między drzewami, ale to nie mój dom.

Gospodarz zaprasza na taras.

Zabezpieczona balustradą połać nadawałaby się do rozegrania niewielkiego meczu, pojedynek utrudniałby tylko duży, podłużny basen z turkusowobłękitną wodą. I palmy — kilkanaście niewysokich palm posadzonych na dachu budynku.

Ahmed oprowadza mnie po swoim królestwie, bacznie śledząc, czy wyrażam stosowny zachwyt nad pozłacanymi klamkami i największym na rynku telewizorem plazmowym, w którego obudowę wtopionych zostało osiemdziesiąt pereł.

Już ciśnie mi się na usta pytanie, czy te perły ułatwiają odbiór, ale, jak rzekłem, jestem nie w swoim domu. W innej kulturze. Milknę więc, zanim powiem, co myślę.

— A zawodowo czym się zajmujesz, Ahmedzie? — pytam od niechcenia, obawiając się, że usłyszę, iż jest co najmniej bliskim krewnym szejka, a połowa gości to ochrona.

Ale nie.

— Turystyka, bracie. — Klepie mnie po plecach, nieomal wytrącając mi z dłoni szklankę z zimnym sokiem. — Człowieku, turystyka to jest święty Graal, to jest w Dubaju garniec z końca tęczy...!

— A twój doskonały angielski? Gdzie się uczyłeś?

Cokolwiek teraz bym usłyszał, to po slangu i akcencie poznaję, że mam do czynienia z człowiekiem, który całe lata spędził w Stanach.

I rzeczywiście.

Studiował w amerykańskim Williams College w niewielkim Williamstown.

— A potem wróciłem do domu i korzystając z tych wszystkich sztuczek marketingowych, skleciłem biuro podróży, brachu! — Znów czuję klepnięcie w plecy. — Wali do mnie Ameryka, wali Europa, Ruskie się zjeżdżają jak raki do mięsa! O, patrz! Nadieżda! Szkoda, że tak słabo mówi po angielsku! Nie ma jak do niej zagadać...

Zerkam w stronę bufetu. Piękna, może trzydziestoletnia kobieta o obfitych kształtach i szeroko rozstawionych oczach. Jej wystające kości policzkowe zdradzają słowiańskie pochodzenie. Długie czarne włosy rozlewają się na skąpo zasłoniętych plecach, taksującym spojrzeniem omiata zebranych. Ale mnie jeszcze nie dostrzegła.

— Przyszła z kimś? — pytam odruchowo, szukając w okolicy jej partnera.

— Ze mną — odzywa się nagle Izmir, który dotąd bez słowa czuwał za moimi plecami. — Chce poznać ludzi z branży i dotknąć tego świata. Ale faktycznie, jej angielski jest na razie dość skąpy. Pracuje jako korespondentka którejś z rosyjskich telewizji... Mam cię przedstawić? Ostrzegam, to zimna sztuka!

Uśmiecham się pod nosem.

— Panowie — zaczynam nonszalancko. — Dajcie mi trzydzieści sekund, a zawiśnie na mojej szyi.

Gospodarz sięga po portfel.

— Stawiam tysiąc dolarów, że to się nie uda.

— Nawet w pół godziny — dopowiada Izmir.

Rozkładam ręce.

— Och, nie chcę narażać was na koszty! Pokażę, jak się to robi...

Zachodząc ją od tyłu, pozwalam sobie stanąć za plecami niewysokiej kobiety. Pachnie pięknie. Bez ruchu stoi pod jedną z palm, blisko baru, z kryształowym kielichem w dłoni. Nie pije — zamyślona spogląda w czerwoną kulę słońca, która niemal z sykiem zanurza się właśnie w głębi oceanu. Wiatr rozwiewa jej długie włosy, ale nieruchome oczy tkwią w punkcie, który — byłbym przysiągł — znajduje się teraz w jakimś podmoskiewskim domku...

— *Dobryj wieczer* — odzywam się od razu po rosyjsku. — Czy wiatr nie jest zbyt chłodny? Mogę przynieść ci jeden z tych miękkich pledów albo dolać szkockiej.

Dama zerka w lustro, przez chwilę widzę błysk rozbawienia w jej oczach, ale teatralnym gestem zasłania sobie usta i poważnieje.

— Nie wiesz, przyjacielu? — odpowiada poważnie, również po rosyjsku. — Żona cię nie nauczyła, że nie należy zaczepiać obcych dam na przyjęciach, zwłaszcza gdy przyszły z kimś innym?

Staję naprzeciwko kobiety — minęło już dwadzieścia sekund — i szepczę:

— Moja cudowna włoska żona nauczyła mnie, że w domu jestem Jacek. A tu i wszędzie na świecie jestem dziennikarzem Pałkiewiczem i mam prawo zaczepiać wszystkich. No, przywitaj się, Nadieżdo!

Rozkładam ręce, a piękna dziennikarka wpada w moje objęcia i całuje mnie w nos.

— To już dwa lata! — mówi, podając mi w końcu rękę po męsku, mocno. — Dwa lata, jak udzielałeś długiego wywiadu początkującej dziennikarce po wyprawie syberyjskiej poszukującej potomków polskich zesłańców! Wypłynęłam na szerokie wody i dziś jestem tutaj.

— A twój Siergiej? — Przypominam sobie potężnego komandosa o szerokim uśmiechu i dłoni jak bochen chleba.

— Cały czas jesteśmy razem.

Gospodarz i Izmir podchodzą do nas zdziwieni. Nie rozumieją ani słowa, ale przecież nasze powitanie nie wygląda jak spotkanie obcych ludzi.

Mój dubajski przyjaciel kręci głową.

— Jacku, dlaczego ona nie chce tak się ze mną witać? To byłoby bardzo przyjemne.

— Musisz sobie na to zarobić — odpowiada dziennikarka.

— Zapracować — poprawiam jej niefortunną, dwuznaczną wypowiedź. Jej angielski rzeczywiście wymaga jeszcze sporego szlifu. — Ja oddałem się Nadieżdzie po jednej z wypraw na wyłączność i zapracowałem sobie na gorące powitanie.

Ahmed śmieje się do rozpuku, znów klepiąc mnie w plecy, a Izmir macha ręką z rezygnacją.

— Co spotkam jakąś cudowną kobietę na tym świecie, pod dowolną szerokością, okazuje się, że ty już ją miałeś! Jacku! Ty to jesteś don Juan!

Nadieżda wyswobadza się wreszcie z moich objęć i ujmuje Izmira pod rękę.

— Nieprawda! Nie on mnie miał, tylko ja jego, i to przy ludziach, przed kamerą.

— No nie, nie! — Dubajski przyjaciel odgrywa komedię, zasłaniając sobie uszy i oczy. — Takie rzeczy przed kamerą! I jeszcze mi o tym mówisz! A ja się chciałem z tobą żenić!

— Ale to był tylko wywiad — Rosjanka zaczyna się tłumaczyć i nagle przerywa w pół słowa. — Jak to? Żenić? Naprawdę?

— Nie, słoneczko — wycofuje się spłoszony Izmir. — To taki żart. My tutaj, dzięki szejkowi, żyjemy w dobrobycie i nam się od tych dolarów już w głowach poprzewracało.

Opuszczam towarzystwo, bo dostrzegam znajomego przedsiębiorcę, pół Polaka, pół Austriaka. Uciekłszy od szczebioczącej Nadieżdy, wdaję się z nim w dyskusję o lokalnej polityce i samym szejku. W pewnej chwili Wilhelm wydobywa ze swojej biznesowej teczki anglojęzyczną książkę i przez chwilę wertuje ją, przekładając strony długim palcem pianisty.

— Posłuchaj: „Dzięki stworzonemu dobrobytowi dynasta zaskarbił sobie wdzięczność i admirację poddanych. Władcy emiratów, jak nigdzie indziej, dbają o swój naród, czym zasłużyli sobie na zazdrość reszty świata". To cytat z Osborne'a.

Długo jeszcze rozmawiamy, zapatrzeni w dół na przypominającą futurystyczny statek z *Gwiezdnych wojen* naziemną stację Oud Metha Metro Station, gdzie nowoczesne wagony metra jadą nie pod ziemią, a na estakadach wysoko nad ulicami.

Rozmowę przerywa ptasi skrzek. Teraz dopiero orientuję się, że sokół, który siedzi na zawieszonej przy ścianie gałęzi, nie jest ptaszyskiem wypchanym, a jak najbardziej żywym. Do łapy przyczepiony ma łańcuszek, ale wyraźnie i tak nie zamierza uciekać ze swojego miejsca. Ostrożnie rozgląda się w półmroku.

Podchodzę do ptaka równocześnie z Giancarlem, który powoli wyciąga rękę i głaszcze ruchliwą głowę.

— *Molto bene. Dormi, dormi* — szepcze, a ptaszysko przymyka oczy jak głaskany kot.

Włoski weterynarz od kilkunastu lat pracuje w dubajskiej klinice dla sokołów. To on wprowadza mnie w kulisy sokolnictwa.

— To, co człowieka najbardziej fascynuje, to przełamywanie oporu ptaka przed dominacją. One nigdy nie stają się zbyt służalcze wobec sokolnika, nie pozwala na to ich niezbyt społeczna natura, nie można ich do niczego zmusić. Trzeba nawiązać bliską relację z podopiecznym i utrzymywać ciągłą więź oraz okazywać silne zaangażowanie emocjonalne. Trzeba lubić przyrodę i cenić w drapieżniku cechy godne podziwu: siłę, odwagę, mądrość i doskonałe warunki fizyczne, które wyróżniają je wśród innych form życia.

Jak mi tłumaczy, za dobrego sokoła trzeba zapłacić od kilkunastu do kilkudziesięciu tysięcy euro. Są one wrażliwe na choroby i tylko wyjątkowy egzemplarz w swojej najlepszej formie może w pełni zadowolić „pana".

Mówi się, że Arabowie traktują sokoła lepiej niż swoje żony. Nic dziwnego, że wolno mu siedzieć w salonie na piedestale, na ramieniu spacerującego pana czy lecieć samolotem w fotelu business class. Jest normą, że każdego dnia rano odbywa podróż luksusową limuzyną na pustynię, gdzie ma okazję sobie polatać, w przeciwnym wypadku mógłby się nudzić i umrzeć.

Popyt na te ptaki jest duży, a ich właściciele nie zadowalają się osobnikami pochodzącymi z zamkniętych hodowli wolierowych. Poszukują schwytanych na wolności w Kazachstanie, Uzbekistanie czy Pakistanie, bo tamte wyróżniają się silniejszym instynktem do polowań. Szkopuł jednak w tym, że międzynarodowa konwencja CITES, dotycząca handlu zagrożonymi wyginięciem gatunkami dzikich zwierząt, zabrania takiego procederu.

Za moimi plecami staje Hussain Nasser Lootah wykładający zarządzanie i administrację na miejscowym uniwersytecie. Również wyciąga rękę w stronę ptaka, ale ten groźnie otwiera dziób. Nie każdemu pozwala się głaskać.

— Dzisiejszy Dubaj — mówi mężczyzna — nie ma nic wspólnego z miastem sprzed pół wieku. Wszystko się zmieniło. Z wyjątkiem trzech rzeczy: gorącego i wilgotnego klimatu, historycznych tradycji i pasji magnaterii do myśliwskiego sokoła, który w państwach arabskich stanowi istotną część krajobrazu kulturowego. To sport, ale też i praktykowana od ponad dwóch tysięcy lat sztuka łowiecka, uznana dzisiaj przez UNESCO za niematerialne dziedzictwo kulturowe ludzkości. Sokół jest symbolem prestiżu arabskiej elity, dać lub otrzymać go w prezencie uważa się za znak najwyższej rewerencji.

Wracamy do towarzystwa i dyskusji o polityce.

Rozmowa przynosi jedną konkretną konkluzję.

Kiedy patrzy się na poczynania władcy, na jego popularność, na hołubienie go czy nawet przypisywanie mu wspaniałości, wychwalanie niepowtarzalnych cech jego umysłu, szczególnie demonstracyjne wyrażanie dla niego uznania, można mieć skojarzenia z kultem jednostki, jaki wytworzył się w bloku sowieckim w połowie XX wieku. Osobiście nie poszedłbym tak daleko i nie stawiał fenomenu szejka na równi z uwielbianymi „świętościami", bo obywatele radzieccy składali hołd Leninowi czy Stalinowi nie tyle od serca, ile z obowiązku i przymusu.

W półmroku chłodnego — jak na tę szerokość geograficzną! — wieczoru doszliśmy jeszcze do kilku wniosków.

Mogłoby się wydawać, że brak formalnego i rzeczywistego ograniczenia władzy monarchy, piastującego urząd dziedziczny, stanowi wadę systemu i przeczy podstawowym zasadom demokracji. Bo przecież zawsze istnieje ryzyko, że taki jedynowładca praktycznie bez konsultowania się ze społeczeństwem podejmie złe decyzje, których obywatele nie mogą oprotestować. Ktoś ważny powiedział kiedyś, że monarchia to porządek, porządek to stabilne prawo, a stabilne prawo to dobrobyt obywateli. Jeśli nie liczyć kontroli, cenzury i sankcji, uznaliśmy, że w przypadku Dubaju monarchia absolutna ma dużo zalet. Po pierwsze, w wielu sytuacjach ustrój ten działa niezwykle sprawnie i skutecznie. Ponadto, co jest kwestią podstawową, panujący władca wyróżnia się bystrym umysłem i jest niewiarygodnie aktywny w życiu państwa. Niezależny od opozycji umiejętnie zarządza scentralizowanym krajem, zapewniając mu stabilność, szybko podejmuje działania i wyjątkowo trafne decyzje, które w mistrzowski sposób potrafi potem propagować. Nic więc dziwnego, że dynamicznie rozwijająca się metropolia stała się piątym czy siódmym z najczęściej odwiedzanych miast na świecie, za Londynem, Bangkokiem, Paryżem i Singapurem.

Szejk Muhammad, ze swoim statusem niewybieralnego przywódcy, doskonale zna sposoby na pokonanie historycznego dystansu, jaki dzieli panującego od narodu. Podczas gdy większość arabskich władców nie przepada za kontaktem ze światem zewnętrznym, on lubi komunikować się i mówić o sobie, każdy najmniejszy środek medialny służy mu do przekazania własnych intencji.

Oprócz osobistej strony, stworzonej kilkanaście lat temu (http://sheikhmohammed.ae), szejk jest obecny na cieszącym się dużą popularnością profilu na Facebooku i na Twitterze. Internet stał się jego główną bronią medialną, to dobry sposób pozwalający budować zaufanie i relacje, zwłaszcza z młodym pokoleniem. Strona, tłumaczona na pięć języków, jest podzielona na 20 sekcji, uaktualnianych praktycznie na bieżąco. I tam jest wszystko związane z szejkiem: działalność dyplomatyczna i polityka zagraniczna, życiorys, projekty turystyczne i gigantyczne przedsięwzięcia architektoniczne przez niego inspirowane. Jest też miejsce na działalność poetycką Muhammada, który przyznaje, że w wolnych chwilach już od dziecka pisał wiersze na tematy patriotyczne, rodzinne i miłosne, tak, na przykład, napisał o uroku pełni księżyca na pustyni: „Myślę, że urody żadnego człowieka nie można porównać z jego pięknem".

Muszę przyznać, że ujęła mnie pokora wobec natury zawarta w tej myśli. Na temat walorów poetyckich się nie wypowiadam. Dołącza do nas Izmir i przez chwilę przysłuchuje się dyskusji. Potem unosi dłoń jak uczeń proszący w szkole o głos.

— Chciałbym też coś dorzucić. Wśród niezliczonych inicjatyw szejka wybija się stworzenie biblioteki kultury islamskiej online, gdzie znalazło się ponad 40 tysięcy manuskryptów sprzed tysiąca lat. Według profilu na Facebooku zaś jego ulubione książki to *Autobiografia. Dzieje moich poszukiwań prawdy* Mahatmy Gandhiego i *Wojna i pokój* Lwa Tołstoja. Nasz szejk deklaruje się jako muzułmanin, ale zapewnia, że szanuje wszystkie religie i wszystkich ludzi, niezależnie od ich wiary. W sekcji zawód podaje skromnie, że jest wiceprezydentem i premierem ZEA, no i... władcą Dubaju.

— Ciekawe są też osobiste wątki — ciągnie Izmir, pokazując nam na ekranie tabletu profil władcy. — Jest fanem sportu, jeździ z rodziną na pustynię. Pisze o sobie: „Wychowałem się w rodzinie, która wierzyła w znaczenie wizjonerskich usług publicznych i filantropijnych, i każdego dnia staram się pamiętać o tych wartościach. Z serca zachęcam młodych ludzi, by stali się liderami w swoich dziedzinach, i mam nadzieję, że będę mógł posłużyć jako pozytywny przykład, zwłaszcza dla młodych".

Władca kraju arabskiego jawi się zatem jak postać bajkowa. Jak nieskazitelny stworzyciel, Disney stojący na czele fabryki marzeń.

Po powrocie do hotelu odszukuję w swoich notatkach wypowiedź Saeeda al-Muntafiqa, szefa Rozwoju Inwestycji Krajowych: „Ludzie traktują naszego księcia jako administratora Dubaju. Przywykły do podejmowania samodzielnych decyzji rządzi krajem tak, jak się zawiaduje korporacją, która dba o interesy sektora prywatnego, a nie państwa". Państwo — według szejka — jest przedsiębiorstwem, zatem „reprezentacyjny rząd" jest zbyteczny. Jego „rada ministrów" to nic innego jak zespół zarządzania składający się z bliższej i dalszej rodziny królewskiej, być może konkurującej ze sobą, ale tylko w walce o jak największe dochody.

BAŚNIOWE ŻYCIE
WNUKÓW BEDUINÓW

Jesteśmy umówieni w holu naszego hotelu z Arlettą, bizneswoman o tak skomplikowanej tożsamości, że sam Bond miałby problemy z jej rozgryzieniem.

Polko-Włoszka urodzona w Holandii, zameldowana w Londynie, a od lat mieszkająca w Dubaju, chwali się rosyjskim pochodzeniem ze strony dziadka i babką — francuską arystokratką. Zajmuje się wyłącznie kosmetykami najwyższej próby, których sama jest najlepszą żywą reklamą. Gdy z promiennym uśmiechem pojawia się w drzwiach, by zagarnąć Lindę dla siebie, staję osłupiały. Wiem, że Arletta prowadzi biznes od niemal trzydziestu lat, nie może więc mieć za sobą mniej niż pół wieku życia — ale gdybym był sprzedawcą w sklepie z alkoholem, zastanowiłbym się, czy tej małolaty nie poprosić o dowód.

— Dzień dobry, Jacku! — Arletta zwraca się do mnie dźwięczną polszczyzną przywołującą na myśl podlaskie przestrzenie. — Zabieram ci żonę na cały dzień!

A potem zupełnie swobodnie przechodzi na włoski, zachwycając się urodą i elegancją Lindy. Po chwili obie znikają za wielkimi szklanymi drzwiami, a ja rozglądam się wokół, bo za chwilę gdzieś tu winien pojawić się Izmir, mój niestrudzony przewodnik.

W Marriott Marquis spotykają się ludzie wielkich interesów. Właśnie przed hotel podjeżdża błyszczące maserati — a za nim czerwony bentley. Wysiadają z nich panowie w nieskazitelnie białych szatach, porządnie wykrochmalonych i idealnie wyprasowanych. Wysocy, atletyczni, smagli, czarnoocy, z nakryciem głowy noszonym niczym królewska korona, poruszają się z drażniącą pewnością siebie, uwodząc powłóczystym spojrzeniem mijane kobiety.

Mężczyźni witają się po europejsku, krótkim skinieniem głowy i uściskiem dłoni. Potem znikają w klimatyzowanym lobby.

Nagle wyczuwam za sobą czyjąś obecność.

— Jeszcze do połowy lat 60. ubiegłego wieku ich ojcowie przemierzali w karawanach pustynię — słyszę za sobą spokojny głos Izmira. Musiał dostrzec, że uważnie obserwuję przybyszów. — Żyli w klanach, nie znali elektryczności czy instytucji poczty i oczywiście nie umieli czytać ani pisać. Byłeś w forcie Al Fahidi?

— Na zewnątrz.

— Chodź.

Jego auto zaparkowane jest znów sprytnie na podjeździe, w trzecim rzędzie. Rusza ostro, by po chwili znaleźć się na Sheikh Zayed Road, o tej porze zupełnie zakorkowanej. Na pokonanie kilkunastu kilometrów trzeba nam trzech kwadransów. Znajdujemy wolne miejsce przy Al Fahidi Street. To znaczy — Izmir uważa to za wolne miejsce, ja bym się odważył postawić tam co najwyżej mały motocykl z przyczepką. Nie próbuję więc nawet analizować tego szybkiego wślizgu, jakim mój przewodnik wciska samochód w szparę między lśniącymi limuzynami.

U wejścia do muzeum spotykam kilkoro japońskich turystów.

— *Ohayo gozaimasu*! — witam się z nimi grzecznie, a ci składają mi pełne szacunku ukłony i odpowiadają tym samym porannym pozdrowieniem.

Oglądamy ekspozycję. Celowo nie pytam, jaką tajną tezę chce teraz udowodnić Izmir.

Spokojnie więc zapoznaję się z kolekcją dawnej broni, zestawem instrumentów muzycznych i licznymi prostymi przedmiotami codziennego użytku. Oglądam film ukazujący w skrócie historię Dubaju od połowy XX wieku do dziś. W tle wciąż towarzyszy nam tradycyjna muzyka.

Głębiej, w podziemiach, trafiam na dioramy pozwalające znaleźć się nagle na przybrzeżnym targowisku, przejść ulicę z warsztatami kowala, cieśli, krawca czy ze sklepem tekstylnym. Wkraczam także w sceny z życia na pustyni. Ubrani w zawoje Arabowie uprawiają daktyle, pasą zwierzęta przy beduińskim namiocie. Na dłużej zatrzymuję się przy panoramie morskiej — temat mi bliski ze względu na lata spędzone pod żaglami. Oglądam budowę tradycyjnej arabskiej łodzi *dhow*, jak chcą Anglicy, albo po prostu dau. Analizuję wyposażenie statków — podobnym pływałem przed laty! Wreszcie dzięki ostatniej dioramie odwiedzam stanowisko archeologiczne al-Kusajs ze szkieletem, grobowcem i artefaktami sprzed trzech tysięcy lat.

— Nigdzie indziej nie zobaczysz tego prostego życia sprzed dwóch pokoleń — odzywa się wreszcie Izmir. — A nawet to tutaj jest wygładzone, osłodzone i stanowi nie tyle ślad trudnej przeszłości, ile element folkloru.

— Dubajczycy nie chcą pamiętać o tamtych czasach?

Mój przyjaciel wzrusza ramionami i wyprowadza mnie na zewnątrz, gdzie przedpołudniowe słońce kłuje w oczy ostrymi szpikulcami.

— To nawet nie tak. My żyjemy tu i teraz, jakby historia zaczęła się przed pięćdziesięciu laty, a to, co robili nasi ojcowie, to opowieści z czasów starożytnych.

— Wstydzicie się przeszłości? — pytam wprost.

Izmir milczy chwilę, po czym ostrożnie tłumaczy:

— Dawnego ubóstwa dzisiaj nigdzie nie dostrzeżesz. Nawet w muzeach, bo po co wracać do wstydliwej przeszłości? Boom gospodarczy, związany z odkryciem ropy naftowej, sprawił, że w ciągu jednego pokolenia przeskoczyliśmy z nędzy i standardów średniowiecza do życia ponad stan. Widzisz, wygraliśmy więcej niż główną nagrodę na loterii, bo dostaliśmy gwarancję państwa na dostatni byt i beztroskie życie. Już od urodzenia każdy z nas otrzymuje dożywotni pakiet opiekuńczy i nie musi martwić się o przyszłość. Szejk podpisał milczący pakt ze swoimi poddanymi. W zamian za ich całkowitą uległość wobec dynastii obiecał przekształcić pustynne terytorium w zielony ogród. I obietnicy dotrzymał. Na początku rozdał obywatelom połacie roponośnych piasków i asygnował długą listę przywilejów. Zapewnił dom, bezpłatną edukację, służbę zdrowia, elektryczność i wodę, zasiłki na dzieci oraz mnóstwo innych grantów. I oczywiście pracę. Przepisy mówią, że w każdej firmie zagranicznej powinien być zatrudniony określony procent Emiratczyków, którym należy się pierwszeństwo przed kandydatami z innych krajów oraz dużo wyższe pensje.

W drodze do hotelu dzwonię do Lindy, ale odbiera Arletta.

— Jacku, twoja żona poddaje się zabiegom i dopiero późnym wieczorem odwiozę ją do hotelu. W ogóle się o nią nie martw.

Nie, to nie!

Za to pora trochę się pomartwić o siebie, bo Izmir wpadł na kolejny cudowny pomysł.

— Umówiłem cię na wieczór z kilkoma biznesmenami różnych profesji i narodowości. To takie zdrowe wieczory, z joggingiem. A ty masz przecież czarny pas karate, więc na pewno jesteś twardy.

Twardości mi nikt nie odmawia, ale mój czarny pas dawno już zszarzał. Do ciężkiego pustynnego diabła, przekroczyłem przecież siedemdziesiątkę! Daliby mi spokój z tym joggingiem.

Na szczęście te relaksacyjne biegi mają się odbyć, jak się okazuje, po zachodzie słońca.

O 19 melduję się pod wskazanym adresem. W ogrodzie zraszanym stale mgiełką wody spotykam gospodarza, który niezmiennie przedstawia się wszystkim jednym słowem:

— MacKintosh.

Leciwy Szkot nawet swoim akcentem podkreśla przynależność do tradycyjnego klanu, któremu początek dał podobno młodszy syn Duncana MacDuffa, hrabiego Fife z rodu władców Dalriady.

Siadamy w gronie jego przyjaciół przy szklance soku.

— Surrealistyczny, zbytkowny styl życia zapewnił posiadaczom fortun poczucie wyjątkowości i przynależności do elitarnej kasty — zagaja gospodarz. — Kontakty z nimi nie należą do najłatwiejszych i mają charakter formalny. Bogacze wywyższają się i zachowują dystans. Zadufani w sobie, okazują nieprzystępność i nieufność, typowe cechy wszystkich ludzi majętnych. Egocentryczni lub egoistyczni, nie znają świata, historii, kultury, przy tym ostentacyjnie zachowują wyniosłość. Nie wszystkim się to podoba. Są oschli w stosunku do obywateli Zachodu, do robotników azjatyckich odnoszą się wręcz z pogardą, a w najlepszym wypadku z lekceważeniem. Osobiście spotykałem też przyjazne dusze, ludzi sympatycznych i życzliwie usposobionych, ale to rzadkość.

W tym momencie przypominam sobie, jak jeden z dwóch Arabów stojących przed hotelem Marriott Marquis poprosił przechodzącego Europejczyka o zapalniczkę. Po chwili oddał ją bez słowa podziękowania, co gorsza, wyciągnął rękę, stojąc do niego tyłem.

Tymczasem pałeczkę przejmuje Czech, który trafił do Dubaju z Londynu.

— Lokalsi zachowują się jak zachodnioeuropejscy liderzy polityczni — mówi. — Bogata i dumna lepsza połowa Europy wciąż jeszcze nie pozbyła się poczucia wyższości i lekceważącego stosunku do „bloku wschodniego". Nawet jeśli wytwór zimnej wojny zniknął z politycznych map wraz z klęską komunizmu, można ciągle wyczuć tę nutkę uprzedzenia i lekceważącej protekcjonalności ze strony zachodnich sąsiadów wobec nędznych ekskrajów zza żelaznej kurtyny. Na nic zdaje się poprawność polityczna czy nasza duma, podobnie jak sukcesy kulturalne, choćby wasze, Polaków.

— Bogaty zawsze będzie patrzeć na biednego z góry i z lekceważeniem. A nam do bogatych bardzo daleko — zauważam. — Na tle starej Unii Europejskiej mój kraj wypada bardzo słabo. Nie jest oczywiście zaskoczeniem, że przeciętny mieszkaniec kontynentu miał w 2013 roku do wydania prawie 13 tysięcy euro. Polak dwa i pół raza mniej. W zestawieniu z Niemcami siła nabywcza Polaków jest aż siedmiokrotnie mniejsza. Zauważcie: tę lepszą kastę, ignorującą resztę świata różniącego się stanem posiadania, widać wyraźnie w przedniej części samolotu. W uprzywilejowanej enklawie business class jest okazja do lansu. Na pokład towarzystwo przychodzi z business lounge oddzielnym przejściem i od razu widać wyobcowanie z otaczającego świata. Dbający o szyk i elegancję panowie w modnych okularach, kobiety z dobrze ułożoną fryzurą, w szpilkach, z markowymi torebkami próbują wzbudzić podziw u innych pasażerów. Bije w oczy przede wszystkim ich nonszalancja, pewność siebie mająca świadczyć, że latanie jest dla nich elementem stylu życia, że nic ich nie łączy z pasażerami, dla których lot jest wydarzeniem. Poczucie otaczającego luksusu i komfortu nie pozwala na zbratanie się z plebsem. Tworzą odrębną społeczność, w której nie ma miejsca dla zwykłego śmiertelnika. Nie daj Boże, jeśli podczas lotu pojawi się ktoś zza zasłony oddzielającej ich od pospólstwa, żeby skorzystać z toalety, bo w klasie ekonomicznej wszystkie są zajęte. Nie obędzie się wówczas bez okazania irytacji i jawnej pogardy. I to nie chodzi wyłącznie o osoby ze świata elit. Lepsi i wyjątkowi czują się już nawet ci, którzy dopiero co zasmakowali splendoru pięciu gwiazdek, odkrywając, że *glamour* ma nieodparty powab.

Luksusowe życie bez wątpienia przyciąga uwagę, ale nieograniczony komfort też jest wrogiem turysty obserwatora, bo z jednej strony gwarantuje urzekające doznania, ale z drugiej pozbawia autentycznego poznawania, odrywa od reszty. „Luksus cię pieści, rozpuszcza i ogranicza widzenie świata. Tak jak to ma miejsce na pełnym przepychu statku wycieczkowym, gdzie liczba atrakcji jest tak przygniatająca, że nie wszyscy schodzą w porcie na ląd" — powiedział mi kiedyś Aleksander Gudzowaty.

Po dwóch godzinach rozmów i półgodzinnym joggingu, po którym w tym klimacie byłem zlany potem, daję się odwieźć prosto do hotelu.

W milczeniu podsumowuję wnioski wynikające z wieczornej dyskusji, nie zauważając tysięcy świateł zalewających wieczorny Dubaj. Już nie robią na mnie takiego wrażenia.

Zdominowana przez obcokrajowców tutejsza miejscowa ludność wyraźnie utrzymuje bezpieczny dystans, żeby nie pozwolić na naruszenie swojej prywatnej przestrzeni. Parasol ochronny, który oddziela to społeczeństwo od rzeczywistości, sprawia, że stało się ono bardzo hermetyczne. Nawet w stosunkowo zamkniętej Azji łatwiej znajdowałem wspólny język z miejscowymi niż tu, w Dubaju.

W oczekiwaniu na Lindę buszuję po internecie. Czytam, że na konferencji poświęconej rządowym priorytetom wyszło na jaw, iż nieposiadający doświadczenia zawodowego, świeżo upieczeni absolwenci wyższych uczelni mają bardzo wysokie wymagania dotyczące stanowisk i zarobków. Winę za brak możliwości podniesienia ich umiejętności ponosi stereotyp polegający na tym, że miejscowych zatrudnia się z urzędu, nie zapraszając nawet na rozmowy kwalifikacyjne.

George Lambert, emerytowany wykładowca na King Saud University w Rijadzie, twierdzi: „Nadopiekuńczość państwa, które zapewnia kształcenie i dobrą pracę, powoduje, że uczelnie opuszczają słabo wykształceni, leniwi, pasywni obywatele. To kaleki zawodowe, bez ambicji i motywacji. No bo po co zawracać sobie głowę poszerzaniem kwalifikacji, skoro pracę gwarantuje prawo".

Otóż to!

Etniczni Emiratczycy pracują głównie w instytucjach rządowych. Może nie do końca pracują, raczej chodzą do pracy. Oczywiście nie wszyscy, ale można przyjąć, że z reguły są wyobcowani, zatem i nieefektywni. Lekceważą terminy, rozkład dnia, dalecy są od wykazania zapału do pracy. Kłujący w oczy obraz nieprzestrzegania zasad etyki pracy można jeszcze poszerzyć o lenistwo i brak komunikatywności.

Przychodzi mi na myśl powiedzenie, które zrodziło się z obyczajów w niektórych fabrykach i przedsiębiorstwach państwowych w epoce PRL-u: „Czy się stoi, czy się leży, dwa tysiące się należy". W tamtych czasach każdy obywatel miał zgodnie z konstytucją zagwarantowane prawo do pracy. Obowiązywało też stałe wynagrodzenie i w praktyce niezależnie od tego, czy pracownik pracował ciężko, czy się obijał, pensja mu się należała.

— Zamożność Dubajczyków zależy głównie od lokalizacji posiadanej ziemi pod galopującą urbanizację i, co zrozumiałe, od zdolności i talentu człowieka — mówiła mi jeszcze w Warszawie Aleksandra Leśków, autorka pierwszego w Polsce portalu o Dubaju i Emiratach

Arabskich (www.dubaj.mangoandpapaya.pl). Jej agencja specjalizuje się w przygotowywanych indywidualnie wyjazdach dla firm i rekrutacji lekarzy oraz inżynierów do pracy w tych krajach.

— Na przykład jeśli chcesz otworzyć tutaj firmę, musisz w większości przypadków mieć oficjalne wsparcie lokalnego biznesmena — wyjaśniała mi Aleksandra — innymi słowy poręczyciela, który ma większość udziałów w twojej firmie. Powiesz, że to granda. Tak jest. Za świadczenie takiej usługi facet, siedząc w domu, otrzymuje jakiś tam procent dochodów firmy albo stałą miesięczną stawkę od 15 do 25 dirhamów, czyli prawie tyle co polskich złotych, podlegającą indywidualnym negocjacjom. Jeśli jest w miarę obrotny, to takich firm może mieć kilkanaście albo i więcej. Na szczęście nie miesza się do interesów i jeśli nie masz żadnych kłopotów, to widzisz go raz w roku. W przypadku jakichś tarapatów twój „patron" będzie się starał ci pomóc, wykorzysta swoje kontakty, żeby cię wesprzeć czy uchronić, na przykład, przed deportacją. To leży w jego interesie, bo jeśli zdobędzie zaufanie, może liczyć, że polecisz go nowym podopiecznym. Do takich układów trzeba mieć naprawdę sprawdzonego człowieka. Bo prawie każdy, kto proponuje usługi, twierdzi, że jest zaprzyjaźniony z rodziną królewską. To podejście bardzo płynne, bo co drugi przyznaje się do ścisłych koligacji, a potem okazuje się, że to pokrewieństwo dziesiątego stopnia, czyli jest to brat cioteczny siostry ciotecznej stryjecznego brata.

Wracam myślami do dzisiejszego joggingu. Kilka ciekawych opinii usłyszałem od mojego przyjaciela Piotra Długosza. To niezwykle ważna dla mnie postać, którą później muszę szerzej naszkicować. Piotr w 1997 roku zrobił specjalizację z marketingu na Wydziale Ekonomiczno-Socjologicznym Uniwersytetu Łódzkiego i jest menedżerem sprzedaży w branży maszyn do przetwarzania płynnej żywności, głównie produktów mlecznych. Odpowiada za region Bliskiego Wschodu, a to wiąże się z częstymi wyjazdami do klientów w Arabii Saudyjskiej, Katarze i Kuwejcie. Jego żona Agnieszka zaś ukończyła tę samą uczelnię, tylko ze specjalnością rachunkowości, i pracuje na stanowisku menedżera finansowego w międzynarodowej firmie z branży telekomunikacyjnej.

Wynajmują trzystumetrowy parterowy domek z niedużym ogrodem i garażem w modnej dzielnicy willowej, Jumeirah (Dżamira) 3, płacąc 230 tysięcy dirhamów rocznie. A jego właściciel ma jeszcze 72 takie domy! Piotr, najwyraźniej przystosowany do pustynnego klimatu, biegł i jednocześnie opowiadał:

— Miasto rozwija się nieustannie. Deweloperzy poszukują pod budownictwo wciąż nowych terenów. A ich ceny zawsze mają w rachunku sześć cyfr. Prasa informowała, że rodzina przesiedlona z posiadłości przeznaczonej do rozbiórki w centrum w zamian otrzymała nowy dom w innej dzielnicy i trzykrotną równowartość pieniężną.

Kiedy biegliśmy plażą leżącą w bezpośrednim sąsiedztwie dzielnicy mieszkaniowej, Piotr pokazał mi skromny, jednopiętrowy dom, którego właściciel odmówił sprzedaży przyległej działki wartej dwa miliony dolarów. O kilka kroków od domu ma łódź i oczywiście stać go, aby nie pracować, ale codziennie wypływa na połów ryb, tak jak robili to jego ojciec i dziadek.

Byłem wielokrotnie na różnych pustyniach, wiem więc, jak trudne życie prowadzą pasterze i nomadzi. Trudno dzisiaj liczyć na dochodowe zajęcie. A jednak niektórzy Beduini wracają na pustynię, chociaż nie muszą, bo — jak mówią — tam jest ich dom. Lecz ich dzisiejsze domy to nowoczesne megawille, do których przy okazji świąt zjeżdżają ich dzieci i wnukowie.

Dubajczycy są przywiązani do tradycji rodzinnych i społecznych, z czego są bardzo dumni. Familia to najważniejsza instytucja i obejmuje, oprócz rodziców i dzieci, także dziadków, wujków, kuzynów czy nawet bardziej odległych krewnych. Więzi są silne, podobnie jak wielki jest szacunek do osób starszych.

Wcześniej Izmir mówił mi, że takie hołdowanie tradycji dramatycznie ściera się z mentalnością ekspatów, którzy porzucili swoje ojczyzny i nie żywią podobnych sentymentów.

— W porównaniu z nimi jesteśmy garstką, mniejszością we własnym kraju. Powiedziałbym, gośćmi w swoim domu i... coraz mocniej chwiejemy się pod naporem zalewu obcej kultury — wyznał.

Przez szerokie okno hotelowego pokoju znów wpatruję się w kaskady świateł, girlandy promieni, których nie obmyśliła natura, każąca o tej porze dnia kłaść się do snu. Ale homo sapiens dawno już pokonał naturalny cykl życia, ogrzał, oświetlił, ochłodził odpowiednie miejsca — pozwalając żyć w luksusie tym, których przodkowie cierpieli i hartowali się w piaskowych burzach i nocnych przymrozkach.

Nieprzyjazne tereny Półwyspu Arabskiego od zarania dziejów wpływały na społeczności koczownicze, zmuszone przez krańcowe warunki pustynne do tworzenia struktur plemiennych. Bo to one mogły zapewnić większe poczucie bezpieczeństwa i ochronę socjalną. Beduini utożsamiali się z plemieniem i ta przynależność do wielkiej rodziny połączonej więzami krwi nie tylko odgrywała znaczącą rolę w strategicznych sojuszach plemiennych, ale też zawsze stanowiła ich dumę. Do tego stopnia, że do dziś uparcie kultywowana jest tradycja zawierania małżeństw w obrębie klanu czy jednej rodziny.

Genetyk doktor Hatim Al-Szanti z Ad-Dauhy w Katarze twierdzi, że w emiratach ponad połowę wszystkich związków zawiera się z kuzynami w pierwszej linii. „To wielkie zagrożenie dla przyszłości społeczeństwa arabskiego, cierpiącego masowo na schorzenia genetyczne, zdeformowania i upośledzenia" — zauważa Katarczyk. To temat tabu, o tym się nie rozmawia. Chorych psychicznie nie widać na ulicach, mają do dyspozycji luksusowe, zamknięte ośrodki. Jednak tradycja przekazywana od wieków jest zbyt silnie zakorzeniona i pomimo często występujących groźnych zaburzeń zdrowotnych nie można liczyć na to, że coś się w tym względzie zmieni.

Emirat można porównać do ustroju feudalnego. Na szczycie piramidy społecznej, wielonarodowościowego tygla kultur i religii, znajduje się tradycyjnie darzony szacunkiem, szlachetnie urodzony władca. Powiedzmy nawet, cała rodzina królewska, w tym mnóstwo bliższych i dalszych kuzynów, w których rękach znajduje się całe do ostatniego ziarnka piasku terytorium księstwa. Pod nim jest „arystokracja", czyli rodowici mieszkańcy, klasa uprzywilejowana, której prawie dorównują statusem pozostali mieszkańcy Zatoki Perskiej. Niżej stoją mieszczanie — ekspaci, doskonale zarabiający, wykształceni, wysokiej klasy specjaliści, którzy opuścili swoje ojczyzny, by pracować za granicą. W tej grupie najbardziej liczą się Brytyjczycy, Amerykanie, Australijczycy i przyjezdni z RPA, potem w kolejności: obywatele Europy Zachodniej, Libańczycy, Palestyńczycy, Irańczycy, mieszkańcy Europy Środkowo-Wschodniej oraz Rosjanie, wreszcie pozostali Arabowie z Syrii, Egiptu, Maroka, Iraku i Sudanu oraz Afrykanie. A na samym końcu piramidy znajduje się „klasa chłopska", poddani o ograniczonych swobodach osobistych — czyli tania azjatycka siła robocza.

Moje rozmyślania przerywa dźwięk komórki. Dzwoni Piotr.

— Jak się czujesz po pustynnym joggingu?

— Świetnie. Kontynuuję jogging, ale teraz już myślowy. Zastanawiam się po raz kolejny, co dzieli ekspatów od rdzennych mieszkańców.

— Dystans, jeszcze raz dystans — śmieje się Piotr — a potem uposażenie. Jeśli libański nauczyciel języka arabskiego zarabia 1900 dolarów, to jego kolega stąd musi dostać osiem tysięcy. To samo w każdym innym zawodzie. Zarobki tubylców na tym samym stanowisku są dwa, a częściej trzy, cztery razy wyższe od tych, jakie mają przybysze. Żaden rdzenny mieszkaniec Dubaju nie wykonuje robót fizycznych, wszyscy mają zapewnioną pracę w instytucjach publicznych, wojsku, policji czy bankach. Ich pensje są tak wysokie, że nie można ich porównać z żadnymi płacami na Starym Kontynencie.

— I wszyscy rzeczywiście pracują?

— W większości nie pracują w ogóle — odpowiada. — Żyją z odsetek od wynajmu nieruchomości dla zagranicznych inwestorów czy po prostu z pośredniczenia w gigantycznej wymianie handlowo-biznesowej. Ich zamożność zależy głównie od lokalizacji posiadanej ziemi pod galopującą urbanizację, no i osobistych zdolności. Poziom zamożności sprawia, że lokalsi, nawet wyluzowani i wykształceni na Zachodzie, żyją w bardzo hermetycznym świecie, do którego nie mamy wstępu.

Z zamyślenia wyrywa mnie odgłos otwieranych drzwi. Linda wraca rozpromieniona, ale tak zmęczona, że jedyne, czego pragnie, to szklanka wody.

Zjeżdżam na dół, żeby sprawdzić, czy gdzieś znajdę baterie do dyktafonu.

Mimo późnej pory — dochodzi północ — w hotelowym holu roi się od turystów. Jedni dopiero przyjechali i z walizami na kółkach starają się jak najszybciej dokonać formalności meldunkowych, inni w spokoju czytają gazety albo popijając kawę, bezmyślnie wpatrują się w mecz transmitowany w telewizji.

Dostałem w recepcji, trochę przypadkowo, komplet baterii i już miałem iść do windy, gdy spostrzegłem zwróconą w moją stronę smagłą twarz potężnego Australijczyka. W ciągu ostatnich kilku dni zamieniliśmy z tym jowialnym biznesmenem parę zdań i teraz kiwa na mnie ręką, zapraszając do swojego stolika.

Gdy przekraczam próg lobby, wstaje i ściska mi dłoń swoją niedźwiedzią łapą.

— Widziałem przed chwilą twoją żonę — stwierdza, wskazując windę. — Nie będę więc zabierał ci czasu. Jak tam twoje poszukiwania sedna Dubaju?

No, tak. Niebacznie wspomniałem mu przecież, że zbieram materiał do książki.

— Dziś i jutro skupiam się na różnicach między poziomem życia autochtonów i przyjezdnych.

— O! — Aż się unosi, wyraźnie zainteresowany. — To może dorzucę swoje trzy centy! W końcu haruję tu jako menedżer i usiłuję zarządzać zasobami ludzkimi. Usiłuję! — Unosi wysoko palec wskazujący. — To dobre określenie. Bo tutejsze układy starają się unicestwić wszystkie moje wysiłki...

Jego pełną wykrzykników wypowiedź do mam w swoim dyktafonie.

Australijczyk obie dłonie kładzie na blacie stołu, pochyla się nade mną, jakby chciał wyjawić wielką tajemnicę, i niskim głosem wyznaje:

— Tu jest inaczej niż w całej reszcie świata, przyjacielu! Kiedy zaczynali, stworzyli rząd, ale na początku nie było oczywiście ludzi do pracy w administracji, a kadry musiały dopiero się wykształcić. Przybysze z różnych stron świata im pomagali. A ci? Patrz, co to za dziwny kraj! W ciągu 43 lat od powstania w 1971 roku federacji emiratów gospodarka wzrosła z 1,77 miliarda AED do 419 miliardów, czyli 236-krotnie! Oni opływają w luksusy. I stąd nasze problemy.

Przez chwilę się zastanawia, po czym podejmuje wątek:

— Dubajczycy są jak rozkapryszone dzieci sułtana. Mają bardzo luźny stosunek do pracy, nie grzeszą punktualnością i są praktycznie niezwalnialni. Taki koleś musiałby kogoś zamordować toporem, aby go wolno było wyrzucić z pracy! Człowieku! Miałem niezbyt rozgarniętą sekretarkę, oprócz tego była mało zdyscyplinowana i absolutnie nieuprzejma. Mruk totalny. Nie wiem, może jej facet był niewydolny, nie moja sprawa. Ale jeśli ktoś, jak ja, zarządza zasobami ludzkimi składającymi się z licznych grup etnicznych i kultur, może natknąć się na skomplikowane sytuacje. I zapewniam cię, kreatywność nie wystarcza. A ja znajduję się pod stałą presją, muszę nieustannie mieć nogę to na gazie, to na hamulcu. I w tej atmosferze zmuszony jestem nieraz tolerować niesubordynację. W przeciwnym wypadku szanse zachowania stanowiska są marne, a to może kłócić się z planowaniem dłuższego pobytu w tym kraju.

Uśmiecham się i żegnam z moim Australijczykiem. Na szczęście w przeciwieństwie do niego nie muszę tolerować żadnych niesubordynacji. Koniec mojego pobytu tutaj i jego cel są bowiem jasno określone.

MENTALNOŚĆ RENTIERSKA

Niemal każda rozmowa z mieszkającymi tu ludźmi utwierdza mnie w przekonaniu o specyficznej postawie Dubajczyków i ich roszczeniowym nastawieniu do świata.

Zwykle dochód państwa pochodzi z nadwyżek produkcyjnych, ale w Dubaju nie zależy on od wydajności wytwórczej obywateli — notuję. — Tu dzieje się wręcz odwrotnie: państwo, które niczego nie produkuje i nie wytwarza, stało się ich źródłem przychodu. Ogromne dochody wygenerowane z rynku nieruchomości, turystyki, usług czy z pośredniczenia w gigantycznej wymianie handlowej wyzwoliły fenomen państwowego beneficjum. Takie państwo, które rozdziela przychody, zapewniając powszechnie wysoki dobrobyt i dostatni standard życia rodowitym obywatelom, ekonomiści nazywają rentierskim, czyli dystrybucyjnym.

Ta nierealna wprost opiekuńczość państwa, postrzegana jako dar niebios czy szczęśliwy zbieg wydarzeń, przyczyniła się do rozkwitu niezdrowej mentalności rentierskiej. Społeczeństwo, od którego nie wymaga się żadnego zaangażowania czy wysiłku, żyjące na koszt państwa i nieprodukcyjne, umocniło się w złudnym przekonaniu, że przywileje oraz korzyści materialne i finansowe należą mu się z urzędu.

Oczywiście do takiej pasożytniczej postawy społecznej przyczynił się rząd, rozdzielając gratyfikacje i przyjmując rolę „państwowej niani". Ale nie robi tego bezinteresownie. Władca emiratu wie, że taka moralna „korupcja" zapewnia mu polityczną legitymizację elity rządzącej. Życzliwość i lojalność poddanych związana jest z przeszłością plemienną tego społeczeństwa, dla którego książę zawsze był sprawcą ich dobrobytu.

Z wysokości pięćdziesięciu pięter patrzę na roziskrzone światłami połacie, które przed półwieczem stały w mroku, co najwyżej punktowo oznaczone ogniskami nomadów. Dziś tętni tu życie i wszyscy wierzą w stabilność i trwałość gospodarki, która ich żywi.

Stabilna sytuacja polityczna kraju, brak konfliktów społecznych wynikających z etnicznych czy wyznaniowych podziałów sprawiają, że społeczeństwo plemienne, osadzone w tradycyjnej kulturze, opierające się na zależnościach rodzinnych, klanowych i partyjnych oplatających całe państwo oraz na poparciu możnowładcy, nigdy nie będzie krytykować wprowadzanych reform. Dlatego w Dubaju nie powiodła się Arabska Wiosna 2012 roku. Emiraty też, broniąc się przed wszelkimi konfliktami społecznymi, nie chcą za żadne skarby wpuścić swoich współwyznawców z Syrii. Wolą, żeby bałagan robili w Europie.

Poparcie dla wszelakich działań szejka wynika jeszcze z dwóch powodów: *bay'a*, czyli uznania przez obywateli władzy emira, tak z punktu widzenia politycznego, jak i religijnego, oraz *baraka* — „mocy uzdrawiającej boskiego pochodzenia".

Szejk dla umocnienia swojej pozycji sięga też do narodowych symboli kultury. Odświeżył zakorzenioną w przeszłości Beduinów tradycję wyścigu wielbłądów, odrestaurował stary fort, historyczną dzielnicę oraz słynne wieże wiatrowe — niegdyś symbol bogatego domostwa. A przede wszystkim podkreślił status prawa opierającego się na szariacie, budując przy tym nowe meczety i ośrodki islamskiej kultury. Zwrócił większą uwagę na niektóre symbole: flagę, hymn czy święto niepodległości przypadające 2 grudnia. Tego dnia miasto pokrywa się oznakami narodowymi, samochody są dosłownie wytapetowane portretami szejka. Taką manifestację kultu widziałem tylko raz, w Moskwie, gdzie w mroźny dzień niekończąca się kolejka powoli przesuwała się do mauzoleum, aby oddać hołd wielkiemu Iljiczowi Leninowi. Ludzie bardzo spontanicznie wyrażają swoją patriotyczną postawę. To manifest dumy z bycia Dubajczykiem. Osadzeni w namacalnych realiach ekonomicznych miejscowi nie skrywają poczucia przynależności do lepszej, bogatej kategorii społecznej.

„Monarchowie regionu poświęcili dużo czasu i zasobów, aby ukazać siebie jako naturalnych mandatariuszy swych kultur, podkreślając ścisły związek z historią swojego kraju, z islamem i plemiennymi tradycjami" — twierdzi F. Gregory Gause, profesor Harvardu.

Perspektywa „pełnego żołądka" to jeszcze nie wszystko: społeczeństwo właściwie nie domaga się uczestnictwa w życiu politycznym. Szejk musi dbać raczej o swoje bliższe i dalsze kręgi rodzinne, często spełniające rolę pośrednika między obywatelami i władzą. Ich apetyt na wysokie stanowiska publiczne nieraz bywa nienasycony. Dlatego cały czas trzeba czuwać nad lojalnością tej elity, wspierając ją w różny sposób i wspaniałomyślnie obdzielając istotnymi funkcjami politycznymi, administracyjnymi oraz uprawnieniami gospodarczymi. Podłożem tych oczekiwań jest tradycja pochodząca z czasów, kiedy plemiona pasterskie żyły według opiekuńczego „kodeksu rycerskiego", zgodnie z którym przywódcy rodów zapewniali kręgom rodzinnym wyższą pozycję socjalną. I tak pozostało do dziś.

Bezpieczeństwo ekonomiczne zagwarantowane przez państwowe beneficjum, w każdym przypadku zapewnienie obywatelom korzyści, ma dostrzegalne konsekwencje natury socjalnej i gospodarczej, by nie powiedzieć, że wyciska piętno pasożytnictwa na całym kraju. Młode, przesiąknięte „mentalnością rentierską" pokolenie przyjęło postawę pasywną i głęboko apatyczną. Nie ma stymulacji do podjęcia pracy, bo większość ma od kołyski do grobu niemalże całkowicie zapewniony przez państwo byt. Brak ambicji, wynikający też w pewnym sensie z nieistniejącej w społecznościach beduińskich tradycji przedsiębiorczości i jakiejś szczególnej etyki pracy, sprawia, że trudno namówić młodych do nauki, do zaangażowania się w gospodarkę czy karierę zawodową. Bogactwo zdobyte ciężką pracą to tutaj przeżytek. No bo po co się wysilać, skoro skazanego na „dobrowolne" bezrobocie stać na zaspokojenie pragnień materialnych i nabycie luksusowych produktów konsumpcyjnych? Logicznie biorąc, pozbawieni wszelkich trosk Emiratczycy, którzy osiągnęli punkt nasycenia dobrobytem, powinni być szczęśliwi. Jednak w większości tacy nie są, gdyż ich życie jest puste.

Pieniądze czynią ludzi szczęśliwszymi w niewielkim stopniu. W zasadzie, gdy dobra materialne zaspokoją podstawowe potrzeby życiowe, zadowolenie z życia zależy od innych, pozafinansowych czynników. Otaczający świat nie ułatwia zadania. Państwo jest jak nadopiekuńczy rodzice, którzy bezkrytycznie wyręczają dzieci w wielu czynnościach, kontrolują każdy krok. Taki parasol ochronny, edukowanie pod kloszem zaburza rozwój samodzielności i decydowania o sobie lub, gorzej, prowadzi do upośledzenia funkcji społecznych.

Do tej pory przychody emiratu pozwalały uniknąć nakładania podatków, lecz ciągły jego rozwój i coraz bardziej kosztowne usługi publiczne wymagają pewnych form opodatkowania. Jeśli któregoś dnia trzeba będzie sprowadzić gospodarkę na drogę rozwoju niezależnego od innych krajów, Dubaj, z ugruntowanym wizerunkiem państwa *tax-free*, będzie miał kłopoty z nałożeniem podatków na przyzwyczajonych do opiekuńczości i niesamodzielnych obywateli. Na razie czyni to, uciekając się do „ukrytych" form fiskalnych, takich jak opłata za autostradę, za szeroki system parkingów czy podatek od legalizacji dokumentów w instytucjach państwowych.

W świetle wydarzeń politycznych, do których w ostatnich czasach doszło na Bliskim Wschodzie, poczynając od upadku rządu Saddama Husajna w Iraku po bezowocne powstanie Arabskiej Wiosny, rodzi się pytanie: jak cieszącym się długowiecznością, w porównaniu do republik arabskich, systemom monarchicznym emiratów udaje się zachować kontrolę i, przede wszystkim, cieszyć się aprobatą społeczeństwa, podczas gdy ich sąsiedzi mają z tym problem? Kluczowy element ich stabilności politycznej zależy od strategii, głównie od wzmocnienia sojuszy bazujących na połączeniu legitymizacji kulturalnej, represji oraz zachęt ekonomicznych mających na celu zażegnanie niezadowolenia.

Rząd musi liczyć się z tym, że społeczeństwo jest coraz młodsze i bardziej światłe, ma szeroki dostęp do środków informacyjnych, internetu czy telewizji satelitarnej. Jest bardziej świadome politycznie i potencjalnie gotowe do roszczeń odnośnie do udziału w życiu państwa. Przykładem wstrząsu politycznego może być Bahrajn, który w 2011 i 2012 roku był świadkiem kilku faz protestów. Rozpoczęły się one spokojnie pod kierownictwem studenckiej organizacji „Ruch 14 lutego" i zostały natychmiast stłumione przez policję. Demonstranci domagali się stworzenia nowego rządu, upowszechnienia nowej konstytucji, zmniejszenia bezrobocia i większej integracji politycznej ludności szyickiej, która stanowi aż 70 procent obywateli, a jest formalnie wykluczona z rządu, ponieważ rodzina panująca jest wyznania sunnickiego. W kontekście politycznym Zatoki protesty w Bahrajnie są przykładem ważnego dysonansu, który jeszcze stanowi odosobniony przypadek i nie wywołał w sąsiednich krajach efektu domina, jak to miało miejsce w krajach Maghrebu, czyli Afryki północno-zachodniej.

Państwo rentierskie, niemal w całości oparte na usługach i pozbawione przemysłu, uzależnione od kapitału zagranicznego, jest narażone na to, że będzie musiało podporządkować się trendom panującym w światowej gospodarce i handlu. Jakakolwiek zawierucha polityczna czy gospodarcza odbija się na gospodarce kraju, zwłaszcza na sektorze turystycznym i nieruchomościach. Jako pierwszy boleśnie odczuł globalną niepewność zrodzoną po zamachu w Nowym Jorku 11 września 2001 roku hotel Burdż al-Arab, który przez wiele miesięcy stał pusty. Ten zamach ukazał, jak bardzo komplikuje się sytuacja w mieście czy nawet w całym regionie, które zostają postrzegane jako miejsca ryzykowne. Gdyby w Dubaju doszło do napiętej sytuacji politycznej czy pojawiłyby się tu jakieś poważne problemy, wiele firm zagranicznych przeniosłyby się do innych, bezpieczniejszych krajów Bliskiego Wschodu.

KULEJĄCA EMIRATYZACJA

Siedzę z Izmirem w jednej z galerii artystycznych na Alserkal Avenue w nieodwiedzanej przez turystów przemysłowej, zakurzonej dzielnicy Al-Quoz. Wśród hal produkcyjnych i hurtowni różnego rodzaju oraz sklepów designerskich zwykle wystawiają się tutaj arabscy artyści.

— Izmirze, powiedz mi szczerze, czy Dubajczycy nie zdają sobie sprawy, że takie rozpieszczanie obywateli przez rząd może prowadzić do przepaści?

Kiwa głową.

— Rząd Dubaju od lat stara się zachęcić młodych ludzi, by zdobywali wykształcenie, zainteresować ich pracą w ogóle i wzbudzić szacunek dla pieniądza oraz trudu innych — wyjaśnia. — Przewidziana jest szeroko zakrojona pomoc finansowa państwa dla tych, którzy mają ochotę się kształcić nawet na renomowanych uczelniach świata. Ale na mieszkańcach bardzo bogatego kraju polityka „emiratyzacji", ogólnoregionalnego projektu wdrażania do systemu kształcenia i aktywizacji zawodowej oraz zwiększenia konkurencyjności wykwalifikowanej siły roboczej miejscowego społeczeństwa nie robi większego wrażenia. Do tego nikt specjalnie się nie rwie i my regularnie powracamy do tego tematu. Nie ma co ukrywać, trudno jest zmotywować młodzież do pracy według standardów zachodnich, do podnoszenia kwalifikacji niezbędnych, by zastępować imigrantów. A musimy przecież coś robić, aby zmniejszyć uzależnienie od rynku pracowników zagranicznych. W pewnym sensie oni przyczyniają się do niestabilności społecznej i lokalne społeczeństwo ryzykuje utratę kontroli nad instytucjami i gospodarką w ogóle.

— Słyszałem, że jak już ktoś ukończy studia i zdobędzie potrzebne uprawnienia, to automatycznie może liczyć na zatrudnienie, ale nie zawsze potrafi sprostać zadaniu w jakiejś korporacji na miejscu wysoko kwalifikowanego obcokrajowca, którego odsyła się do domu.

— To prawda — potwierdza Izmir. — Niestety, zwykle wiedza i doświadczenie takiego młodego Dubajczyka są zbyt skromne i firma traci na jakości pracy. Bywa zatem tak, że dyrekcja zmuszona jest sięgnąć ponownie po lepszych fachowców z zagranicy. I tak zamyka się koło.

Po chwili jednak próbuje osłodzić tę gorzką prawdę.

— Trzeba przyznać, że w niektórych dziedzinach postęp staje się widoczny, na przykład w sektorze ubezpieczeń czy zasobów ludzkich, a już najbardziej w bankowości. Jak zapowiedział minister pracy i spraw socjalnych, emiratyzacja ma objąć 25 procent pracowników wszystkich banków w kraju. Kuriozalnie ta instytucja została zdominowana przez kobiety, które stanowią rosnący potencjał w życiu społecznym emiratu. Coraz częściej, wbrew patriarchalnej kulturze arabskiej i muzułmańskiej, wychodzą z tradycyjnego konserwatyzmu, by angażować się nie tylko w „adekwatnym" i „respektowanym" miejscu pracy, czyli sektorze publicznym lub edukacji, ale także w gospodarce i polityce.

Korzystamy z szerokiego wyboru przekąsek i smakołyków. Nie muszę dziś zachęcać Izmira do mówienia, daje mi niewielki wykład.

— Równe uprawnienia dla mężczyzn i kobiet nie tylko obiecuje konstytucja emiratu, ale zapewniają je także rozmaite przepisy rządowe niwelujące różne przejawy dyskryminacji. Efekty są widoczne. Kobiety stanowią obecnie ponad 22 procent całkowitej siły roboczej w Zjednoczonych Emiratach Arabskich, a w organach państwowych jest ich trzy razy więcej. Zaskakuje to, że 30 procent kobiet zajmuje stanowiska decyzyjne. Ten postęp jest nie tylko wynikiem większej ich frekwencji na wyższych uczelniach czy większego przyzwolenia społecznego dla ich zatrudnienia, ale i faktu, że praca jest coraz częściej traktowana nie tylko jako źródło dochodu, ale też możliwość samorealizacji. Na zorganizowanej w 2014 roku

konferencji, znacząco zatytułowanej „Perspektywy i horyzonty kobiety w bankowości", 300 uczestników dyskutowało, jak można by
podnieść stopień emancypacji kobiet, która zapewniłaby im solid-
niejszą karierę w bankowości. Bo chociaż stanowią one większość
wśród pracowników emirackich, to okazuje się, że ponad 80 procent szybko z tej pracy rezygnuje. Sprawdź sobie w internecie Ahlam
Lamki, to ciekawa postać.

Żegnamy się. Izmir musi biec na kolejne spotkanie. Po powrocie
do hotelu włączam komputer. Znajduję wypowiedź Ahlam Lamki,
wicedyrektorki Unii Kobiet, dotyczącą tego zjawiska:

„Wiele kobiet nadal zmuszonych jest do wyboru między rodziną
i pracą. Absolwentki wyższych uczelni idą do pracy, ale z powodu
wyjścia za mąż bądź macierzyństwa potem z niej rezygnują. Nie ma
co ukrywać, za kulisami porzucania pracy zawodowej wciąż stoją
silne uprzedzenia, które wpływają na ich decyzje. Przemiana femini-
styczna wydarzyła się nagle i szybko. Wielu mężów narzeka na «ty-
ranię feministek», drażni ich to, że kobiety odnoszą sukcesy. I nadal
nie akceptują tego, że ich żony mogłyby robić karierę zawodową. Potrzeba jeszcze czasu, aby tę mentalność zmienić".

Pod jej artykułem trafiam na ciekawy komentarz jednego z czy-
telników gazety „Emirates Today", który twierdzi, że Dubajczycy są
gotowi zaakceptować kobietę przy bankowym biurku, byle tylko nie
była to ich żona. To przypomina trochę scenę opisaną przez Emire
Khidayer w jej książce *Arabski świat*: „Arabowie w głębi duszy po-
dziwiają cudzoziemki za niezależność i pewność ducha, przejawiając
szacunek i podziw. Ale nie potrafią wyobrazić sobie w podobnej sytuacji własnej żony".

Proces emiratyzacji, który jest celem politycznym i gospodarczym mającym zapewnić Emiratczykom przewodnictwo w kraju, nie
spełnia oczekiwań. W 2010 roku Krajowa Rada Mediów, czyli organ
federalny nadzorujący środki przekazu, został obwiniony za „brak
wkładu w emiratyzację mediów", dominację zagranicznych treści
w lokalnych mediach i brak planów na rzecz promowania tożsamości kulturowej. Zarzucono znikomą obecność rdzennej ludności

w radiu i telewizji, która stanowi zaledwie 18 procent wszystkich pracowników; odsetek w prasie drukowanej wynosi jeszcze mniej, bo tylko 10 procent.

W odróżnieniu od innych krajów Zatoki Perskiej, czyli Arabii Saudyjskiej, Bahrajnu, Kataru, Kuwejtu i Omanu, w Dubaju źle przedstawia się obraz służby zdrowia. Na 10 tysięcy mieszkańców przypada 15 lekarzy, podczas gdy w Katarze jest ich 25, co i tak nie jest ideałem, gdy porówna się z Europą Zachodnią: w Niemczech na tę samą liczbę mieszkańców przypada 35 lekarzy. Zarówno sektor prywatny, jak i publiczny cierpią na niedobór lekarzy specjalistów, pielęgniarek, położnych i personelu pomocniczego. Mimo programów emiratyzacji miejscowa ludność nie jest zbytnio zainteresowana taką pracą. Nic dziwnego, że 90 procent personelu sanitarnego wywodzi się z zagranicy, z różnych kultur i różnych systemów szkolnictwa wyższego i profesjonalnego. Większość pielęgniarek pochodzi z Filipin, a lekarze głównie z Egiptu, Pakistanu, Indii i Niemiec. Organizacja tak bardzo zróżnicowanego personelu, tworzenie praktyk terapeutycznych i wspólnych, jednakowych standardów dla wszystkich pracowników nie jest łatwym zadaniem dla menedżerów placówek zdrowotnych.

ZNIEKSZTAŁCONA TOŻSAMOŚĆ NARODOWA

Po dziesięcioleciach pościgu za tym, co najlepsze w świecie zachodnim, za edukacją, stylem życia, przedsiębiorczością, Dubaj, podobnie jak całe Zjednoczone Emiraty Arabskie, przytłoczony gwałtownymi przemianami, wsiąka w nową rzeczywistość podlegającą procesom globalizacyjnym.

Do takiego wniosku dochodzę po kilkugodzinnym śledzeniu w internecie portali przedstawiających Dubaj — najczęściej w samych superlatywach.

Zbudowano tu od podstaw wszystkie sektory gospodarki: nieruchomości i komunikację, szkolnictwo i służbę zdrowia, transport i handel.

Pięknie. Modelowo.

Ale za jaką cenę?

Abd al-Rahman Munif, uważany za jednego z największych arabskich pisarzy naszych czasów, w cyklu powieści *Miasta soli* rozwija temat żyjącej na pustyni społeczności Beduinów i konsekwencje odkrycia tam złóż ropy naftowej. Ciężki sprzęt zniszczył życiodajne palmy, amerykańscy technicy zburzyli spokój mieszkańców — była to prawdziwa katastrofa dla tego regionu, która wyprzedziła o kilkadziesiąt lat wydarzenia w Zatoce Perskiej.

Czasem wydaje się, że sami Dubajczycy nie dostrzegają — może nie chcą dostrzec? — zagrożenia. Jak nigdzie sprawdza się tu porzekadło o belce we własnym oku.

Tempo przemian świata arabskiego, od typowych dla wspólnot plemiennych kolektywistycznych norm zachowania do indywidualistycznych jest tak zawrotne, że w bezpośrednim zetknięciu cywilizacji zachodniej i beduińskiej nie mogło się obyć bez konfliktu międzykulturowego, musiało dojść do alienacji i zachwiania tożsamości narodowej, których efektem jest frustracja. Powstały normy, którym Beduini nie zawsze są w stanie sprostać.

Przypominam sobie historię opisaną przez „The Guardian", która wydarzyła się nie w średniowieczu, ale w naszych czasach, dokładnie w 1995 roku. Na plaży w Dubaju zaczęła tonąć dwudziestoletnia dziewczyna. Na pomoc tonącej rzuciło się kilka osób, lecz ojciec dziewczyny je powstrzymał. Doszło do przepychanek. Rodzic tłumaczył, że dotknięcie córki przez obcego mężczyznę mogłoby ją zhańbić. Wolał, żeby jego córka zmarła, niż by dotknął jej obcy mężczyzna — relacjonowała policja. Ratownicy nie zdołali jej ocalić i dziewczyna utonęła. To tragiczna historia będąca dowodem na ślepe przywiązanie do tradycji.

Z drugiej strony zdarzają się też odstępstwa od tradycji. Na przykład zapomniano już w emiracie o gościnności nomadów, o zapachu kadzideł, muzyce Beduinów, tradycyjnej kulturze i narodowych potrawach. Dziś dominuje tu kultura azjatycka. Zdecydowaną większość wszystkich imigrantów stanowią mężczyźni. Kobiet jest trzy razy mniej i należą one do słabszej części społeczeństwa, a to stwarza niemało kłopotów. Jednak największy problem demograficzny wypływa stąd, że na dziesięciu mieszkańców Dubaju dziewięciu to obcokrajowcy. To bomba z opóźnionym zapłonem. W każdej chwili mogą pojawić się nacjonalistyczne, antyimigracyjne ruchy albo też cudzoziemcy w jak najbardziej naturalny sposób narzucą swoje reguły gry.

Proces ekspansywnej westernizacji stanowi niebagatelne zagrożenie dla kultury narodowej autochtonów, którzy czują się obco w swoim kraju. Analogicznie Europa odczuwa ekspansję Orientu i broni się przed islamską kolonizacją. Trafnie przedstawia ten problem „kropotkin" na swoim arcyciekawym blogu (http://southandeast.com). Potrafił nawiązać dialog ze swoimi miejscowymi kolegami, którzy przyznali, że stają się społeczeństwem zamkniętym. Bo boją się, że utracą przekazywaną genetycznie tożsamość.

„Jesteśmy dumni z naszych korzeni — zwierza się na portalu niejaki Yahia — ale doszło do tego, że liczniejsza od nas ludność napływowa narzuca nam styl bycia i zachowania. W nowych warunkach trudno wszystkim znaleźć własne miejsce w otaczającym świecie. Niby z jednej strony powinniśmy się otwierać i unowocześniać, ale cierpi na tym nasza kultura. Zobacz, wszystko tu jest zamerykanizowane, zalewa nas obca obyczajowość, przytłacza globalizacja. Zachowania zachodnich przybyszy, ich odmienna mentalność i sposób myślenia są nieraz trudne do zaakceptowania. Trzydzieści lat temu byliśmy społeczeństwem plemiennym i dla nas jeszcze dzisiaj nadal najważniejsze są relacje rodowe i pozycje rodów w hierarchii".

„System wartości związany z przeszłością Beduinów był kluczowym elementem w budowie tożsamości narodowej. Nic dziwnego, że narosły dualizm między przeszłością i nowoczesnością, między wartościami tradycyjnymi i globalizacją kulturową ujawnia w społeczeństwie emirackim konflikty psychologiczno-społeczne w relacji z ludnością napływową. Jej integracja jest mało zauważalna i w konsekwencji prowadzi do tworzenia wspólnot w ramach innej społeczności" — uzupełnia jego tezę Syed Ali w swojej publikacji *Dubai: Gilded Cage* (Pozłacana dubajska klatka) wyjaśnia, że tutejsze wielonarodowe społeczeństwo jest bardzo podzielone. Współistnienie może jest nieraz i przyjazne, ale z pewnością bez wzajemnego przenikania się kultur i pluralizmu, jak to ma miejsce w Stanach Zjednoczonych Ameryki czy w Wielkiej Brytanii. Lokalsi zwykle żyją w swoich dzielnicach, a nierówności społeczne stworzyły szlabany wewnątrz ludności napływowej. Ze względu na kolosalne różnice płac Azjaci żywią nienawiść do Europejczyków, Hindusi tradycyjnie są nieufni względem Pakistańczyków, muzułmanie z Afryki nie przepadają za wyznawcami tej samej religii z Azji, Afgańczycy gardzą Banglijczykami, Libańczycy nie tolerują Palestyńczyków, a będący na szczycie piramidy Emiratczycy są podejrzliwi wobec wszystkich pozostałych. Układy społeczne opierają się na nieufności, konkurencji i nierówności, dlatego w tym kastowym społeczeństwie imigranci utrzymują zwykle kontakty głównie ze swoimi rodakami.

Na podsumowanie tych wywodów zacytuję moją przyjaciółkę, doktor psychologii Agnieszkę Skorupę:

„Im mniejsza jest grupa rodzimych mieszkańców terenów Zjednoczonych Emiratów Arabskich, tym bardziej czuje się zagrożona przez napływające z innych kultur wzorce kulturowe. Z jednej strony w naturalny sposób zachodzi proces rozmycia wartości kultury własnej, z drugiej strony jednocześnie następuje próba jej ochrony pod postacią radykalizacji postaw. Im bardziej zagrożona czuje się dana grupa, tym większe jej poczucie tożsamości i potrzeba walki o swoje wartości. Stąd to, co niektórych dziwi, na przykład liberalne podejście do konsumpcji w połączeniu z ortodoksyjnym przestrzeganiem zasad szariatu, tak naprawdę jest zupełnie naturalnym zjawiskiem wynikającym z zachodzących procesów grupowych".

Gazeta „Gulf News" alarmowała swego czasu, że zanika język arabski, że zaczyna panować *cultural anxiety*, niepokój kulturowy, i strach przed zanieczyszczeniem kulturowym, wynikającym z poczucia niższości populacji lokalnej względem liczbowej przewagi ludności napływowej.

„Zdecydowana większość imigrantów nie posługuje się arabskim — donosił dziennik. — Napisy w tym języku to często błędne transkrypcje angielskich nazw. Dobrze byłoby odświeżyć rodzimy język i częściej umieszczać go na szyldach sklepowych, w restauracyjnych kartach menu, nazwach ulic czy na formularzach w urzędach administracyjnych". Temat podjął także językoznawca Christopher Morrow. „Arabski, jeden z sześciu oficjalnych języków ONZ, ryzykuje w krajach ZEA ograniczeniem się wyłącznie do religii i folkloru" — ostrzegał w swojej pracy profesor University of Science and Technology w Al Ain.

Sami Dubajczycy przyznają, że językiem emiratu stał się *arabish* — mieszanka łamanego arabskiego z łamanym angielskim. Rząd zachęca do komunikowania się po angielsku. Z prasy lokalnej dowiaduję się, że badania nad wczesnym dzieciństwem, przeprowadzone przez Ministerstwo do spraw Socjalnych, ujawniły, że tylko 2 procent personelu zatrudnionego w żłobkach to obywatele emiratów, a dalsze 5 procent wywodzi się z innych krajów arabskich. „Ten odsetek jest zbyt mizerny, aby zapewnić prawidłowy rozwój języka" — piętnuje ten stan rzeczy Samia Kazi, jedna z konsultantek sondażu.

Jednakże rodzice dzieci chętnie widzą wychowawców na przykład z British Early Years, posługujących się językiem angielskim. Ten trend obserwuje się także podczas kolejnych lat nauki. Nic dziwnego, że rodzimy język przegrywa z angielszczyzną, uważaną za najpewniejszy paszport do zapewnienia sobie przyszłości na wyższym szczeblu.

Były minister edukacji Ahmad al-Tayer ostrzegał, że tożsamość ZEA znalazła się na wirażu głównie z powodu kwestii demograficznych. Masowa obecność cudzoziemców sprawia, że język arabski, który muzułmanie darzą powszechnym szacunkiem, jest coraz mniej używany. „Jaki zatem los czeka nasze dzieci?" — zapytuje członek rządu.

Na początku 2015 roku Krajowa Rada Federalna zatwierdziła plan rządowy celem stworzenia prawa do zachowania języka arabskiego. Okazało się, że trzy lata wcześniej 3 procent uczniów w szkołach publicznych i 18 procent w szkołach prywatnych, których jest dwa razy mniej, zostało ocenionych z języka arabskiego na „mniej niż dopuszczalne", za to ich ocena z języka Szekspira była celująca. Minister do spraw kultury, młodzieży i rozwoju socjalnego szejk Nahyan bin Mubarak potwierdza obawy związane z nieustannym spadkiem wykorzystania rodzimego języka:

„Media społecznościowe zmniejszają jego siłę, online młodzi ludzie wolą posługiwać się angielskim — powiedział dziennikarzom szejk. — Na portalach używa się alfabetu łacińskiego do pisania w języku arabskim. W szkołach prywatnych wielu uczniów uczy się arabskiego z liter łacińskich. Musimy coś z tym zrobić. Przynajmniej we wszystkich publicznych szkołach w kraju klasyczny język arabski musi być podstawowym językiem nauczania. W kręgach ministerialnych mówi się, że to samo powinno dotyczyć uniwersytetów państwowych, gdzie zadomowił się angielski. Ale tu pojawiają się wątpliwości, bo programy studiów są w znacznej mierze zwesternizowane. Podręczniki z inżynierii, architektury czy prawa są po angielsku".

„Gulf News" uzupełnił jeszcze, że klasyczny arabski został w emiratach zastąpiony przez lokalne dialekty, a poziom nauczycieli języka, który kilkanaście wieków temu stał jest językiem liturgii, bo w tej leksyce został napisany Koran, jest niewystarczający. „Nie bez negatywnego znaczenia — donosiła gazeta — jest też funkcjonowanie w regionie licznych filii zachodnich uczelni. A to jest już czysty przejaw neokolonializmu". A więc znów, jak widać, obie strony narzekają na neokolonializm, choć moim zdaniem jest zasadnicza różnica między tymi dwoma kolonializmami. W Europie muzułmanów nikt nie ogranicza w ich wierze, a jeśli chodzi o sprawy czysto ekonomiczne, to jest nie do pomyślenia, żeby w państwach arabskich wypłacano zasiłki niepracującym obcokrajowcom. Przyjezdni muszą się tu nieźle napocić.

Pewien świadomy zwrot ku macierzystemu językowi wykonali wydawcy książek dla dzieci. Wprowadzili podnoszące wartość artystyczną żywe, zabawne ilustracje, które wyróżniają się atrakcyjniejszą szatą. Edytorzy uważają, że przy zachowaniu treści edukacyjnych, moralnych i literackich z preferowanymi przez nastolatków zachodnimi książkami w języku angielskim musi konkurować zdecydowanie ciekawsza grafika.

W stosie gazet dostępnych w każdej chwili w hotelu znajduję wywiad z komendantem policji dubajskiej Dahim Chalfanem Tamimem. W rozmowie z dziennikarzem miejscowej gazety „Khaleej Times" podejmuje delikatny temat bycia mniejszością we własnym kraju. Ostrzega, że jeśli problem nie zostanie rozwiązany, dziedziczna monarchia być może nie przetrwa zbyt długo, a to szybko doprowadzi do upadku emiratów. Uzupełnia, że jeśli rząd nie podejmie radykalnych środków w celu rozwiązania nierównowagi demograficznej, Zjednoczonym Emiratom Arabskim grozi katastrofa. Tamim proponuje, żeby ustanowić Związek Państw Zatoki Perskiej, który dawałby jedno wspólne obywatelstwo, a co za tym idzie, łatwiejszą kontrolę imigrantów. Ponadto apeluje do społeczeństwa, aby miało więcej dzieci.

Do kwestii niebezpiecznie zachwianej demografii włączył się także minister spraw zagranicznych ZEA szejk Abdullah Zaid ibn al-Nahajjan, który starał się wyciszyć alarmujące tony. W internecie znajduję jego wypowiedź.

„To prawda — pisze — że błyskawiczny rozwój Dubaju oraz nieskończenie chłonny rynek pracy w tym mieście spowodowały masowy napływ imigrantów z subkontynentu indyjskiego, ale także Pakistańczyków, Bengalczyków oraz Filipińczyków. Społeczeństwo ZEA jest otwarte, tolerancyjne oraz bogate. Nie powinniśmy zamykać drzwi cudzoziemcom. Emiraty nie mogą żyć jak odizolowane wyspy, trąbiąc na cały świat o swojej potrzebie zachowania tożsamości narodowej".

Co chwila powracają w życiu publicznym debaty na temat gigantycznego napływu imigrantów do Dubaju i potencjalnych zagrożeń polityczno-gospodarczych, które z tego faktu wynikają. Niektórzy boją się, że tak duży komponent demograficzny, który zapewnia podstawy prosperity emiratu, może stworzyć potencjalnych dysydentów politycznych. Dubaj w naturalny sposób wchłonął elementy kultury i stylu życia nienależące do Bliskiego Wschodu, a już na pewno nie do obszaru islamskiej religii. Dla części lokalnego społeczeństwa proces modernizacji i nowe realia globalizacji kulturowej wynikającej z podziałów społecznych i etnicznych, które są konsekwencją dużego napływu zagranicznej siły roboczej, stwarzają silne zagrożenie dla tożsamości narodowej.

Jeden z internautów, Ahmed Kanna, nazywa to „neoortodoksyjnością", wytworem współczesnych nam czasów. Przypomina, że fundamentem społeczeństwa jest zorganizowane na sposób hierarchiczny i patriarchalny ognisko domowe będące wyrazicielem wartości reprezentowanych przez kulturę emiracką, której społeczeństwo pomimo ubóstwa zawsze opierało się na cennych wartościach i solidarności.

Christopher Davidson, profesor studiów bliskowschodnich na brytyjskim Durham University, twierdzi, że utratę autentycznych wartości spowodował proces urbanizacji i cywilizacji w populacji emiratów wynikający nie tylko z napływu odmiennych kultur, ale i z powodu nagromadzenia bogactwa prowadzącego do luksusowego, pełnego ekscesów stylu życia, który młodzi traktują jako normę. Nie do ukrycia jest pewien opór społeczny wobec niektórych elementów demokracji, takich jak rozdzielenie religii od państwa czy równość mężczyzn i kobiet. Wśród neoortodoksów wybijają się panie ubolewające nad zmianą w podejściu do tradycyjnych ról kobiety i mężczyzny oraz nad odchodzeniem od modelu patriarchalnego. „Zepsucie" kobiet i ich poświęcenie się działalności niezwiązanej ściśle z pracą domową są uznawane za główną przyczynę rozpadu tradycyjnych wartości. Kobiety źle wychowują dzieci, są coraz bardziej nieodpowiedzialne i skoncentrowane tylko na sobie, wolą pozostawiać swoje pociechy pod opieką niań, zamiast same zajmować się ich rozwojem i edukacją. A to prowadzi bezpośrednio do oddalenia się od autentycznych wartości.

W gazecie emirackiej „al-Imārāt al-yawm" znajduję artykuł, który pokazuje, że przeprowadzone badania potwierdziły, iż obecność w rodzinie opiekunek pochodzących z obcych krajów ma swój udział, a często nawet jest bezpośrednią przyczyną zaburzeń psychicznych, wyrażających się skrajną introwersją i agresją. Także rozwój językowy dzieci jest spowolniony przez fakt, że spędzają one dużo czasu z osobami, które mało rozmawiają po arabsku bądź nie znają dobrze tego języka.

W telewizji emirackiej przez dłuższy czas emitowano animowany w 3D program *Freej*, opracowany przez młodego Mohammeda Saeeda Hariba, który studiował sztuki piękne w Stanach Zjednoczonych. Ukazywał on w lekki i ironiczny sposób napięcia istniejące między przeszłością i teraźniejszością. Bohaterami filmu rysunkowego były cztery starsze panie w tradycyjnej odzieży, które dyskutowały o czasach swojej młodości i współczesnej kulturze emirackiej, o tym, jak wyglądają mieszane małżeństwa lub co to jest korupcja.

Prorządowy *Freej* nie zamierzał nikogo krytykować ani denuncjować, a gorące tematy związane z zachowaniem korzeni kulturowych i silnej tożsamości narodowej były traktowane raczej powierzchownie, ale miały bardzo konkretny cel. Autor programu mówił: „Jesteśmy zdecydowaną mniejszością w swoim kraju. Musimy się nawzajem mocno wspierać".

Jeśli można zgłębić jakiś temat w ciągu trzech godzin szperania po internecie, pracę domową (czy może hotelową) uznaję za wykonaną na szóstkę.

Pora teraz zająć się czymś ostrzejszym.

Tak wyglądał Dubaj jeszcze w 1991 roku. Dziś emirat przykuwa
uwagę świata, imponując luksusem i rozmachem

Satelitarny obraz miasta-państwa z 2010 roku. Rzetelność
dziennikarska nakazała mi zerwać złotą maskę i obnażyć drugie,
mroczne oblicze sztucznego raju: autorytarny ustrój,
brak podstawowych swobód obywatelskich, niewolnicze warunki
pracy najemnych robotników, represje, tortury

Majętność emiratu w dużej mierze jest iluzoryczna,
bo opiera się na gigantycznych kredytach

Świat iluzji, przepychu i sprzeczności. Dubajskie księstwo,
synonim bogactwa i rozmachu, jest niczym skrzący blaskiem diament,
tyle że z licznymi skazami

Emirat nieustannie inwestuje w swoją markę
i renomę, promując luksusowy wypoczynek
w unikalnej na skalę światową
oazie ostentacyjnego luksusu
i konsumpcjonizmu

Robiący niesamowite wrażenie meczet imienia szejka Zaida
w Abu Zabi może pomieścić 40 tysięcy wiernych

Meczet Jumeirah, jeden z trzech otwartych dla niemuzułmanów,
przedstawiony jest na banknocie 500 dirhamów

Komfortowy początek wakacji życia

Linda na 50. piętrze hotelu Marriott Marquis, najwyższego hotelu świata

W hotelu One&Only przy plaży na Palmie Dżamira

Wyspa Dżamira o kształcie palmy, najbardziej rozpoznawalny
element Dubaju. Jej konstrukcja dodała 78 kilometrów
do linii brzegowej emiratu

Sztucznie usypana Palma Dżamira, jedna z najsłynniejszych
wysp świata, gości luksusowy kompleks hotelowo-mieszkaniowy

Oddana do użytku w 2009 roku sztuczna wyspa składa się z pnia i korony palmowej

Atlantis, luksusowy resort wypoczynkowy, jeden z flagowych projektów emiratu

2 grudnia, hucznie obchodzone święto narodowe.
Dubaj wyróżnia się wzajemnym przenikaniem się kultur.
W odróżnieniu od innych kultur muzułmańskich tutejszy
islam poprawnie współżyje z wyznawcami innych religii

Jego Wysokość Muhammad ibn Raszid al-Maktum, człowiek,
który przetworzył wydmy piaskowe w hipernowoczesną metropolię

Wszechobecny na billboardach ojciec «cudu gospodarczego» emiratu
bez wielkiej pokory twierdzi, że dzisiejszy Dubaj to dopiero
10 procent jego wizji

Wyścigi wielbłądów cieszą się tutaj taką popularnością,
jak piłka nożna w Europie

Regaty tradycyjnych łodzi dau, które od wieków obsługują
żeglugę kabotażową w całym regionie

Polowanie z sokołami stanowi integralną część życia Beduinów

NIECHWALEBNE PROCESY
I SZOKUJĄCE TORTURY

Nie wszystko tutaj jest usłane różami, sugeruje tytuł książki *Pozłacana dubajska klatka* Syeda Alego. „Twierdzę, że Dubaj jest klatką — wyjaśnia autor — ponieważ jego mieszkańcy, w zamian za korzyści ekonomiczne, podpisali pakt, w którym rezygnują z podstawowych swobód demokratycznych. W Dubaju możesz pić whisky czy nawet korzystać z usług prostytutki, obrażając morale muzułmanów. To wszystko jest dopuszczalne. Ale jeśli robisz coś, co ma nawet daleki związek z polityką, wówczas popadniesz w tarapaty".

Wspiera go Jim Krane, autor książki o Dubaju *City of Gold*: „Zjednoczone Emiraty Arabskie należą do autokracji, monarchii absolutnych. Nie tolerują żadnej formy udziału w życiu politycznym, nie mówiąc już o jakiejkolwiek opozycji. Nie pozwalają na nic, co mogłoby podważyć autorytet rodziny panującej".

Raport Amnesty International za rok 2014 opisuje klimat strachu, jaki zapanował w Dubaju pod koniec 2011 roku, kiedy to władze zaczęły stosować szczególne środki mające na celu uniemożliwienie jakiejkolwiek krytyki rządu czy powstania ruchów reformatorskich. Dysydenci jednak są nieliczni. Po fali Arabskiej Wiosny ZEA zastosowały szereg represji w celu zwalczania opozycji. W imię bezpieczeństwa narodowego zaostrzono dozór nad przeciwnikami politycznymi. Nowa, zatwierdzona w sierpniu 2014 roku, bardziej restrykcyjna ustawa antyterrorystyczna rozszerzyła zakres definicji „terroryzmu" na wiele innych zagrożeń bezpieczeństwa instytucji państwowych, zwiększając karę pozbawienia wolności do lat 20, a nawet w niektórych przypadkach poszerzając o karę śmierci.

Raport Amnesty International w szczegółach opisuje toczący się w Abu Dhabi w lipcu 2013 roku szeroko krytykowany na świecie proces „Emiraty 94", będący konsekwencją petycji skierowanej dwa lata wcześniej do szejka Chalify ibn Zaida al-Nahajjana, przywódcy wszystkich siedmiu emiratów, w której sygnatariusze domagali się prawa do wolnych wyborów, przekazania władzy ustawodawczej przedstawicielom narodu i bardziej sprawiedliwego podziału dochodów z ropy naftowej. Jej zasoby kontroluje w Abu Dhabi rodzina al-Nahajjan, sprawująca rządy absolutne, i to właśnie ona obsadza większość rządowych stanowisk. Obecnie istniejący „parlament" pełni jedynie funkcje doradcze, a jego czterdziestu członków jest mianowanych bezpośrednio przez siedmiu rządzących szejków lub w drodze innych nominacji. Amnesty International wnioskuje do władz Zjednoczonych Emiratów Arabskich o usunięcie zapisów prawnych kryminalizujących osoby żądające wolności słowa i stowarzyszania się oraz o zaprzestanie aresztowań i wyroków na więźniach sumienia, a także publiczne potępienie tortur.

Spośród 94 oskarżonych 69 zostało skazanych przez federalny Wysoki Trybunał Sprawiedliwości w Abu Dhabi za „popełnienie czynów zagrażających bezpieczeństwu państwa i ładowi publicznemu oraz obrazę prezydenta" na kary więzienia od siedmiu do piętnastu lat.

Wśród skazanych znalazł się znany obrońca praw człowieka Mohammed al-Roken, od lat prześladowany przez władze za żądanie demokratycznych reform. Bronił oskarżonych o występowanie przeciwko rządowi w kilku delikatnych procesach politycznych, kiedy żaden inny prawnik nie chciał się tego podjąć. Razem z nim zostało skazanych wiele innych znanych osób, takich jak: Mansur al--Ahmadi, wiceprzewodniczący Związku Studentów Zjednoczonych Emiratów Arabskich, sędzia orzekający Mohamed al-Abduli, szejk doktor Sultan Kayed Alqassimi, Hussain Ali al-Najjar, Al-Hammadi e Saleh Mohammed al-Dhufairi, dwóch byłych sędziów Chamis al-

-Zjudiand i Ahmed al-Za'abi, wybitny prawnik Mohammed al-Mansouri, intelektualiści i studenci. Niektórzy z nich byli członkami bądź sympatykami ruchu Al-Islah, który od 1974 roku zajmuje się pokojową debatą religijno-polityczną, ale który rzekomo finansowany jest przez Bractwo Muzułmańskie.

Zjednoczone Emiraty Arabskie, borykając się z niezadowoleniem społecznym, zaostrzyły prawo dotyczące korzystania z internetu. Od listopada 2012 roku przestępstwem jest szkodzenie reputacji władców czy zwoływanie wieców lub wznoszenie na nich antyrządowych okrzyków. Karane są zachowania „szkodzące reputacji państwa lub jego instytucjom, które władze uznają za zagrożenie dla bezpieczeństwa państwa lub naruszające porządek publiczny". Ponadto karze się za brak poszanowania wobec symboli narodowych, flagi, hymnu czy islamu lub innej religii. Na mocy nowego dekretu do więzienia mogą trafić zarówno twórcy takich witryn, jak i osoby je odwiedzające. Dodatkowo w lipcu 2015 roku lokalna agencja prasowa WAM ogłosiła nowy dekret prezydencki przewidujący surowe kary, do kary śmierci włącznie, za przestępstwa związane z nienawiścią religijną, ekstremizmem sunnickim i dyskryminacją na tle wyznaniowym, społecznym, rasowym czy etnicznym.

Sytuacja w Zjednoczonych Emiratach Arabskich nie umknęła uwadze parlamentarzystów Unii Europejskiej. 12 października 2012 roku Unię uhonorowano Pokojową Nagrodą Nobla za wkład w proces pokoju, pojednania i ochrony praw człowieka w Europie. Dwa tygodnie później orędowniczka demokracji opublikowała w Dzienniku Urzędowym UE rezolucję swojego parlamentu w kwestii praw człowieka w ZEA. Czytamy w niej o niepokojącym nasileniu represji wobec obrońców praw człowieka i działaczy społeczeństwa obywatelskiego na rzecz demokracji, o nieuzasadnionych aresztowaniach, o stosowaniu tortur i odmowie pomocy prawnej zatrzymanym. Mowa jest także o więźniach związanych z pokojową organizacją islamistyczną Al-Islah, oskarżonych o spiskowanie przeciwko bezpieczeństwu państwa i sprzeciwianie się konstytucji oraz normom państwowym.

Unia Europejska wyraziła też zaniepokojenie regularnym nękaniem i zastraszaniem pracowników emirackiej kancelarii prawnej broniącej działaczy prodemokratycznych czy skazaniem na trzy lata więzienia autora bloga internetowego Ahmeda Mansura, członka komitetu konsultacyjnego bliskowschodniego oddziału organizacji Human Rights Watch, oraz czterech innych osób, które nawoływały społeczeństwo do zaangażowania politycznego. W tymże dokumencie UE przypomina, że władze ZEA zlikwidowały w 2012 roku znane na arenie międzynarodowej pozarządowe organizacje, takie jak dubajski Narodowy Instytut Demokracji czy niemiecki Ośrodek Analityczny Konrad-Adenauer-Stiftung w Abu Dhabi.

Rezolucja potępia zastraszanie działaczy społeczeństwa obywatelskiego w ZEA, którzy w pokojowy sposób korzystają z przysługujących im praw do swobody wypowiedzi i wolności myśli. W zakończeniu wzywa władze Zjednoczonych Emiratów Arabskich do poszanowania praw człowieka i podstawowych wolności obywatelskich, w tym wolności zgromadzeń, równouprawnienia kobiet, do walki z dyskryminacją oraz przestrzegania prawa do sprawiedliwego procesu sądowego.

Parlament Europejski swoje postanowienie kończy jednakże w tonie pozytywnym, wyrażając zadowolenie z przystąpienia 19 lipca 2012 roku Zjednoczonych Emiratów Arabskich do Konwencji ONZ w sprawie zakazu stosowania tortur oraz innego okrutnego, nieludzkiego lub poniżającego traktowania albo karania. Jednocześnie parlament nalega, aby władze ZEA potwierdziły swe zobowiązanie do przestrzegania postanowień traktatowych poprzez przeprowadzenie szczegółowych, bezstronnych i niezależnych śledztw w sprawie doniesień o torturach i niewyjaśnionych zaginięciach.

Dokument Strasburga wywołał w Abu Dhabi oburzenie. Na reakcję nie trzeba było długo czekać. Władze emiratu określiły rezolucję jako powierzchowną i tendencyjną. Stwierdziły, że istniejące pewne ograniczenia służą za bastion przeciwko islamskiemu fundamentalizmowi. Jedna z ostatnich na świecie monarchii absolutnych oskarżyła Unię Europejską o próbę deprecjacji swoich norm społecznych, systemu prawnego i instytucji państwowych. Krytyka rzekomego łamania praw człowieka stanowiła rzekomo atak na islamskie wartości. Przy okazji wyszło na jaw, że autorytarne państwo robiło wszystko, aby przygotowywaną rezolucję zablokować. Wysłało do Strasburga delegację, która starała się wywrzeć presję na głosujących, a ambasador tego kraju w Brukseli, oburzony decyzją Parlamentu Europejskiego, zagroził, że „mało obiektywna uchwała, podjęta bez udziału ich przedstawiciela, mogłaby bezsensownie nadwyrężyć stosunki UE–ZEA". Przy okazji nie omieszkał przedstawić swojego kraju jako wzoru oświeconego postępu dla regionu i zapory dla walczących ugrupowań islamskich. Wypowiedział się także minister spraw zagranicznych ZEA Anwar Gargash, stwierdzając, że rezolucja jest parcjalna i stronnicza, bo nie zawiera realnej analizy faktów. Zauważył ponadto: „A co do krytyki dotyczącej migrantów i kobiet, to warto pamiętać, że w naszym kraju, żyje «w atmosferze otwartości i tolerancji» prawie 200 narodowości". W polemikę zaangażowała się również Liga Państw Arabskich. Ahmad Bin Heli, zastępca sekretarza generalnego tej organizacji, stwierdził, że w kraju tak szeroko otwartym na świat wszystko jest jak najbardziej przejrzyste. Autorzy rezolucji prawdopodobnie niedokładnie zapoznali się z realiami tutejszych praw człowieka, nic dziwnego, że w komentarzach skierowanych do suwerennego państwa jest ona „skromnie mówiąc, przesadna". „Wkrótce będziemy mieli Arabski Trybunał Praw Człowieka i nie musimy opierać się na opiniach międzynarodowych środowisk w ocenie tego tematu w świecie arabskim" — dodał Ahmad Bin Heli.

Oficjalne stanowisko Parlamentu Europejskiego to jedno, a postawa okazujących wyrozumiałość zachodnich rządów to drugie. Presja, wspomagana różnymi interesami łączącymi Zachód z emiratami, sprawiła, że kraje europejskie zaczęły się uginać i przymykać oko na drastyczne przypadki pogwałcenia praw człowieka. Obroty handlowe emiratów, piątego co do wielkości producenta ropy naftowej na świecie, z Europą przekroczyły w 2011 roku 41 miliardów euro. Złoża naftowe zapewniają pobłażliwość i nietykalność.

Liderzy polityczni zignorowali fakt, że choć konstytucja Zjednoczonych Emiratów Arabskich chroni wolność słowa i prasy, to ich kodeks karny pozwala władzom ścigać osoby wyrażające się krytycznie o rządzie tego kraju, że nadal rozpowszechniony jest tu proceder handlu ludźmi w celu wykorzystywania ich do przymusowej pracy, a jego ofiary pozostają niezidentyfikowane. Zapomnieli, że poszanowanie norm stanowiących wartość najwyższą to nie tylko sprawa określonego państwa, ale też coś, co powinno stanowić przedmiot troski społeczności międzynarodowej.

Mający wiele wyrozumiałości dla wyniesionych na wyżyny świata arabskiego emiratów przywódcy polityczni wyraźnie objęli je taryfą ulgową. Kłamstwo uświęca środki. Włoski premier Mario Monti, który w końcu 2012 roku przybył do ZEA, aby podpisać umowy handlowe, nie skrywał, że Emiratczycy są muzułmanami „otwartymi", na dobrą sprawę poprawnymi. W imię biznesu i boga-mamony wystąpił rezydujący tutaj jego mało poprawny politycznie ambasador, który nie zamierzał złożyć interesów gospodarki na ołtarzu walki o prawo do sprawiedliwego sądu, do wolności zgromadzeń czy do strajku. „Italia uważa ten kraj za wzór tolerancji w świecie arabskim — oświadczył obłudnie — i docenia zmiany na lepsze osiągnięte w dziedzinie poszanowania praw człowieka". Aby nie drażnić zaprzyjaźnionego reżimu, uzupełnił, że „rezolucja europejska niestety nie odzwierciedla całokształtu scenariusza, dając kontrpartnerom pole do krytyki".

Do grona obrońców dołączył także konserwatywny brytyjski europoseł Charles Tannock, zdecydowanie odrzucając „całkowicie absurdalny" pogląd o powtarzających się przypadkach naruszenia praw człowieka w ZEA. „Ten kraj należy do najbardziej otwartych społeczeństw na Bliskim Wschodzie" — zapewniał i zwracając się do swoich partyjnych kolegów, napomniał: „Nie można odrywać się od prawdziwego problemu w regionie, jakim jest Iran". Rzecznik francuskiego MSZ zaś na pytanie dziennikarza o opinię na ten temat odpowiedział przewrotnie: „Uważam, że wszyscy są świadomi zmian na lepsze w ZEA na tym polu".

Żaden z tych polityków faryzeuszy nie zwrócił uwagi, że w światowym rankingu „indeksu demokracji"na 167 badanych krajów ZEA znalazły się na mało chwalebnym 148. miejscu.

Władze Zjednoczonych Emiratów Arabskich utrzymują ścisłą kontrolę nad mediami, internetem i sieciami społecznościowymi. To nie przypadek, że w rankingu wolności prasy przedstawionym w 2015 roku przez międzynarodową organizację pozarządową Reporterzy bez Granic wśród 180 krajów ZEA znalazła się na 118. miejscu. Chociaż trzeba przyznać, że w ostatnich latach wszędzie nastąpiło pogorszenie warunków pracy dziennikarzy, a ich swoboda w docieraniu do informacji, nawet w państwach, które określają siebie jako demokratyczne, podlega coraz większym ograniczeniom. W emiratach wykorzystuje się zakaz obrazy uczuć religijnych do tłumienia politycznej krytyki, co wynika z rozporządzeń ministerialnych ustanowionych w imię tradycyjnej muzułmańskiej moralności czy reputacji księstwa lub rodziny rządzącej.

Dwóch dziennikarzy gazety „Khaleej Times" zostało skazanych we wrześniu 2007 roku na dwa miesiące więzienia za „niestosowną" krytykę. Uratował ich szejk Mo, który stwierdził, że żaden dziennikarz nie powinien być skazany na karę pozbawienia wolności za wyrażanie swoich poglądów. Przy okazji zażądał również wprowadzenia nowej ustawy o prasie i wydawnictwach. Dziennikarze zostali zmuszeni do pracy w ramach przyjętych przez państwo norm. Dzisiaj już nie aresztuje się niepokornych dziennikarzy za niepoprawność względem polityki państwa, ale granica między tym, co wolno napisać, a czego nie wolno jest bardzo cienka i łatwo można być odsuniętym od tematów uznawanych za tabu, takich jak krytyka władcy emiratu, jego rodziny i otoczenia czy korupcja władz lub inne nadużycia elit państwowych. Aby tego uniknąć, każdy stara się jakoś dostosować do swoistej autocenzury, depcząc często pryncypia niezawisłego dziennikarstwa.

Raport Amnesty International 2009 podaje, że w 2007 roku rząd zamknął dwa kanały telewizji pakistańskiej, które wprawdzie później otworzono, ale już bez serwisów informacyjnych. W tym samym roku władze ZEA w ramach rozporządzeń administracyjnych, przez wielu uważanych za represyjne, ze względu na „niezbyt poprawne" poglądy przeniosły ze szkół do innej pracy w instytucjach państwowych ponad 80 nauczycieli.

Ta sama międzynarodowa organizacja oskarżyła o hipokryzję *politically correct* działaczy globalnej sceny politycznej. W czerwcu 2015 roku Rada Praw Człowieka Organizacji Narodów Zjednoczonych mianowała w Genewie ambasadora Arabii Saudyjskiej Faisala bin Hassana Trada na przewodniczącego panelu niezależnych ekspertów, określonego przez kwaterę główną jako „klejnot koronny" ochrony praw człowieka na świecie, mającego na celu ich promowanie i zapewnienie najwyższych standardów. To wszystko w sytuacji, kiedy to królestwo jest jednym z państw, w których wykonuje się najwięcej egzekucji na świecie (tylko w 2015 roku 151) i gdzie nie są respektowane elementarne prawa człowieka, nie mówiąc o tym, że nie istnieje też swoboda religijna ani polityczna, a sytuacja kobiet jest jedną z najgorszych w regionie. „Ta skandaliczna i haniebna nominacja szefa powstałego w 2006 roku organu sięgnęła dna, bo jak można wysłać do monitorowania przestrzegania praw na świecie człowieka pochodzącego z kraju, który łamie je najczęściej" — nie skrywały swojej irytacji różnego rodzaju organizacje pozarządowe. Na ONZ spadła lawina krytyki ze strony mediów i opinii publicznej. Przy takim obrocie rzeczy nasuwa się pytanie, do jakich celów służy ONZ, skoro o losach świata decydują jak zwykle ropa naftowa, dolary i polityka.

Jeszcze inny kwiatuszek. W kwietniu 2009 roku amerykański kanał informacyjny telewizji ABC News wyemitował szokujący film wideo *Torture Tape Implicates UAE Royal Sheikh*, ukazujący tortury zastosowane piętnaście lat wcześniej w Al-Ain, pustynnym miasteczku-ogrodzie. Przekaz okazał się oszałamiający, bo egzekutorem był szejk Issa ibn Zaid al-Nahajjan, przyrodni brat obecnego przywódcy Zjednoczonych Emiratów Arabskich. 45-minutowy film zawierał sceny niesłychanie sadystycznego znęcania się nad związanym mężczyzną. Był to Muhammad Shah Poor, afgański sprzedawca zboża, który nie rozliczył się z ciążącego na nim długu pięciu tysięcy dolarów. Oprawca sypał mu piasek do ust, strzelał z karabinu maszynowego obok leżącego, potem po spuszczeniu mu spodni kilkakrotnie uderzał w pośladki deską ze sterczącym gwoździem. „Gdzie jest sól? Dajcie mi sól!" — krzyczał bezwzględny oprawca do obecnych w pobliżu osób. Po czym wysypał zawartość pojemnika na krwawiące rany błagającego o litość nieszczęśnika. Dalej widać było, jak szejk wylewa benzynę z zapalniczki na jego genitalia i podpala ją. Potem, wołając do kamerzysty: „Bliżej, podejdź bliżej. Pokaż, jak cierpi", wsunął do odbytu elektryczny treser dla bydła. „Ty psie" — wrzeszczał degenerat. Na koniec trzygodzinnego znęcania się kilkakrotnie przejechał terenowym autem po wijącej się z bólu ofierze.

Taśmę upublicznił Bassam Nabulsi, Amerykanin libańskiego pochodzenia, były partner biznesowy szejka, z którym procesował się teraz z powodu zerwania kontraktu. Po ujawnieniu tych wstrząsających wydarzeń obrońcy praw człowieka nagłośnili temat. Prezydent Chalifa śpiesznie zareagował i obiecał, że jego brat zostanie sprawiedliwie osądzony. I rzeczywiście prokuratura wszczęła dochodzenie, wydając komunikat zapewniający, że prawo jest jednakowe dla wszystkich obywateli ZEA.

Proces odbył się wyjątkowo prędko. Po krótkiej sesji sąd oczyścił szejka z wszelkich zarzutów. Sędzia Mubarak al-Awad Hassan umotywował to następująco: „Owszem, na filmie widać, że oskarżony bierze udział w torturach, ale według opinii lekarza sądowego nie był on świadom swoich czynów, bo znajdował się pod wpływem silnych leków mogących zwiększyć poziom agresji i utratę pamięci. To trzeba wziąć pod uwagę".

W tej samej sprawie sąd uniewinnił policjanta biorącego udział w maltretowaniu, bo Afgańczyk, który cudem przeżył zadane mu tortury, nie był w stanie go zidentyfikować. Pozostali trzej widoczni na filmie mężczyźni zostali skazani — dostali od roku do trzech lat więzienia. Jednak najsurowszy, zaoczny wyrok pięciu lat więzienia zapadł w sprawie braci Bassama i Gassana Nabulsich, którzy ujawnili bestialstwo księcia. Sentencję postarano się wykorzystać do celów propagandowych. Adwokat księcia Habib al-Mulla w wypowiedziach dla mediów podkreślił po rozprawie: „Świat wreszcie dowiedział się, że szejk Issa padł ofiarą nikczemnego spisku. Mianowicie został odurzony lekami przez braci Nabulsich, którzy zamierzali szantażować go później nagraniem. A to, że szejk stanął przed sądem, dowodzi, że w naszym konserwatywnym kraju ponad wszelką wątpliwość wszyscy są równi i sprawiedliwie traktowani".

Poproszone o komentarz przez dziennikarza ABC News Ministerstwo Spraw Wewnętrznych Abu Dhabi, kierowane przez jednego z dwudziestu dwóch braci Issy, potwierdziło jego rolę w nagraniu, ale uznało, że „zdarzenia oglądane na taśmie nie są w zasadzie przykładem zachowania szejka". W uzupełnieniu podało, że z raportu resortowego wynika, iż „policja przestrzegała właściwych procedur zgodnie z obowiązującym prawem".

Jak taśma znalazła się w rękach Nabulsiego?

Twierdzi on, że jako zaufany szejka, z którym robił interesy, przechowywał taśmę wraz z innymi dokumentami w swoim biurze. Tymczasem ich stosunki pogorszyły się i kiedy zwrócono się do niego o oddanie tych materiałów, postanowił je ukryć. Został aresztowany pod pretekstem posiadania narkotyków, ale po trzech miesiącach odzyskał wolność. Zbiegł z emiratów i po przyjeździe do Stanów Zjednoczonych zgłosił się z taśmą do mediów. W związku z tym wypadkiem przypomniano też, że ZEA ratyfikowały Konwencję w sprawie zakazu stosowania tortur oraz innego okrutnego, nieludzkiego lub poniżającego traktowania albo karania, przyjętą przez Zgromadzenie Ogólne Narodów Zjednoczonych w 1984 roku.

„Skąd u szejka tyle okrucieństwa? Kazał rejestrować tortury, aby potem rozkoszować się nagraniami w zaciszu swego pałacu?" — zastanawiali się co bardziej odważni analitycy Bliskiego Wschodu.

Będąc już w Polsce, zadzwoniłem do doktor Agnieszki Skorupy, aby zapytać o jej zdanie na ten temat.

— Kultura przemocy w świecie arabskim sięga czasów koczowniczych, kiedy ludzie żyjący na pustyni, aby przetrwać, musieli wykazać się agresywnością — wyjaśniła mi. — Im mniejsza populacja, tym bardziej jest zagrożona wpływami innych kultur, silniej musi walczyć o swoją tożsamość. Małe społeczności, chcąc zawładnąć innymi obszarami świata, nie mogły liczyć na własną przewagę liczebną, musiały polegać na tak zwanym terrorze psychicznym. Akty okrucieństwa zapewniały respekt u innych ludzi, a co za tym idzie, nie trzeba było podbitych terenów kontrolować siłą fizyczną. Wystarczył sam postrach psychiczny, który przez lata utrwalił wzorzec postępowania, stający się potem nawykiem.

O to samo zapytałem Izmira.

— Im cieplejszy region, w którym rozwijała się dana kultura, tym większe prawdopodobieństwo aktów przemocy — wyraził swoją opinię. — To udowodniona fizjologicznie prawidłowość na całym świecie. Gdy wzrasta temperatura, ludzie popełniają więcej przestępstw, są bardziej agresywni, nerwowi i kłótliwi. W kulturze, w której do dziś zachodzą liczne akty przemocy, bardzo wyraźny staje się podział na tych, którzy mają władzę zapewniającą im bezkarność, i tych, którzy muszą się podporządkować. Badania dowodzą, że u osób przynależących do obu grup zmienia się struktura biochemiczna mózgu, ich postrzeganie świata jest odmienne. Osoby dzierżące władzę wykazują niezwykle silną tendencję w dążeniu do celu i mają skłonność do łamania panujących w społeczeństwie norm, a nawet uważają, że im w ogóle nie podlegają.

A oto jeszcze jedna równie bulwersująca historia. 1 listopada 2015 roku czytelnicy gazety „Gulf News" zaskoczeni zostali informacją, że dwudziestoletni saudyjski książę Y.H.S., członek rodziny królewskiej, uniknął egzekucji, bo mógł zawisnąć na szubienicy. Rok wcześniej na rozprawie sądowej w Szardży przyznał się, że w odwecie za molestowanie jednej ze swoich kuzynek przez trzy dni nieludzko torturował ze swoim uniwersyteckim kolegą 19-letniego Mubaraka Mesha'al Mubaraka, w konsekwencji czego ofiara zmarła. Sąd Apelacyjny zmienił orzeczenie i po trzech latach odosobnienia książę wyszedł na wolność. A wszystko to odbyło się za sprawą systemu szariatu, czyli islamskiej jurysprudencji, która w przypadku pozbawienia człowieka życia przewiduje, że rodzina ofiary może w różny sposób domagać się „sprawiedliwej" zemsty: wykonania wyroku śmierci, zaoszczędzenia istnienia ludzkiego z błogosławień-stwa Boga lub okupu połączonego z przebaczeniem, czyli skorzystać z pozostałości po pradawnym prawie beduińskim — *diyah*, tak zwa-nych krwawych pieniędzy. A ponieważ rodzina ofiary zgodziła się przyjąć kompensatę o równowartości 3,3 miliona dolarów, to po-zwoliło na unieważnienie najwyższego wyroku ogłoszonego przez sąd pierwszej instancji.

INTERESY NIE DO KOŃCA PRZEZROCZYSTE

-Temat terroryzmu należy do kategorii tabu w całych Zjednoczonych Emiratach Arabskich, a w Dubaju w szczególności. Emirat ten jest uznanym partnerem Waszyngtonu w wojnie z terroryzmem i służy jako baza do szpiegowania Iranu — snuje rozważania Mariusz K., który spędził w krajach Zatoki dobrych kilka lat. Znalazłem go telefonicznie po przeczytaniu kilku jego materiałów zamieszczonych w internecie. — Ale nie da się wykluczyć istnienia kanału komunikacyjnego między islamskimi ekstremistami i pozostałą częścią świata arabskiego. Można założyć, że gdyby Al-Kaidzie przyszło to na myśl, to porwałaby się na przykład na Burdż Chalifa czy inne ikony Dubaju. Dzisiaj ten sam Bóg, który inspiruje do magicznych przedsięwzięć z *Tysiąca i jednej nocy*, również uzbraja terrorystów. Jedni budują wieże, drudzy, w imię tego samego Allacha, je demolują.

A jednak dziwne jest to, że Dubaj, należący do najbardziej prozachodnich krajów w regionie, który przejął ich maniery i stanął u boku Wielkiej Brytanii oraz Stanów Zjednoczonych w bombardowaniu Państwa Islamskiego, do dziś nie stał się celem poważniejszych zamachów czy ataków zagrażających bezpieczeństwu turystów. Co więcej, ze względu na znikomą skalę przestępstw uważany jest za jeden z najbezpieczniejszych krajów na świecie.

Chociaż trzeba przyznać, że pojedyncze incydenty, nieraz głośne wydarzenia wypełniające kroniki kryminalne, się zdarzają.

15 kwietnia 2007 roku dokonano w Dubaju spektakularnego, w prawdziwie hollywoodzkim stylu napadu na sklep jubilerski Graff w luksusowym centrum handlowym Wafi Mall. Dwie skradzione wcześniej luksusowe limuzyny audi S8 staranowały z dużą prędkością szklane drzwi, po czym wyskoczyli z nich zamaskowani ludzie z rewolwerami i małymi walizkami, którzy w ciągu dziewięćdziesięciu sekund opróżnili gabloty z biżuterii o wartości trzech milionów dolarów. Zorganizowany z precyzyjną dokładnością napad był dziełem osławionego gangu Różowe Pantery, składającego się z byłych komandosów, weteranów krwawych wojen bałkańskich, wśród których nie brakło członków odpowiedzialnej za kilka zbrodni wojennych niezwykle niebezpiecznej Serbskiej Straży Ochotniczej zwanej Tygrysami Arkana. Banda ma na swoim koncie wiele zuchwałych kradzieży w Londynie, Paryżu, Saint-Tropez, Tokio czy Monte Carlo.

„Przestępstwa poszukiwanej przez policję wielu krajów nieuchwytnej bandy nowego millennium można określić mianem bandyckich majstersztyków" — uważa szef policji w Genewie Yan Glassey. Szajka działa zuchwale, precyzyjnie i bardzo skutecznie, stosując niekonwencjonalne techniki, elementy make-upu czy fantazyjne przebrania. Często wykorzystuje na wabia odwracające uwagę ładne kobiety. I chociaż jej członkowie zwykle są uzbrojeni, to z zasady starają się nie strzelać do ochroniarzy. Niemniej jednak raz zdarzyło się im śmiertelnie postrzelić serbskiego policjanta. W Scotland Yardzie mówią, że jest to niespotykane do tej pory zjawisko kryminalne. Według ekspertów grupa, o której zrobiło się głośno po raz pierwszy w 1993 roku, w ciągu dwóch dekad dokonała kilkuset napadów i zebrała łupy wycenione na ponad pół miliarda dolarów. W samym tylko paryskim sklepie firmy Harry Winston zrabowali kosztowności wartości osiemdziesięciu milionów dolarów. Większości łupów nie odzyskano. Interpol wciąż nie może rozpracować bandy. Jej trzon stanowi około 60 osób, ale szajka składa się z licznych maleńkich komórek, które nierzadko powstają na potrzeby konkretnego napadu, by zaraz po nim zniknąć. To zapewnia jej większe bezpieczeństwo. Faktem jest, że mimo nielicznych wpadek Pantery wciąż pozostają jedną z najskuteczniejszych i najniebezpieczniejszych grup przestępczych, z jakimi ma do czynienia Interpol.

Dwóch Serbów z bandy, która dokonała napadu w Dubaju, złapano i odsiadują wyrok we francuskim więzieniu. Ale tylko dwóch, cztery pozostałe osoby wciąż cieszą się wolnością. Wśród nich 33-letnia Bojana Mitić. „To jedna z trzech najbardziej poszukiwanych przez nas kobiet — powiedział podpułkownik Ahmad Humaid al-Marri, szef wydziału śledczego dubajskiej policji. — Dwie pozostałe «publiczne wroginie» to Pakistanka Sarah i Izraelka Gail Foliard. Pierwsza brała udział w przemycie heroiny. Zdołała zbiec, kiedy w hotelu mężowi pękła jedna z siedemdziesięciu połkniętych ampułek z narkotykiem, co go zabiło. Druga, dużo trudniejsza do aresztowania, chociaż ścigają ją wszystkie policje świata, to agentka izraelskich służb wywiadowczych Mosad, która w 2010 roku koordynowała w Dubaju akcję zabójstwa ważnego działacza Hamasu Mahmuda al-Mabhuha".

W grudniu 2014 roku policja aresztowała w Dubaju trzydziestoletnią Alaę al-Haszemi poszukiwaną za zamordowanie Ibolyi Ryan, czterdziestosiedmioletniej amerykańskiej nauczycielki, matki dwojga małych dzieci. Ofiara została zadźgana nożem kuchennym w toalecie centrum handlowego. Dzięki nagraniom monitoringu, na których odczytano niezbędne szczegóły, policja zidentyfikowała ją w niecałe 24 godziny i zatrzymała po dwóch dniach. Pół roku później sąd federalny wymierzył morderczyni karę śmierci. Jak się okazało, oprócz zabójstwa skazana dopuściła się niespotykanego do tej pory w Zjednoczonych Emiratach Arabskich przestępstwa. Sporządziła bombę, która miała być wymierzona w egipsko-amerykańskiego lekarza. Na szczęście z powodów technicznych bomba nie wybuchła. W akcie oskarżenia były jeszcze dwie inne inkryminacje: rozgłaszanie informacji szkodzących wizerunkowi kraju oraz wysyłka pieniędzy dla Al-Kaidy w Jemenie ze świadomością, że będą one wykorzystane do aktów terrorystycznych. Dwa tygodnie po ogłoszeniu sentencji wyrok wykonano przez rozstrzelanie.

„I pomyśleć — odnotował włoski «Corriere della Sera» — że pod koniec października 2014 roku znalazły się w obiegu internetowym apele dżihadystów nawołujące do atakowania nauczycieli amerykańskich oraz szkół międzynarodowych na Bliskim Wschodzie. A kilka dni przed zabójstwem nauczycielki ambasady Stanów Zjednoczonych w ZEA oraz w innych częściach świata wzywały amerykańskich obywateli, zwłaszcza nauczycieli, do ostrożności".

To, jak widać, otwiera nowe scenariusze dla Dubaju, niedotkniętego do tej pory radykalnym ekstremizmem.

Sędzia Falah al-Hajeri w nawiązaniu do tego przypadku powiedział: „Z łaski Allacha Zjednoczone Emiraty Arabskie były i zawsze pozostaną rajem bezpieczeństwa i stabilności oraz modelem ładu społecznego".

Wprowadzone ostre środki zaradcze i bezpieczeństwa oraz natychmiastowe wykonanie wyroku śmierci mają być środkiem odstraszającym kandydatów na terrorystów. To wyraźny sygnał, że ZEA wytyczają czerwoną linię, której nie wolno przekroczyć. Tego, kto zechce zakłócić bezpieczeństwo, dosięgnie ręka sprawiedliwości.

Trzeba jednak przypomnieć, że w przeszłości Dubaj był kilkakrotnie celem terrorystów. We wrześniu 1983 roku w samolocie Boeing 737 linii lotniczych Gulf Air tuż przed wylądowaniem wybuchła bomba w luku bagażowym. Samolot rozbił się na pustyni w pobliżu Jebel Ali, między Abu Dhabi a Dubajem. Zginęło 105 pasażerów i siedmiu członków załogi. Większość stanowili obywatele Pakistanu wracający z urlopu do pracy w krajach Zatoki Perskiej. Atak przypisała sobie organizacja Fatah — Rada Rewolucyjna, którą kierował Palestyńczyk Abu Nidal, organizator ponad stu zamachów na terenie Europy. Jeden z najbardziej poszukiwanych terrorystów na świecie w latach 80. mieszkał w Warszawie, gdzie zarządzał firmą SAS Foreign Trade and Investment Company, zajmującą się handlem bronią. Zginął w Bagdadzie w 2002 roku podczas próby aresztowania.

W 1999 roku udaremniono zamach na terenie Dubai City Center, a trzy lata później policja zidentyfikowała niebezpiecznego przestępcę, który zamierzał wysadzić w powietrze lotniskowy skład paliwa. W lipcu 2009 roku służbom specjalnym emiratów udało się zapobiec atakowi na wieżowiec Burdż Chalifa tuż przed jego inauguracją. Taką informację, z wieloma szczegółami, podała gazeta izraelska „Maariv". Według niej głównymi podejrzanymi byli irańscy Strażnicy Rewolucji, chociaż inwigilowano także inne ugrupowania, w tym komórkę Al-Kaidy i grupy ekstremistycznych wahabitów z Arabii Saudyjskiej. Wszystko zaczęło się od chwili, kiedy tajne służby ZEA wykryły transporty broni i materiałów wybuchowych, kamizelki dla zamachowców-samobójców na pokładach małych samolotów z Iranu. Informację utrzymywano w tajemnicy, aby nie pogorszyć i tak już napiętych stosunków z tym krajem. Wiadomo, że w emiracie Ras al-Chajma aresztowano osiem osób: trzy z nich to byli obywatele ZEA, a pozostali to Palestyńczycy i Syryjczycy. Według „Maariv" ich celem było wysadzenie wieżowca przez uderzenie samolotu, który miałby wylecieć z małego lotniska na terytorium Iranu. Później informację tę uzupełnił izraelski dziennik „Yedioth Ahronoth", który podał, że zatrzymano kolejnych 45 osób. Większość z nich stanowili Palestyńczycy i Libańczycy. Plan terrorystów — relacjonowała gazeta — zakładał zburzenie najwyższego wieżowca na świecie. Jednak zastępca szefa policji w Dubaju Chamis Mattar al-Mazeina w wywiadzie dla gazety „Gulf News" kategorycznie temu zaprzeczył.

Trzeciego września 2010 roku w rejonie bazy wojskowej Nad al-Sheba doszło do katastrofy lotniczej amerykańskiego boeinga cargo 747-44AF. Kilkanaście minut po wystartowaniu z lotniska w Dubaju na pokładzie uruchomił się alarm pożarowy i załoga podjęła decyzję o natychmiastowym powrocie na ziemię. W pewnym momencie samolot zaczął szybko tracić wysokość i zniknął z radarów. Podejrzewa się, że przyczyną wypadku była nadana w Jemenie paczka zawierająca materiały wybuchowe przeznaczone dla synagog w Chicago. Według oficjalnych doniesień była to jednak tylko jakaś awaria, chociaż jemeńska komórka Al-Kaidy, nie okazując dowodów, przypisała sobie ten zamach. Jemen bardzo często był uznawany za miejsce schronienia dla różnych ugrupowań ekstremistycznych, a to z powodu małej kontroli rządu centralnego nad poszczególnymi regionami, nieszczelności granic i ogólnej biedy w kraju, sprzyjającej rozprzestrzenianiu się radykalnych idei. Wiadomo, że Jemeńczycy stanowili jedną z największych grup narodowych wśród więźniów amerykańskiego obozu dla osób podejrzanych o terroryzm w Guantanamo.

— Dlaczego jednak Dubaj cieszy się względnym spokojem? — pytam Izmira, który odwiedził nas w hotelu. Siedzimy przy kawie w klimatyzowanej salce *Executive lounge*.

— Odpowiedzią jest twarda waluta — rzeczowo, choć niechętnie wyjaśnia Dubajczyk. — Chociaż tego nikt głośno nie mówi, to liczące się na świecie centrum finansów, które w ciągu ostatnich 15 lat przeżyło niebywały boom, odgrywa dużą rolę w recyklingu waluty i jest luksusowym schronieniem dla oszustów podatkowych. Poczucie bezpieczeństwa jest tutaj wprost namacalne, a to dzięki szeroko rozciągniętej ścisłej kontroli zleconej przez rząd i aktywności wszechobecnych sił bezpieczeństwa. Poza tym kto by chciał ryzykować destabilizację kluczowego węzła, zapewniającego przypływ funduszy z różnych stron świata na finansowanie aktywności terrorystycznej? Dlatego trudno sobie wyobrazić, aby tutaj doszło do jakiegoś zdecydowanego uderzenia.

Z dalszej rozmowy wynika jasny obraz.

Emirat za wszelką cenę próbuje przeciwdziałać radykalizacji islamu. Wykazuje nieustanną czujność wobec pokus fundamentalistycznych, starając się zapewnić oparty na tolerancji alternatywny model etyczno-kulturowy. W tym kontekście rząd skrupulatnie kontroluje pochodzących głównie z zagranicy imamów. Każdego, nawet tych z mniejszych meczetów znajdujących się na obrzeżach miasta w tak zwanych *labour camp*, osiedlach dla robotników budowlanych. Aparat bezpieczeństwa nie traci też z oczu rzeszy pracowników najemnych. Założony w 2006 roku Generalny Urząd do spraw Islamu weryfikuje życiorysy „przewodników duchowych”, sprawdza, czy w piątkowych homiliach nie manipulują religią w celach politycznych, nie głoszą idei fundamentalistycznych, zachęcając muzułmanów do agresji. Ponieważ w życiu codziennym związek między tradycyjnym islamem, nowoczesnością i pokusami Zachodu pozostaje wciąż niejednoznaczny, rząd, aby zapobiec infiltracji radykalnych islamistów, udostępnia na swojej stronie internetowej cykl urzędowych kazań, które powinny stanowić inspirację dla kaznodziejów. Celem jest na przykład zapobieganie niewłaściwemu wykorzystywaniu cytatów z Koranu w odniesieniu do kwestii kobiet.

Ale chodzi głównie o uchronienie się przed naukami fanatycznych muzułmanów związanych z odradzającym się islamskim fundamentalizmem. Zagrożenie dotyczy całego regionu, zarówno miejsc, gdzie Mahometa czci się wyjątkowo przykładnie, jak i tych, gdzie islam, tak jak w Dubaju, jest traktowany bardzo tolerancyjnie.

A przecież do niedawna wydawało się, że groźba islamskiego terroryzmu wymierzona jest wyłącznie przeciwko krajom europejskim i Stanom Zjednoczonym. Kiedy wybitna włoska dziennikarka Oriana Fallaci odważyła się wystąpić w obronie zachodniej cywilizacji, posypał się na nią grad obelg i inwektyw ze strony piewców wielokulturowości globalistycznego świata. Bez ogródek odsłaniała „jedno z największych oszustw europejskiego życia politycznego i intelektualnego". „Bujdy o umiarkowanym islamie — pisała w ostatnich dniach swojego życia — to nic innego jak komedia tolerancji, głoszenie bzdur o integracji".

Kiedy przebywam w niektórych krajach arabskich, muszę zwracać baczną uwagę, aby nie obrazić nikogo strojem, gestem czy zachowaniem, które dla nas są normalne, a dla miejscowych nie do przyjęcia. Natomiast większa część przybywających do Europy emigrantów nie tylko nie zamierza szanować naszych wartości, lecz wręcz narzuca nam swoje wartości i obyczaje. Ponadto — jak pokazują głośne incydenty — żąda usunięcia krzyża z klas szkolnych, bo „nagi trup straszy muzułmańskie dzieci", wyrzucenia krucyfiksu ze szpitali czy szopki bożonarodzeniowej z przedszkoli. A Unia Europejska, nie bacząc na zagrożenie podstaw i fundamentów chrześcijańskiej cywilizacji Zachodu, bojąc się oskarżenia o islamofobię, jak milczała, tak milczy.

Nie potrafię ukryć politowania dla nieuleczalnie chorej poprawności politycznej, kiedy czytam, że spiker Izby Reprezentantów Stanów Zjednoczonych Nancy Pelosi i sekretarz stanu Hilary Clinton nałożyły hidżab w czasie wizyty w krajach muzułmańskich, podczas gdy żony dostojników z tych regionów nie zdejmują go w trakcie swoich bytności na Zachodzie. Inna była Oriana Fallaci, nie włożyła chusty nawet przed szyickim przywódcą duchownym Chomeinim. To były inne czasy, inne kobiety. Zachód się cofnął. Świadczy o tym również zakłamanie polityków w kwestii fali nielegalnych imigrantów w 2015 roku, prowadzącej do katastrofy społecznej i całkowitej destrukcji wspólnoty europejskiej.

Jestem tym co trzecim obywatelem Starego Kontynentu, który nie wierzy w Unię. Podobnie jak w euro. Podczas gdy coraz częstsze w Europie są ruchy nawołujące do powrotu do waluty krajowej, rząd Tuska nie mógł się doczekać, kiedy nasz kraj zostanie wreszcie przyjęty do grona „uprzywilejowanych". Nie ufam takim elitom, nie ufam rządowi, bo oni nie czują się za mnie odpowiedzialni, mają gdzieś elektorat, który ich wybrał. Ich arogancja i zakłamanie przybierają zastraszające rozmiary. Ludzie, którzy raz dorwali się do władzy, szybko stracili kontakt z rzeczywistością. Żyjąc na izolowanej wyspie, uwierzyli, że wszystko im wolno i że mogą się czuć bezkarni. Dbają tylko o utrzymanie się na stanowisku, nietykalność i szybkie wzbogacenie się. Takiej klasy politycznej nie mam zamiaru wspierać.

Nie kryłem podziwu dla Fallaci i pasji, z jaką ostrzegała, że Europa staje się coraz bardziej kolonią islamu. Czułem się nawet jej ambasadorem i często krytycznie pisałem o radykalnym islamie. Wielu osobom to się nie podobało. Oskarżano mnie o dyskryminację rasową, ksenofobię, rasizm i nie wiem co jeszcze. Na dodatek długo zajmowałem się szkoleniem międzynarodowych jednostek antyterrorystycznych mających bronić naszej demokracji. We Włoszech wielokrotnie spotykałem się z pogróżkami. Wreszcie „za zniewagę wobec społeczności islamskiej" radykalne ugrupowanie Al-Kaidy wydało na mnie wyrok śmierci. Żyję z tą świadomością od dziesięciu lat. Dzisiaj z satysfakcją obserwuję, że coraz częściej liderzy europejscy przecierają oczy, budząc się z tchórzostwa, i proszą śp. Fallaci o przebaczenie. Bo biernie akceptowali cyniczną demagogię integracji, bo wcześniej nie wiedzieli, że „Allach nie zezwala swoim wiernym na przyjaźń z niewiernymi".

Po wizycie Izmira znajduję jeszcze jedno ciekawe źródło.

Brytyjski dziennikarz Misha Glenny, znany w Polsce ze swojej książki *McMafia. Zbrodnia nie zna granic*, przedstawia galaktykę przestępczości zorganizowanej na całym świecie i jej koneksje z polityką, gospodarką i historią poszczególnych krajów. Poznał także mechanizmy mafijne w Dubaju.

„Dubaj egzystuje w dużej mierze dzięki transakcjom finansowym — prezentuje swój punkt widzenia Glenny. — Dżungla banków świadczy o tym, że tu trafia i miesza się globalny kapitał. W latach 90. emirat potrafił nie ulec naciskom, które popychały go do przyjęcia członkostwa we wpływowym międzyrządowym organie odpowiedzialnym za zwalczanie procederu prania brudnych pieniędzy i finansowania ugrupowań terrorystycznych. Wstąpił dopiero po zamachu 11 września, ale według obserwatorów kontrole są tam raczej luźne". Glenny uważa, że do Dubaju trafiają zyski wszystkich mafii świata: od rosyjskiej po japońską jakuzę, od hinduskiej po kolumbijskie kartele kokainowe i afgańskich baronów narkotykowych czy chińską triadę. Grupy te legalizują swoje dochody uzyskane z oszustw finansowych i podatkowych, handlu narkotykami i bronią czy prostytucji.

Z Dubajem związany był rosyjski gangster Aleksandr Kukowjakin, założyciel gangu Uralmasz dokonującego na szeroką skalę przestępstw finansowych i przeróżnych oszustw. Były deputowany do Dumy Jekaterynburga zbiegł w 2004 roku do Dubaju, gdzie stał się właścicielem kilku dużych, dobrze prosperujących hoteli. Interpol wyśledził go po dziesięciu latach, po czym rosyjski prokurator generalny rozpoczął starania o ekstradycję i dostał pozytywną odpowiedź.

Sensacyjny posmak miało wydalenie z Dubaju lidera tadżyckiej opozycji Umaralego Kuwwatowa, ściganego w swoim kraju za nieczyste interesy w jego przedsiębiorstwie Faroz, zajmującym się tranzytem produktów naftowych między Tadżykistanem i Afganistanem. Osiadły w Moskwie biznesmen kierował organizacją opozycyjną wobec prezydenta Emomalego Rahmona, krytykującą plany jego kolejnej reelekcji. Po mającym charakter polityczny oskarżeniu o sprzeniewierzenie 1,2 miliona dolarów w okresie, gdy był doradcą i wspólnikiem, co ciekawe, właśnie córki Rahmona, w grudniu 2012 roku został zatrzymany w Dubaju. Emirat przystał na żądanie ekstradycji do Tadżykistanu i tu wyszło na jaw, że sędzia, który orzekł o jego wydaniu, rzekomo został przekupiony przez stronę tadżycką.

Ogromne strumienie pieniędzy pochodzących często od międzynarodowych mafii wykorzystuje się także na działalność terrorystyczną. Korzystał z nich Saudyjczyk Abd al-Rahim al-Nashiri, który miał w Dubaju swoją kryjówkę. Według Amerykanów to była jedna z kluczowych postaci w Al-Kaidzie. To jemu przypisano organizację ataku bombowego w 2000 roku na zakotwiczony w jemeńskim porcie Aden amerykański niszczyciel USS „Cole", w którym zginęło kilkunastu marynarzy, jak i przygotowanie wielu samobójczych zamachów terrorystycznych oraz współudział w planowaniu ataku 11 września 2001 roku. Został aresztowany w 2002 roku właśnie w Dubaju. Wkrótce rzekomo znalazł się za przyzwoleniem polskich władz w tajnym więzieniu CIA na terytorium Ośrodka Kształcenia Kadr Wywiadu w Starych Kiejkutach na Mazurach. O tym jegomościu zrobiło się głośno w maju 2015 roku, kiedy Europejski Trybunał Praw Człowieka zmusił rząd polski do wypłacenia poszkodowanemu 100 tysięcy euro. Za co? Za wykorzystywanie wzmocnionych technik przesłuchań CIA, czyli za naruszenie kilku artykułów Europejskiej Konwencji Praw Człowieka: zakazu tortur i nieludzkiego traktowania, prawa do wolności i bezpieczeństwa osobistego, poszanowania prywatności itd., itd.

Globalizacja rynków, spółki *offshore*, raje podatkowe, trusty — wszystko to daje ogromne możliwości do przeprowadzania mrocznych transakcji finansowych. Dzisiaj nowoczesny terroryzm nie jest już identyfikowany ze stereotypem brodatego mudżahedina z kałasznikowem w ręku, który krzyczy: *„Allach akbar!"* (Bóg jest wielki). Radykalny wojownik jest ostatnim etapem w łańcuchu terroryzmu. Za nim, bardziej niebezpieczny, stoi ekspert od systemów finansowych i bankowych, menedżer doskonale zaznajomiony z komunikacją i internetem, znający rynek i prawo międzynarodowe. To tak zwany biały kołnierzyk stojący za plecami rozrywającego bombę terrorysty.

Krucha nieraz tożsamość lokalnej ludności, życie w innej kulturze, a właściwie na skraju dwóch kultur, może doprowadzić do zwrócenia się ku fundamentalistycznemu islamowi. Nie mówiąc o tym, że struktura społeczna emiratów, opierająca się na rzeszy wyzyskiwanych i biednych imigrantów, głównie muzułmanów, stanowi podatny grunt dla terrorystów. Rekrutacja tych ludzi, gotowych na wszystko w zamian za zastrzyk gotówki dla ich rodzin, nie byłaby trudnym zadaniem dla jakiejś grupy ekstremistycznej. Inna sprawa, że władca księstwa ma powody do niepokoju z powodu tak dużej liczby marginalizowanych robotników. Kto może wykluczyć, że nie rozniecą oni strajków, które zachwieją miliardowymi projektami, nie rozpętają zamieszek zagrażających bezpieczeństwu i stabilności społeczeństwa i wreszcie, że angażując się w nielegalną działalność, nie będą chcieli doprowadzić do demokratycznych reform?

Był okres, kiedy Dubaj niekonwencjonalnymi i często nieprzenikonalnymi kanałami zbijał zyski na ludzkim strachu. Na przykład zatrudniający 30 tysięcy robotników ogromny kompleks portowy w Jebel Ali skorzystał nieprawdopodobnie na handlu, który ożywił się podczas inwazji amerykańskiej na Irak. Lotnisko w Dubaju zaś, zawsze zatłoczone ludźmi z Halliburton, wielkiej firmy zatrudniającej 70 tysięcy osób w usługach związanych z obsługą pól naftowych, a pracujących na potrzeby regularnych wojsk w tranzycie do Bagdadu i Kabulu, zostało nazwane najbardziej aktywnym terminalem handlowym na świecie.

Niektórzy określają Dubaj jako gigantyczną *money laundry*, pralnię brudnych pieniędzy. Oenzetowska grupa monitorująca Al-Kaidę podkreśliła, że „komórki" bin Ladena przechowują swoje kapitały właśnie w bankach Dubaju. Firma należąca do jego rodziny, Bin Laden Construction, brała udział w przetargu na budowę najwyższego wieżowca na świecie Burdż Chalifa. Wprawdzie go nie wygrała, ale otrzymała zamówienia na budowę mniejszych wieżowców w tej samej okolicy.

Po zamachach 11 września 2001 roku okazało się, że część waluty na ataki wpłynęła z ZEA. Wystarczy pomyśleć, że pieniądze dla dziewiętnastu porywaczy w Nowym Jorku nadeszły oficjalną drogą z Dubaju. Amerykańska CIA odkryła, że od lipca 1999 do listopada 2000 roku przelano około 100 tysięcy dolarów z konta bankowego w Dubaju na komórkę porywaczy w Niemczech. Wiadomo, że w lipcu 2000 roku dwóch terrorystów z tej komórki otworzyło wspólny rachunek bieżący w banku SunTrust na Florydzie i przez następne dziesięć tygodni na konto wpłynęły cztery przekazy pieniężne na łączną sumę 109 500 dolarów. Pieniądze te zostały przesłane z Dubaju. Al-Hawsawi dysponował pełnomocnictwem na kilka kont porywaczy. Parę godzin przed atakami z 11 września al-Hawsawi skonsolidował i wycofał pieniądze pozostawione na kontach, które kontrolował. Było tego 42 tysiące dolarów. Chwilę potem poleciał do Karaczi i ukrył się. W 2001 roku administracja George'a Busha ustaliła listę struktur zaangażowanych w finansowanie działań terrorystycznych powiązanych z Osamą bin Ladenem. Piętnaście z nich, w tym powstałe w 1976 roku imperium produktów żywnościowych Grupa Al Barakaat, miało swoje siedziby w Dubaju.

„Sojusznicze kraje arabskie nie współpracują lojalnie ze Stanami Zjednoczonymi w działaniach na rzecz odcięcia terrorystom źródeł finansowania" — skarżyli się w 2010 roku dyplomaci amerykańscy z sekretarz stanu Hillary Clinton włącznie. W grudniu tego samego roku „New York Times" pisał, że arabscy sprzymierzeńcy, w tym Zjednoczone Emiraty Arabskie, opierają się przed zastosowaniem metod zalecanych przez Amerykanów, jak ściganie arabskich fundacji charytatywnych zbierających pieniądze dla terrorystów. Pomimo podejmowanych od dziewięciu lat amerykańskich wysiłków na rzecz blokowania funduszy dla terrorystów wiele milionów dolarów bez przeszkód płynie wciąż do ekstremistycznych grup na całym świecie. Informacje te pochodzą z tajnych depesz ujawnionych przez portal Wikileaks, przekazanych przez tę organizację amerykańskiemu dziennikowi, który opublikował rewelacje z przecieku na swoich łamach.

W 2010 roku ambasador Stanów Zjednoczonych w Afganistanie E. Anthony Wayne powiedział, że codziennie 10 milionów dolarów w gotówce przemyca się z Kabulu do Dubaju w walizkach biznesmenów. Większość tych środków pochodzi z handlu heroiną, który kwitnie od czasu amerykańskiej inwazji. Jak stwierdził Wayne, z przeprowadzonego przez Amerykanów śledztwa wynika, że w ciągu zaledwie 18 dni przemycono 190 milionów dolarów w gotówce.

„Każdy kraj ma swoje słabe punkty — stwierdził w jednym z wywiadów Bryan Stirewalt, dyrektor urzędu regulacji rynków finansowych Dubai Financial Services Authority. — Im łatwiej jest rozpocząć działalność gospodarczą, tym lepiej prosperują oszuści zajmujący się praniem pieniędzy pochodzących z nielegalnych źródeł, by nadać im pozory legalności. Dubaj, położony w pobliżu stref konfliktów, jest szczególnie narażony na penetrację przez przestępców, tym łatwiejszą, że jest to miasto portowe. Nie ulega wątpliwości, że w tej kwestii konieczne są radykalne reformy wzmacniające system bankowy".

Jeśli chodzi o zarzuty, że do Dubaju trafia gotówka z handlu afgańską heroiną, Stirewalt odpowiedział: „Nie mogę powiedzieć, że to nieprawda".

Zaraz jednak dodał, że Dubaj nie jest jedynym miejscem, przez które płyną brudne pieniądze. Ich międzynarodowe pranie na większą skalę ułatwiają skomplikowane operacje finansowe, które z powodu ciągłego postępu informatycznego w sektorach finansowo-bankowych stają się obecnie niemal nie do wykrycia. Kiedy swego czasu emirat wymieniano jako jedno z ogniw międzynarodowej „karuzeli podatkowej", znalazł się w towarzystwie takich państw, jak Szwajcaria i Wielka Brytania.

Brytyjski „The Guardian" pisał w 2010 roku o aresztowaniu w Delhi przez agentów Urzędu do spraw Zwalczania Narkotyków 50-letniego indyjskiego multimilionera Naresha Kumara Jaina, zaliczanego do grona największych na świecie oszustów podatkowych. Mówiło się, że na procederze prania brudnych pieniędzy zarabiał ponad miliard funtów rocznie. Oficerowie prowadzący śledztwo twierdzili, że większość tych nielegalnie zarobionych pieniędzy trafiała do

Dubaju, gdzie mieściła się znaczna część jego ogromnego imperium. Półtora miesiąca przed aresztowaniem znalazł się w dubajskim areszcie, skąd został zwolniony za kaucją.

„Jain nie jest jedyną osobą w emiracie, której stawia się podobne zarzuty. Jego aresztowanie było dużym osiągnięciem, ale wielu innych poszukiwanych przestępców nadal mieszka w Dubaju" — skomentował Christopher Davidson, ekspert do spraw gospodarki w Zatoce Perskiej.

Na liście niewygodnych dla Dubaju osób widnieje także ojciec chrzestny bombajskiej mafii Dawood Ibrahim, od 2003 roku na amerykańskiej liście najbardziej poszukiwanych terrorystów świata. Uważa się, że był biznesowym partnerem Al-Kaidy i łączyły go bliskie kontakty z Osamą bin Ladenem. Podobno wyznający islam gangster, który w latach 80. zbudował międzynarodowe imperium kontrolujące hazard, prostytucję, produkcję filmów w Bollywood i handel narkotykami na całym subkontynencie indyjskim, sponsorował najkrwawsze w historii Indii zamachy bombowe, za którymi stał pakistański wywiad wojskowy. W pewnym momencie Dawood zadomowił się w Karaczi, ale władze pakistańskie oficjalnie zaprzeczają, jakoby gangster przebywał w ich kraju. Jest faktem, że jego osoba stanowi jedną z największych przeszkód na indyjsko-pakistańskiej drodze do pokoju. Aby uniknąć procesu, Ibrahim uciekł do Dubaju, gdzie wraz z braćmi rozbudował kolosalną sieć przestępczą operującą między Zjednoczonymi Emiratami Arabskimi a Indiami, Pakistanem i Afganistanem. Niedawno prasa doniosła, że mafioso rozpoczął działalność w Nepalu, gdzie inwestuje w hotele, agencje podróży, media i linie lotnicze.

„Zrozumiałe, że to wszystko podważa autorytet Dubaju. Po wydarzeniach z 11 września miejscowe władze próbują z tym walczyć, ale są ostrożne i nic nie mówią o praniu pieniędzy, bo to przecież siła napędowa gospodarki" — stwierdził Davidson.

Jakkolwiek na to patrzeć, Dubaj wyrósł na światowe centrum finansowe w regionie Bliskiego Wschodu. Jego znaczenie wzrosło z chwilą upadku mitu bezpiecznych centrów bankowości w Genewie i Zurychu, do niedawna pewnej przystani dla pieniędzy skrywanych przez zagranicznych deponentów przed fiskusem. Eksperci szacują, że obcokrajowcy ulokowali w Dubaju, poza oficjalnym przepływem kapitału, 600–700 miliardów dolarów. Emirat skorzystał z wprowadzonej w 2014 roku przejrzystości w szwajcarskim systemie bankowym, a także z nadszarpniętej renomy jego głównych konkurentów, czyli Nowego Jorku, Zurychu oraz Londynu — z tego powodu nastąpił znaczny odpływ kapitału do nowo powstałej Dubai International Financial Centre, strefy inwestycyjnej przeznaczonej właśnie dla sektora bankowego.

Znawcy tematu twierdzą, że istnieje ciche porozumienie. W zamian za bezpieczeństwo ZEA nie patrzą w twarz nikomu, kto otwiera pokaźne konta w banku, nie sprawdzają, skąd pochodzą pieniądze, i przymykają oczy na podejrzane ruchy towarów w imponującej wielkością *free zone* tego miasta.

Raporty The Financial Action Task Force — międzyrządowego ciała przeciwdziałającego praniu pieniędzy, finansowaniu terroryzmu oraz innym zagrożeniom integralności systemu finansowego — które oceniają wysiłki Dubaju w walce z przestępczością finansową, są druzgoczącą krytyką zbyt liberalnego systemu prawnego w tym kraju. Opublikowany w listopadzie 2008 roku dokument zwraca uwagę, że w regionie, w którym na kontach bankowych zdeponowano prawdziwe fortuny, liczba zgłoszeń dotyczących podejrzanych transakcji pozostaje zaskakująco mała. Władze banków nie sprawdzają należycie wiarygodności swoich klientów i nie monitorują ich transakcji finansowych, ponieważ brakuje skutecznych przepisów i rekomendacji, które regulowałyby te obowiązki. W ostatnich latach ta sytuacja się nieco poprawiła — mówią niektórzy eksperci.

— Dubaj poczynił postępy, wzmacniając ład instytucjonalny, sądowy i operacyjny na rzecz przejrzystości transakcji i walki z przestępstwami finansowymi, zapobiegania praniu brudnych pieniędzy i finansowaniu terroryzmu oraz zwalczania takich działań.

Dodatkowym problemem jest wymyślony tysiąc lat temu przez Hindusów system przekazu pieniędzy zwany *hawala*. Ten łatwy, szybki i skuteczny mechanizm transferu gotówki podobał się już kupcom wędrującym z towarami Jedwabnym Szlakiem, którzy nie musieli wozić ze sobą dużych sum pieniędzy i narażać się na napady rabusiów. Do odświeżenia nieformalnych transakcji finansowych poza oficjalnym obiegiem bankowym przyczyniła się globalizacja, a zwłaszcza znaczny wzrost migracji. Jak to wygląda? Hinduski robotnik w Dubaju, który chce wysłać zarobione pieniądze swojej rodzinie, szuka tak zwanego hawaladara. Jemu przekazuje gotówkę i adres w Indiach, pod który ma ją dostarczyć. Tenże pośrednik, zwykle niewyróżniający się obywatel, dzwoni trochę na słowo honoru do swojego zaufanego znajomego w tym kraju i poleca przekazanie takiej a takiej kwoty, którą ureguluje w późniejszym czasie. Według szacunków Banku Światowego w ten sposób po świecie krąży co najmniej 100 miliardów dolarów rocznie, a w niektórych krajach ilość hawalowych pieniędzy jest większa od obrotów tradycyjnych.

System ma dużo zalet, bo gotówka dociera zwykle w ciągu jednego dnia, opłata jest dużo niższa niż w banku i nigdzie nie trzeba mieć swojego konta. A co najważniejsze, nigdzie nie ma śladu transakcji. Prawdopodobnie zdarzają się też oszustwa, ale o tym się nie mówi.

Taką właśnie drogą przechodzą pieniądze na przemyt narkotyków, handel ludźmi i inne ciemne interesy. Właśnie dlatego rozkwitła w ostatnich latach „czarna *hawala*", idealny sposób na pranie brudnych pieniędzy i finansowanie terroryzmu. Al-Kaida korzysta z takiego kanału od końca lat 90., czyli po zamachach na amerykańskie ambasady w Afryce Wschodniej. I chociaż zamachowcy z 11 września założyli w amerykańskich bankach konta, na które wpłynęło pół miliona dolarów Al-Kaidy, to szybko okazało się, że przelewy te były tylko ostatnim etapem wędrówki krwawych dolarów. Wcześniej przebyły długą drogę między hawaladarami w różnych krajach. Oprócz gotówki coraz częściej w ten sam sposób wędrują złoto i diamenty. Niektóre kraje, ze Stanami Zjednoczonymi na czele, próbowały zwalczać ten proceder, ale bezskutecznie.

Rynek finansowy w Dubaju stał się centrum wpływów finansowych w wysokości czterech miliardów dolarów rocznie płynących od handlarzy narkotyków w Afganistanie, gdzie produkuje się najwięcej na świecie heroiny. Mówi o tym „Afghan Drug Industry", szczegółowy raport przygotowany przez UNODC (Biuro Narodów Zjednoczonych do spraw Narkotyków i Przestępczości) w Wiedniu we współpracy z Bankiem Światowym. Raport podaje konkretne przypadki. Na przykład czterech braci na najwyższych szczeblach biznesu *hawala* w Kandaharze przyznało, że przesyłają bądź wymieniają codziennie około 350 tysięcy dolarów związanych z narkotykami. Informatorzy ujawnili, że tureccy handlarze wpłacają zarobione środki na swoje konta bankowe w Dubaju, by potem wykorzystać je do zakupu towarów, ale to już oddzielny system przestępczej aktywności. „Dubaj — czytamy w raporcie — wraz z Chinami, Japonią i Niemcami jest głównym miejscem zakupu towarów za afgańskie pieniądze".

Problem jest duży. Władca Dubaju, który jako jeden z pierwszych w krajach półwyspu wsparł we wrześniu 2014 roku Amerykanów w interwencji lotniczej wymierzonej przeciwko dżihadystom Państwa Islamskiego, powiedział w swoim wystąpieniu: „Ten podszyty wypaczonymi wątkami religijnymi gotowy pakiet nienawiści może sobie przyswoić dowolna grupa terrorystyczna. Ma siłę do mobilizowania tysięcy zdesperowanych, mściwych lub wściekłych młodych ludzi, przy których pomocy można wstrząsnąć fundamentami cywilizacji. I pomimo że barbarzyński ISIS (czyli ugrupowanie terrorystyczne dążące do stworzenia Państwa Islamskiego opartego na zasadach szariatu — dopowiedzenie Autora) nie reprezentuje ani islamu, ani podstawowych wartości człowieka, to jednak obejmuje coraz większe obszary i pokonuje tych, którzy się mu sprzeciwiają. Walczymy nie tylko z organizacją terrorystyczną, ale z ucieleśnieniem szkodliwej ideologii, którą trzeba pokonać intelektualnie. Musimy przyznać, że nie jesteśmy w stanie ugasić pożarów fanatyzmu wyłącznie siłą. Bombardowanie nie wystarczy, aby zapewnić spokój. Należy uderzać w korzenie niebezpiecznej ideologii".

Świat musi wspólnie poprzeć kompleksową kampanię na rzecz dyskredytacji ideologii, która daje siłę ekstremistom, oraz przywrócenia nadziei i godności tym, których ekstremiści chcieliby zwerbować.

Strzeżonego Pan Bóg strzeże. Tymczasem, w trosce o bezpieczeństwo, władcy Zjednoczonych Emiratów Arabskich starali się stworzyć prywatną armię najemników.

W styczniu 2011 roku Samuel's International Associates, waszyngtońska firma zajmująca się konsultingiem politycznym, podała na swych stronach internetowych, że następca tronu ZEA Muhammad ibn Zaid al-Nahajjan, ekskadet brytyjskiej Królewskiej Akademii Wojskowej w Sandhurst, zlecił Ericowi Princeowi, twórcy najbardziej znanej firmy ochroniarskiej Blackwater, stworzenie 800-osobowego elitarnego batalionu do obrony interesów władzy szejków z ZEA przed islamskimi terrorystami, do specjalnych operacji o charakterze antyterrorystycznym oraz ochrony instalacji naftowych i luksusowych wieżowców. Oczywiste, że w razie potrzeby mógłby on być użyty także do tłumienia rewolty i wszelkich protestów ulicznych. Na utajnioną specjalną formację prywatnych najemników, nazwaną Reflex Responses, według gazety „New York Times" władze ZEA przeznaczyły 529 milionów dolarów.

Rząd w Abu Dhabi odmówił komentarzy w tej sprawie, a rzecznik Departamentu Stanu USA poinformował, że jego resort bada, czy kontrakt ten łamie amerykańskie prawo. Sam Eric Price, który, według informacji zdobytych przez „New York Times", przeniósł się w 2010 roku do Abu Dhabi, aby rozkręcić nowy interes w międzynarodowej branży ochroniarskiej odznaczającej się wysokim ryzykiem, ale też wysokimi dochodami, zaprzecza tym doniesieniom.

Swego czasu rząd Stanów Zjednoczonych przyznał mu miliardowe kontrakty na ochronę dyplomatów amerykańskich w Iraku i Afganistanie. W Iraku firma Blackwater zdobyła wątpliwą sławę z powodu kowbojskiej swobody i masakry grupy cywilów, ale trzeba przyznać, że ze wszystkich powierzonych jej zadań wywiązywała się zawsze celująco. Dyplomaci doceniali profesjonalizm Blackwater, ponieważ przez pięć lat żaden z ochranianych przez nią ludzi nie zginął, co — jak na skrajnie niebezpieczny Bagdad — było osiągnięciem niezwykłym. Jesienią 2007 roku, również w Iraku, ta formacja uratowała życie polskiemu ambasadorowi Edwardowi Pietrzykowi.

Teraz Prince, były komandos Navy Seals, tej samej jednostki, która zabiła w Pakistanie Osamę bin Ladena, zabrał się do formowania nowego oddziału, który został rozlokowany w Zajid Military City, obozie z wysokim murem i drutem kolczastym na skraju pustyni, pomiędzy lotniskiem a stolicą Abu Dhabi. Kadrę instruktorską tworzył z byłych żołnierzy sił specjalnych Republiki Południowej Afryki, Stanów Zjednoczonych i Wielkiej Brytanii, zapewniając im zarobki rzędu 200 tysięcy dolarów rocznie. Kontraktorów postanowił szukać wśród kolumbijskich sił specjalnych mających bogate doświadczenie w bezpardonowym zwalczaniu partyzantki karteli narkotykowych w trudnym, zróżnicowanym terenie. Chętnych było dużo, bo kontrakt przewidywał wynagrodzenie 140 dolarów dziennie, czyli dziesięć razy więcej niż w ich rodzinnym kraju.

Projekt jednak nie wypalił, pół roku później budujące w sekrecie armię kondotierów ZEA nieoczekiwanie zamroziły jej działania. Powód nie jest zbyt jasny, ale wtajemniczeni uważają, że to kwestia „etyki". Nikt nie miał wątpliwości, że w razie potrzeby najemnicy mogliby być wykorzystani przeciwko prodemokratycznym demonstrantom czy do tłumienia buntów sprowadzanych na masową skalę tanich robotników. O tym mówili politycy amerykańscy, dla których Prince stał się postacią bardzo niewygodną. Według prawa amerykańskiego, i nie tylko, służba w najemnej armii, jak i werbunek do niej są zakazane i grozi za to nawet do 15 lat więzienia.

Temat najemników na tym się nie skończył: trzystu obecnych w bazie Kolumbijczyków przeniesiono w szeregi sił zbrojnych ZEA, które podały do oficjalnej wiadomości, że prawo księstwa przewiduje nabór cudzoziemców. W konsekwencji na podstawie porozumienia międzyrządowego istniejącą jednostkę doformowano z żołnierzy i oficerów Kolumbii, Panamy, Korei Południowej i Francji. Do powstałej w 1976 roku 50-tysięcznej armii federalnej stojącej na straży siedmiu emiratów dobrowolnie zaciągali się młodzi ludzie, którzy podkreślali świadomość państwową i poczucie przynależności do wspólnoty federalnej. Tak jak dobre są opinie o policji i służbach specjalnych, wyszkolonych swego czasu przez Anglików i Amerykanów, tak o armii tego powiedzieć nie można. Ma tylko ładne mundury, błyszczące dystynkcje, emblematy, odznaczenia i galowe ubiory.

Jak podaje peruwiański dziennik „El Tiempo", jeden z żołnierzy kolumbijskich ujawnił, że zarabia trzy tysiące dolarów miesięcznie. Podkreślił przy tym, że ich szkolenie jest nastawione wyłącznie na ochronę oraz prewencję i że w ciągu trzech lat jednostka nie uczestniczyła w żadnych akcjach ofensywnych.

W czerwcu 2014 roku media emirackie rozpowszechniły informację, że prezydent Chalifa ibn Zaid al-Nahajjan podpisał dekret o obowiązkowej służbie wojskowej w ZEA. Po 40 latach od narodzin federacji, w coraz trudniejszej sytuacji geopolitycznej w regionie, emiraty uznały za konieczne stworzenie sił zbrojnych z prawdziwego zdarzenia.

„Nabór do wojska młodych ludzi ma niezwykle istotne znaczenie dla budowy tożsamości państwowej, wzbudza poczucie przynależności do wspólnoty federalnej, łączącej ludzi różnych emiratów — motywowano we wcześniejszej propagandowej kampanii. — Pozwoli zaszczepić lojalność i wzmocnić więzy z ojczyzną. Przysposobi do poświęceń dla jej obronności". Dowódca narodowych sił zbrojnych ZEA szejk Ahmad ibn Tahnun al-Nahajjan uważa, że to nie tylko górnolotne frazy. Idą za nimi autentyczne zmiany w psychice młodych ludzi, manifestujące się w pronarodowościowych postawach i apoteozie własnego państwa. Izmir twierdził, że nie bez znaczenia jest też wzmocnienie charakteru zbyt zrelaksowanych, pławiących w luksusie i wygodach młodych ludzi.

Powinność ta obejmuje bezwzględnie wszystkich mężczyzn w wieku od 18 do 30 lat, niezależnie od zawodu czy wykształcenia. Za uchylanie się od niej grozi kara roku więzienia.

Szokująca dla Emiratczyków ustawa wynika z napięć regionalnych, niestabilności w Iraku i Jemenie, z możliwego powrotu protestów Arabskiej Wiosny. Oczywiście nie da się też wykluczyć zagrożenia terrorystycznego ze strony nieustannie rosnącego w siłę tak zwanego Państwa Islamskiego. Władcy pustynnych metropolii w regionie wiecznie rozdartym przez różne konflikty jak nigdy dotąd bezpośrednio angażują się w walkę z tym zagrożeniem, starając się robić wszystko, co możliwe, aby uchronić swój dobrobyt, luksus i bezpieczeństwo przed coraz bardziej brutalnymi atakami zbrojnymi radykalnych islamistów. Te działania mają na celu także zabezpieczenie nienaruszonych podczas zamieszek Arabskiej Wiosny rządzących monarchii, których jeszcze niecałe pół wieku temu nie było na mapie. Regularną armię wspomaga utajniony oddział antyterrorystyczny, który trenuje często z najlepszymi na świecie.

Warto dodać, że ZEA odgrywają duże znaczenie z punktu widzenia geopolitycznego, ponieważ tworzą strefę buforową między śmiertelnymi wrogami — Iranem a Arabią Saudyjską. Iran, rywalizujący o wpływy w regionie z władzami w Rijadzie, jest także bardzo trudnym sąsiadem dla Dubaju. Po wycofaniu się Brytyjczyków z protektoratu nad arabskimi emiratami państwo to na dwa dni przed utworzeniem Zjednoczonych Emiratów Arabskich zajęło w Zatoce Perskiej trzy wyspy historycznie należące do emiratów. Spór o nie trwa nieustannie, a głównie chodzi o leżącą w strategicznym miejscu, pozwalającym częściowo kontrolować cieśninę Ormuz, Abu Musa, w pobliżu której rozciąga się duże pole naftowe. Niewielka wyspa, o której nikt nie słyszał, oficjalnie należy do Szardży, ale Iran utrzymuje tam swój garnizon, a ostatnio rozbudował infrastrukturę, między innymi lotnisko. Spór zaostrzył się w kwietniu 2012 roku, po prowokacyjnej wizycie prezydenta Iranu na wyspie, co wywołało wzrost napięcia w regionie.

Silna armia powinna być należycie wyposażona. ZEA nie oszczędzają zatem na wydatkach. Z raportu Sztokholmskiego Międzynarodowego Instytutu Badań Pokojowych wynika, że w latach 2008–2012 emiraty znajdowały się na dziewiątym miejscu w światowym rankingu importerów broni i sprzętu wojskowego.

Spośród sześciu monarchii naftowych tworzących Radę Krajów Zatoki Perskiej do tej pory pobór wojskowy obowiązywał tylko w Katarze, gdzie służba była ograniczona do trzech–czterech miesięcy. W pozostałych krajach: Arabii Saudyjskiej, Bahrajnie, Omanie i Kuwejcie, od 1984 roku istnieje Tarcza Półwyspu, ochotnicza armia mająca odpowiedzieć na wszelkie ataki czy ewentualne zagrożenia bezpieczeństwa któregokolwiek kraju sojuszniczego. Wojsko to nie popisało się jednak podczas inwazji Iranu na Kuwejt w czasie wojny w Zatoce Perskiej. Zasłynęło natomiast w 2011 roku w pacyfikowaniu protestów Arabskiej Wiosny w Bahrajnie.

W ostatnich latach niekojarzące się z wojskiem Zjednoczone Emiraty Arabskie zaznaczyły swoją obecność w trakcie konfliktów zbrojnych na Bliskim Wschodzie. Jeden z czołowych importerów uzbrojenia na świecie pokazał imponującą siłę militarną wynikającą z posiadania zaawansowanej broni, supernowoczesnego sprzętu wojskowego, dużej floty myśliwców i ciężkich wozów opancerzonych. Pomimo wyposażenia najnowszej generacji, na jakie może sobie pozwolić bardzo bogaty kraj, efektywność armii, jej zdolność do prowadzenia działań bojowych nie są zbyt pozytywnie oceniane przez specjalistów. Głównym powodem jest słaby poziom motywacji i niezbyt silna wola poświęcenia się rdzennych Emiratczyków, przywykłych do bajecznych warunków egzystencji.

Armia ta nie odnotowała w 2015 roku zbytnich sukcesów podczas interwencji w trakcie eskalacji krwawej wojny domowej w Jemenie, jednym z najbardziej uzbrojonych i przygotowanych do walki partyzanckiej krajów świata. Koalicja państw arabskich z Arabią Saudyjską na czele, stworzona dla przeciwwagi wobec Iranu, starała się położyć kres sponsorowanej przez Iran szyickiej insurekcji Huti, dobrze wyszkolonego ugrupowania polityczno-zbrojnego, i przywrócić władzę zmuszonego do ucieczki prezydenta. Długotrwała i nieskuteczna kampania lotnicza nie rozwiązała konfliktu. We wrześniu tego roku, w wyniku kardynalnych błędów logistycznych, na zajmowanych przez koalicję pozycjach w prowincji Marib pocisk rakietowy trafił w skład amunicji, zabijając prawie stu żołnierzy, w tym 45 z ZEA. To był najbardziej krwawy dzień dla sojuszników i największe straty ludzkie wśród żołnierzy emiratckich w całej dotychczasowej historii ich sił zbrojnych.

Brak sukcesów w Jemenie irytował nie tylko saudyjską monarchię, ale i jej sojuszników. A ponieważ niewielu mieszkańcom bogatych krajów chce się jechać na brutalną wojnę, minister obrony mającego ambicje mocarstwowe ZEA postanowił w listopadzie 2015 roku sięgnąć po dobrze obeznanych ze sztuką wojenną latynoskich „żołnierzy fortuny", zasiedziałych od kilku lat w pustynnej bazie Zajid. To nie nowość, bo dzisiaj coraz częściej można zauważyć daleko idącą prywatyzację szeroko rozumianych usług wojskowych za sowitą opłatą. Mówi się, że jeden dobry najemnik wart jest dwudziestu średnio wyszkolonych żołnierzy. A wynajęci w Ameryce Południowej żołnierze to weterani sił specjalnych, mający bogate doświadczenie wyniesione z wojny domowej przeciwko terrorystycznej organizacji FARC.

ZAGŁĘBIE PROSTYTUCJI

Przyszło mi na myśl, że zbyt często posilamy się w restauracjach hotelowych, których raczej nie można zaliczyć do najlepszych, bo dostosowują menu do gustu międzynarodowej klienteli. Od kilku dni miałem ochotę na kuchnię lokalną, ale nie wiedziałem, czy taka w ogóle w Dubaju istnieje. Zaproponowałem Lindzie, żebyśmy poszli na kolację libańską, bo podobno właśnie kuchnia libańska jest esencją całej kuchni bliskowschodniej. Po krótkim szperaniu na Traveligo wybieram Al-Hallab Bab El-Bahr, od naszego hotelu pięć minut taksówką.

Lokal okazuje się bardzo elegancki, aż nachodzą mnie wątpliwości, czy poczuję tutaj atmosferę, którą ze względu na ogromną różnorodność produktów i wyjątkowych, niepowtarzalnych smaków wspominam ciepło z dawnego pobytu w Bejrucie, gdzie kucharze byli prawdziwymi artystami. Od progu wita nas uśmiechnięta, nienarzucająca się obsługa. Serwis w tym regionie świata jest oparty bardziej na uniżoności niż na wydajności. Jeszcze przed złożeniem zamówienia na stole pojawiają się gorące okrągłe podpłomyki polane zahtarem, mieszanką orientalnych przypraw. Przy karcie dań nie musimy się długo zastanawiać, bo z zasady należy zacząć od półmiska z odświeżającym melanżem pomidorów, mięty, zielonej pietruszki, młodej cebulki, marynowanej ostrej papryki i czegoś tam jeszcze. Wkrótce przynoszą talerz hommosu, gęstej pasty z ciecierzycy. To duma libańska, bo w Europie hommos rozprzestrzenił się pod hebrajską nazwą humus i występuje zwykle jako produkt „Made in Israel". Dawno już nie jadłem tatara, a tutaj proponują narodowe

danie *kibbeh nayi* z surowego mięsa jagnięcego z orzechami pinio-
wymi, ostrymi przyprawami i dużą ilością oliwy. Okazało się na tyle
syte, że danie główne zamawiamy jedno dla nas obojga. Gdy przychodzi do jagnięciny przyrządzanej na różne sposoby, decydujemy
się na grill. Mięso jest pyszne i rozpływa się w ustach. I to pół porcji
wcale nie było za mało. Tym bardziej że Linda wyjątkowo ma ochotę
na egzotyczny deser. Obok tradycyjnej baklawy z pistacjami i syro-
pem różanym na tacy pojawiają się ciasteczka z daktylami. Biesiadę
kończymy mikroskopijną filiżanką czarnej, gęstej, niezwykle mocnej, a przy tym bardzo słodkiej kawy.

Wracamy do hotelu, bo ma przyjechać po mnie Izmir. Będziemy
zwiedzać Dubaj *by night*.

Linda zmęczona dniem zasypia.

Wyrywam kartkę z hotelowego notatnika i na swoim nietknię-
tym łóżku zostawiam uspokajający liścik: *Cara figona! Vado con
Izmir. Torno tardi. Dormi bene!*

Kiedy pół godziny później wsiadam z Izmirem do dwukoloro-
wej taksówki, mój przyjaciel jest, co rzadko mu się zdarza, po cywilnemu. Świetnie skrojony włoski garnitur, robione na zamówienie
buty Johna Lobba i jedwabny krawat. Pachnie dobrymi perfumami.
W mankietach błyszczą złote spinki wysadzane diamentami. Dziwne, nawet szokujące uczucie. Ilekroć go widzę w garniturze, to tak
jakby przyzwyczaić się do ubioru kardynalskiego, czarnej sutanny
z purpurowymi obszyciami, łańcucha z pektorałem i sygnetu na ser-
decznym palcu, a potem zobaczyć kościelnego hierarchę w dresie.

Podobne zaskoczenie przeżywałem niejednokrotnie w samolocie, kiedy po opuszczeniu kraju muzułmańskiego obserwowałem
ustawiającą się przed toaletą kolejkę kobiet. Wchodziły tam okuta-
ne w czerń, a wychodziły na zachodni wzór, w wyzywająco opiętych
spodniach czy minispódniczkach z najnowszych kolekcji Versacego
i Prady, gotowe na podbój europejskich stolic.

Ze zdradzającej pewność siebie twarzy Izmira nie sposób wy-
czytać czegokolwiek poza generalnym samozadowoleniem. Sprawia
zawsze wrażenie w pełni wypoczętego, radosnego i głodnego wra-

żeń. Kiedy on śpi? Kiedy je? I kiedy pracuje, skoro za punkt honoru wziął sobie uświadomienie mnie w sprawach Dubaju? Przez głowę przebiega mi absurdalna myśl, że ten człowiek to jakiś robot.

Wolę go jednak nie pytać o tak intymne sprawy — a nuż się zreflektuje?

— Życie nocne, co? — Zerka spod oka nieprzyjemnie podejrzliwie. — A ty, Jacku, chcesz tego doświadczyć czy poobserwować?

Nie mogę powstrzymać się od szerokiego uśmiechu.

— Wiesz, jak to jest z nami, dziennikarzami — odpowiadam zagadkowo. — Chcemy doświadczyć wszystkiego z bliska, intensywnie, naprawdę. Ale tak już na serio, ogranicz mi to doświadczanie do obserwacji i opowieści, dobrze?

Coś niecoś już czytałem o nocnym życiu Dubaju, które kwitnie mimo oficjalnie panującego islamu. Gorliwi muzułmanie obserwują to z nieukrywaną pogardą wynikającą z tabuizacji seksu, segregacji społecznej, lekceważącego stosunku otoczenia do niezakrytych od stóp do głów kobiet.

— Tak myślałem — bąka Izmir i rzuca kilka arabskich słów do taksówkarza. — Dziś bez samochodu, może i ja wypiję drinka? Bo, jak zauważyłeś przy okazji wizyty w Szardży, miejscowy islam różni się od innych kultur muzułmańskich. Tutaj tolerancja pozwala na harmonijne współżycie z wyznawcami innych religii. W opartym na fundamencie konsumpcjonizmu, liberalnym Dubaju spotykają się wszystkie cywilizacje i sto osiemdziesiąt różnych narodowości!

— Tak — wtrącam. — Pewien włoski dyplomata powiedział niedawno: „Emirat jednym okiem spogląda w przeszłość i traktuje islamski szariat jako oficjalne prawo, ale drugim pomruguje do zachodnich konsumentów. W ich głowach jest Koran, ale serce przyciąga portfel". Intrygująca wizytówka.

Izmir śmieje się głośno.

— Doskonale to ujął. Bo, widzisz, prócz wszelkich ulg w świecie biznesu nasze księstwo jest znane ze swojej tolerancji wobec korzystania z wszelkich uciech życia, no, może tylko z wyjątkiem narkotyków. W przeciwieństwie do Arabii Saudyjskiej czy Kuwejtu alkohol, jak widzisz, rozlewa się swobodnie w hotelach i barach. Nikogo też nie gorszy widok Europejki bez biustonosza pod koszulką czy w niezbyt skromnym stroju plażowym. Ktoś powiedział, że nasz szejk nie zakaże opalania się w bikini nie tylko dlatego, że ucierpiałby na tym turystyczny biznes kraju, ale też dlatego, że byłoby to ustępstwo wobec nienawidzących go fundamentalistów.

Nagle zmienia temat.

— Zapoznam cię z Vittoriem — mówi.

Samochód zatrzymuje się i do taksówki wsiada 44-letni szczupły, smagły mężczyzna. Jak się dowiaduję, jest właścicielem zakładu produkującego we włoskim Udine części zamienne do suszarek.

Z radością wita mnie po włosku, ale po chwili przechodzi na angielski — z szacunku dla naszego wspólnego przyjaciela.

Samochód rusza. Nie wracamy już na główną arterię. Po twarzach Izmira i Vittoria przebiegają kolorowe paski światła rzucanego przez sklepowe witryny i migoczące reklamy. Powoli przejeżdżamy centralną dzielnicę Bur Dubai, kierując się w stronę jasno oświetlonego potężnego Al Maktoom Stadium.

— Izmir mówił, że przydałoby ci się do książki coś o nocnym życiu w Dubaju? — Vittorio wyrzuca z siebie słowa z prędkością karabinu maszynowego. — O, *amico mio*! Doskonale trafiłeś, wpadłeś w ręce znawcy tematu! Bo ja, widzisz, co najmniej dwa razy do roku przylatuję tutaj właśnie dla nocnego życia. I robię to z myślą o mojej żonie!

— Zabierasz ją...?

— A nie, *certamente no*! Przybywam tu, aby odetchnąć od monotonii małżeńskiego życia! Używam sobie, a potem z wielką czułością wracam do swojej cudownej żony!

Milknie na chwilę, a ja przypominam sobie treść notatek, które zrobiłem jeszcze przed wyjazdem. Fakt, do tego celu Dubaj nadaje się doskonale.

To zaskakujące, że Dubaj stał się zagłębiem prostytucji w tym rejonie. Miasto stara się przyciągnąć Europejczyków i bogatych biznesmenów z Kataru, Arabii Saudyjskiej czy Kuwejtu do opływających w luksusy, marmury, alabastry, złocenia i gęstych od służby pięciogwiazdkowych hoteli i zapewnić im raj na ziemi. Stąd troska, aby w tym męskim świecie nie zabrakło pań do towarzystwa. Kontrolowane przez różne gangi zjeżdżają z Rosji, Kazachstanu, Indii, Ukrainy, Iranu czy Singapuru. Ruch jest niemały przez cały tydzień, ale zwłaszcza w piątek szczelnie zapełniają się puby, nocne kluby, dyskoteki i bary, otwarte aż do wschodu słońca, gdy muzyka pop zaczyna mieszać się z psychodelicznym śpiewem muezina nawołującego z meczetu do modlitwy. Kiedy o piątej rano niektórzy idą spać, mieszkańców miasta budzą nieoczekiwanie modlitwy płynące z rozsianych po całym mieście głośników umieszczonych na minarecie możliwie jak najwyżej. I ustawionych na maksymalną głośność, aby ani jedno słowo nie umknęło roztargnionemu grzesznikowi.

Trafiłem kiedyś w telewizji na program, w którym dyskutowano o tym, czy ze względu na bardzo skromne kostiumy można dopuścić w Dubaju do żeńskiego turnieju siatkówki plażowej. To nic innego, jak potulny ascetyzm zaciągnięty na ręczny hamulec. Miejscowi nie rozbierają się publicznie i nie piją alkoholu, ale czy to wystarcza, żeby podkreślić odrębność? Czy wystarczą sale modlitewne w centrach handlowych i strzałki w kierunku Mekki we wszystkich pokojach hotelowych? Czy może my zbyt dużo oczekujemy od tej religii?

Kwestie seksu, erotyki stanowią tabu. A pomyśleć, że przesycone erotyzmem *Baśnie z tysiąca i jednej nocy* opowiadano bez skrępowania ku rozrywce dworzan i dam haremowych. Powstałe w X wieku indyjsko-perskie opowieści, zaliczane do arcydzieł literatury światowej, są tak pikantne, że dla dzieci opracowano wersję skróconą. Narratorką wszystkich opowieści i jednocześnie bohaterką jest piękna Szeherezada, która, aby ratować królestwo i swoje życie, przez trzy lata snuje przed okrutnym sułtanem czarowne opowieści o zdradach małżeńskich i zaskakująco swobodnych relacjach między kobietą i mężczyzną, usypiając jego gniew i pragnienie zemsty na rodzie niewieścim.

Obłożone wieloma kulturowymi, religijnymi i prawnymi zakazami stosunki damsko-męskie są zabronione oficjalnie, ale po cichu, w gronie znajomych, wolno prawie wszystko. Zgodnie z prawem szariatu seks pozamałżeński, zdrady, cudzołóstwo, konkubinaty są nielegalne. Kodeks karny, drastycznie łamiąc elementarne zasady państwa prawa, przewiduje cztery lata więzienia zarówno dla kobiet, jak i ich partnerów.

— Nie dziw się temu — zauważa przy jakiejś okazji Izmir. — Musisz wiedzieć, że wywodzące się ze świętych ksiąg prawo nie precyzuje ładu społecznego, stąd jego interpretacja bywa dowolna i często w sposób bulwersujący ingeruje w życie intymne naszego społeczeństwa.

— Kobieta, która zgłasza gwałt, musi mieć czterech świadków — koniecznie mężczyzn muzułmanów — zauważa Joanna Hetman-Krajewska, adwokat z Kancelarii Prawniczej Patrimonium. — W przeciwnym razie sama zostaje uznana za winną przestępstwa, jakim jest seks pozamałżeński (takie pojęcie jak gwałt małżeński w ogóle nie istnieje). Przed kilku laty głośno było o sprawie Norweżki, która zgłosiła gwałt. Nie tylko nie uszanowano jej jako ofiary przestępstwa, ale jeszcze oskarżono o uprawianie seksu pozamałżeńskiego i wsadzono do więzienia. Dopiero interwencja dyplomatyczna i afera medialna doprowadziły do uniewinnienia i uwolnienia kobiety. Nie jest dobrze, gdy prawo religijne wywiera decydujący wpływ na prawo stanowione i jest równorzędnie stosowane. Jednak wszelkie zmiany muszą mieć akceptację społeczną, w przeciwnym razie jakiekolwiek reformy są skazane na porażkę.

Ale proceder prosperuje, bo istnieje niepisany podział na sferę prywatną i publiczną. Dopóki nie wywoła się skandalu na ulicy, nikt się nie wtrąca w prywatne życie. To, co się dzieje w lokalu, pozostaje w jego wnętrzu. Nikt nie kontroluje, co ludzie robią za zamkniętymi drzwiami pokoju hotelowego, czyli czego oko nie widzi, tego sercu nie żal.

Kiedyś wystawiona na wpływ zachodnich wzorców życia młoda generacja Dubajczyków, żeby się zabawić, jeździła do Bejrutu, bo tam zawsze było wszystko: totalna wolność seksualna, alkohol, kluby gejowskie, narkotyki, prostytucja męska. Dziś już nie musi, bo takie imprezy, niby formalnie zabronione, znajduje bez ograniczeń w swoim prywatnym zaciszu. To takie podwójne życie. Na zewnątrz ograniczone rygorystycznymi, zagmatwanymi, a przede wszystkim sztucznymi zasadami, wewnątrz naturalny człowiek.

Gdzieś wyczytałem, że liczba prostytutek w Dubaju jest większa niż w całej Europie. To z pewnością przesada, ale na podstawie tego, czego się dowiaduję, mogę przyjąć, że Amsterdam przy nim wydaje się żeńskim klasztorem. Ze źródła zbliżonego do policji wiadomo, że tą profesją zajmuje się w mieście około 35 tysięcy kobiet, dziesięć razy więcej niż w stolicy Holandii.

Tutaj, podobnie jak w innych krajach arabskich, homoseksualizm jest oficjalnie potępiany i uznawany za przestępstwo, zatem zagrożony karami. W rzeczywistości prawa te nie zawsze się ściśle egzekwuje. Geje i lesbijki nie mogą otwarcie przyznawać się do swojej orientacji seksualnej, ale czuje się ich obecność. Ze słów Izmira zrozumiałem, że historycznie biorąc, homoseksualizm był nawet tolerowany. W tutejszej obyczajowości stosunki seksualne między mężczyznami — w zasadzie zabronione przez islam — uchodzą za naturalne, a przestają być tolerowane, jeśli związek staje się stały. Poza tym, jak wszędzie na świecie, sama świadomość własnej odrębności często wywołuje u osób homoseksualnych wyrzuty sumienia.

Niedawno pokazano mi przy drodze z Dubaju do Abu Dhabi hotel, w którym kilka lat temu policja przerwała święto gejów, na dodatek suto zakrapiane francuskim szampanem. Oczywiście nie byle jakim, a Perignon 1995 White Gold Jeroboam, który znajduje się na listach najdroższych alkoholi świata. I to chyba nie tyle z powodów smakowych, ile dlatego, że butelka jest z białego złota. Pamiętam, jak swego czasu światowe agencje prasowe rozsyłały sensacyjną informację o tym zbiorowym ślubie trzydziestu homoseksualistów. Oczywiście nie niósł on za sobą skutków cywilno-prawnych, chociaż mężczyźni składali sobie przysięgę: „Ślubuję ci szacunek, dbałość o nienaruszenie twojej godności jako człowieka i mężczyzny oraz staranie, by otaczano szacunkiem naszą rodzinę”. Pisano, że podczas nalotu policja zarekwirowała weselne suknie i eleganckie modne garnitury. Minister spraw wewnętrznych wyjaśniał wówczas, że mężczyźni, w większości obywatele ZEA, zostali oskarżeni o „cudzołóstwo i homoseksualizm". Dodał przy okazji, że homoseksualizmu nie wolno tolerować. Starszyzna beduińska uznała, że tym razem przekroczono wszelkie granice. Bo chociaż podobne przypadki zdarzały się już w przeszłości, to dopiero teraz zdecydowano się podać taki fakt do publicznej wiadomości. Głos zabrał także minister do spraw islamu, według którego „Rodzice powinni nadzorować dzieci i zapobiegać rozwojowi zachowań dewiacyjnych".

Z podobnymi refleksjami docieram w milczącym towarzystwie do Cyclone na Al Nasr Leisureland. Niewielki biały dwukondygnacyjny budynek zachęca, by do niego wstąpić, ogromną czarną tablicą z ornamentem na pierwszy rzut oka przypominającym odcisk palca. Ale to chyba po prostu droga, jaką pędzel pokonał w oku cyklonu.

Teraz zresztą, przed północą, cała okolica tonie w ruchomych światłach i dźwiękach rytmicznej muzyki.

Vittorio pierwszy wysuwa się z auta i z wyraźnym ożywieniem kieruje się do wejścia. My z Izmirem statecznie wkraczamy w świat dzikiej zabawy.

— To jest dyskoteka polecana kawalerom przez wszystkie przewodniki, zmieniona w autentyczny burdel — dosadnie wyjaśnia mój towarzysz, grzmiąc mi do ucha.

Nie musiał zresztą tego mówić. Widzę.

Niewysokie ciemne stoliki oblegają pary — i oczekujące na klienta córy Koryntu. Niektóre już ich znalazły, inne kręcą się i wypatrują łupu. Jeśli jest ich mniej niż dwieście, to chyba nie umiem liczyć. A z każdą chwilą przybywa ich i przybywa.

Dwie z nich, wysokie, zbliżają się do nas błyskawicznie, jakby w obawie, że zostaniemy złowieni przez szybsze kocice.

Blondyna z wydatnym biustem zagaduje do mnie, nie pozostawiając mi właściwie czasu na odpowiedź.

— Cześć, jak się masz? Jak masz na imię? Czy mogę ci zaproponować coś do wypicia? Gdybyś chciał spędzić ze mną noc, to wystarczy 1500 dirhamów.

Tymczasem do Izmira podchodzi niziutka okrągła Chinka i usiłuje zagadać po angielsku:

— *Hi! Whele you come flom?*

Mimo że zajęty jestem tłumaczeniem wysokiej blondynie, że nie interesuje mnie jej oferta, dociera do mnie monotonny bełkot Chinki. W potulnych podrygach pojawia się Vittorio.

Przez chwilę odnoszę wrażenie, że dopadła go jakaś odmiana choroby świętego Wita, ale to tylko rodzaj tańca wykonywanego przez podnieconego Włocha.

— One przychodzą do pracy najwcześniej, o dziewiątej wieczorem, czyli godzinę po otwarciu lokalu. Muszą dobrze dbać o pracę, bo nie do wszystkich lokali je wpuszczają. Lepszej klasy reprezentantki dawnego Związku Radzieckiego pojawiają się około północy, o, popatrz, tam siedzą! Zgrabne, na wysokich obcasach, elegancko ubrane, często piękne lub co najmniej atrakcyjne. Patrz, niektóre są niczym wzięte z okładek magazynów mody!

— Cyclone otwiera moją listę *top ten* — tłumaczy dalej Vittorio znad ramienia przyklejonej do niego kobiety o czarnych kręconych włosach. — Dobry towar jest też w barze Rockafella's w hotelu Regal Plaza, jakbyście woleli. Tam są głównie ekssowieckie i kosztują taniej, bo i jakościowo są słabsze. Trzeba być przed jedenastą, potem nic się już nie znajdzie. Aha, Jacku, i zapisz sobie jeszcze: w barze TGIT w Astoria Dubai Hotel ruch zaczyna się już późnym popołudniem. Nie przejdziesz tam spokojnie, bo atakują wprost i są natarczywe. W barze York International Hotel Dubai zaś zbiera się największa mieszanina. Afrykanki pojawiają się już o ósmej, potem przychodzą w dużych grupach Chinki. To wspaniałe kochanki, potrafią zapewnić mnóstwo rozkoszy. Dobra jest też, o, to też zapisz, dyskoteka Premiere, droga na wejściu i trzeba tam mieć trochę lepsze ubranie. Dużo znajdziesz tam panienek z Azji Południowo-Wschodniej. Jest tam też salka na szybki numerek.

Spoglądam na szeroko uśmiechniętego Izmira. Najwyraźniej bada moją twarz, zainteresowany, jak reaguję na tutejszy blichtr. Przybieram więc obojętną minę, bo w rzeczywistości to nie jest mój świat. Kobiety, owszem, ale nie kupowane. Słucham rozkręcającego się nowego znajomego.

— Ceny różnią się zdecydowanie, panowie — ciągnie Włoch. — Znajdziecie panienki na każdą kieszeń. Od pięćdziesięciu dolarów za godzinną przyjemność do tysiąca za noc. Wszystko zależy od klasy dziewczyny, jej wieku, narodowości i przede wszystkim lokalizacji. Im bliżej dobrej dzielnicy, tym drożej. Po drugiej stronie Creek, gdzie mieszkają głównie robotnicy i ludność azjatycka, jest dużo taniej. Muzułmanki z Syrii, Tunezji są w średniej cenie, ale już Iranki czy Libanki należą do najdroższych ze względu na mocne powiązania kulturowe, są zatem bliższe duchowo klientom, w dużej części pochodzącym przecież z ościennych krajów, gdzie seks jest na cenzurowanym. Och, w cenie są jeszcze Marokanki, w przeszłości związane z profesją tancerek.

— I co — zaczepiam go — zawsze szukasz dziewczyn w takim zgiełku i huku?

Robi zdziwioną minę, jakby po raz pierwszy skonstatował, że wokół jest głośno.

— Oczywiście istnieją domy schadzek, gdzie jest spokojniej i ciszej, ale ja wolę wieloetniczność, która dodaje nocnemu życiu większej ekscytacji!

Nie martwię się wcale o swoją moralność, mam jednak obawy o stan bębenków usznych. Dlatego gestem sugeruję, żeby opuścić już ten przybytek.

Vittorio, niezwracający najwyraźniej uwagi na konwenanse, żegna nas przelotnym uniesieniem dłoni i znika w tłumie, wciąż z wczepioną w niego młodziutką czarnulką u boku.

Po wyjściu spomiędzy potężnych głośników czuję jeszcze przez chwilę szum w uszach, podążam więc bez słowa za Izmirem w stronę The Indian High School. O tej porze na jej parkingu stoi ledwie kilka ekskluzywnych samochodów.

— Skoro zostałeś przewodnikiem, rządź — odruchowo krzyczę, choć sytuacja już tego nie wymaga. — Zawsze wyznaję zasadę, że na wyprawie może być tylko jeden szef. Zero demokracji.

Izmir europejskim gestem klepie mnie po ramieniu.

— Skoro tak, Jacku, czekaj cierpliwie. Za chwilę będziemy mieć towarzystwo.

Przez chwilę bałem się, że pojawi się kolejna horda prostytutek — ale zamiast nich podjeżdża biały mercedes. Wysiada z niego pięćdziesięcioletni człowiek o tak słowiańskich rysach, że od razu zwracam się do niego po polsku:

— Dobry wieczór!

A on, niezaskoczony, wyciąga rękę i przedstawia się:

— Ryszard. Wsiadajcie, pewnie macie dość nocnych lokali. No to usiądźmy gdzieś przy kawie.

Ryszard, Richard dla miejscowych, zawozi nas do trzygwiazdkowego hotelu York International, tuż przy wyjściu ze stacji metra Al-Fahidi. Okazuje się, że o tej porze nocny lokal wypełniony jest głównie azjatyckimi ekspatkami zatrudnionymi w Dubaju jako gosposie, nianie, fryzjerki, kosmetyczki, ekspedientki w centrach handlowych, kelnerki. Pochodzą najczęściej z Indii, Sri Lanki, Filipin czy Indonezji.

— Zjawiają się tutaj w weekend w ramach zajęcia dorywczego — objaśnia, sącząc kolorowy drink. — To oczywiście nie jest ich główne źródło utrzymania. Cieszą się większym powodzeniem, bo jak ktoś skomentował, „to nie to samo, co wulgarne prostytutki". Tutaj niejedna dziewczyna znalazła bratnią duszę, a nasza filipińska niania poznała krajana, za którego wyszła za mąż — uśmiecha się szeroko. — Działa to trochę raczej jak bar dla singli, gdzie wszystko może się zdarzyć.

Napływ kobiecej taniej siły roboczej rozpoczął się w latach 80. i skierowany był głównie do pracy przy rodzinie. Nielekki to chleb, bo pracodawca zwykle żąda pełnej dyspozycyjności, czyli pracy w kuchni, robienia zakupów, pielęgnowania dzieci i odprowadzania ich do szkoły. Kobiety często nie mają nawet jednego dnia wolnego, są pozbawione życia prywatnego i skazane na izolację. Uciążliwą samotność z dala od domu potęguje niemożność pielęgnowania przyjaznych relacji nawet z rodaczkami. Na domiar złego kobiety te doznają zniewag i upokorzeń, a co gorsza, padają ofiarą molestowania seksualnego przez członów rodziny lub innych domowników.

Rozmawiamy też o polskich śladach w Dubaju. W ostatnich latach kilka agencji modelek przekształciło się w agencje towarzyskie, które wysyłały młode dziewczyny oferujące usługi seksualne dla szejków. Nie były to panienki z wybiegów i okładek „Vogue'a". Wśród tak zwanych modelek, pseudotancerek czy hostess zdarzały się i celebrytki znane z kolorowych gazet, portali plotkarskich i kronik towarzyskich. W 2013 roku nasza prasa rozpisywała się o procesie pięciu naganiaczek oskarżonych o wysłanie 63 luksusowych prostytutek do towarzystwa arabskim bogaczom. Oczywiście nie zasilały one nocnych lokali, nie musiały walczyć o chleb; były zakwaterowane w wytwornych apartamentach, gdzie uczestniczyły w orgiach seksualnych. Jedna z pań tłumaczyła nawet na łamach jakiejś bulwarówki, że owszem, wyjechała na imprezę zagraniczną, ale do seksu nie doszło.

Przypomniałem sobie, że dziesięć lat wcześniej znana z telewizji Włoszka Michela Bruni była oskarżona o nakłanianie do prostytucji. Eleganckie panienki rekrutowała także z Polski i zapewniała im od 500 do 1500 dolarów, drugie tyle inkasowała za pośrednictwo. W sądzie tłumaczyła, że panie wyjeżdżały dla towarzystwa, a co robiły potem prywatnie, to już nie był jej problem. „Dlaczego obsypywali je dużymi pieniędzmi? — mówiła w sali sądowej. — To tak jak sadownik, który posiada dziesięć tysięcy drzew z jabłkami. Jeśli ktoś do niego przyjeżdża w gościnę, co dostaje jako podarunek? Oczywiście skrzynkę jabłek. A oni przecież mają dużo dolarów i gościom w upominku dawali skrzynki dolarów".

W kwietniu 2014 roku media europejskie niezdrowo entuzjazmowały się castingiem partnerek dla jakiegoś szejka w podróży po Europie. Nabór sześćdziesięciu kobiet „inteligentnych, z wyższym wykształceniem, o miłej aparycji" zatrudnionych do konsultacji podczas shoppingu prowadziła agencja modelek D.O.C. w Padwie. Honorarium za pracę wynosiło 100 euro dziennie plus nieograniczone zakupy osobiste.

Rok później, po tym, jak blog Tagthesponsor obnażył proces prostytuowania się kobiet, wybuchł nowy skandal z udziałem jedenastu „modelek" z Polski, które za towarzyszenie wpływowym Arabom miały dostać po 25 tysięcy dolarów.

Wróciwszy grubo po północy do hotelu, natykam się na grupkę eleganckich prostytutek. Wodząc zalotnie wzrokiem, kierują się do nocnego lokalu. Dumnie mijają wychodzące z restauracji nie pierwszej młodości Niemki, które zresztą z niesmakiem śledzą tę paradę.

— *Wy otkuda?* — bezczelnie zaczepiam kobietę wyższą ode mnie o głowę — w każdym razie w szpilkach takie sprawia wrażenie. Posiada niełatwe do zdefiniowania „coś", co powoduje, że trudno przejść obok, nie zwracając na nią uwagi. Nie wspomnę o długich nogach, dużym biuście i wydatnych, naturalnych ustach.

— O! — reaguje odruchowo. — *A wy?*

— *Iz Polszy.*

Rosjanka wyciąga do mnie dłoń i z radosnym uśmiechem przedstawia się:

— Ira.

Najwyraźniej chętnie podejmuje moją zaczepkę, bo przez chwilę może porozmawiać w swoim języku. Dziwi się, że te skandale niektórych bulwersują.

— To jakiś problem, że tu jesteśmy? Ten fach istnieje od zawsze, skąd więc tyle ambarasu?

Fakt, fach stary jak świat. A dzisiaj na całym świecie do zamożnego mężczyzny dziewczyny kleją się jak pszczoły do miodu, kwitnie seksturystyka i mężoturystyka. To wszystko wtopiło się w naszą codzienność i nie powinno nikogo drażnić. W emiratach poprzeczka jest ustawiona wyżej. Arabowie inwestują w partnerki niekoniecznie tylko do łóżka, potrzebują ciepła i pieszczot mądrej, wyrafinowanej kurtyzany znającej tajemnice miłosnej sztuki.

Ira od kilku lat pracuje w tym zawodzie, jest bardzo dyskretna, ale łatwo wywnioskować, że jest dobrze ustawiona wśród wysokich sfer emiratu. Elegancka, inteligentna, swobodnie porozumiewa się w języku angielskim. Dobrze wykształcona, sześć lat temu ukończyła studia w słynnym Moskiewskim Państwowym Instytucie Stosunków Międzynarodowych. Będąc na stażu w Londynie, podjęła decyzję o przekwalifikowaniu się. Zainwestowała w siebie, zgłębiła psychologię ludzi wysokiej finansjery, tajniki oddziaływania psychoterapeutycznego, bo skoro panowie dają dużo, to równie dużo oczekują.

— I ja jestem gotowa im to dać — mówi bez żadnego skrępowania. Po czym spogląda na zegarek i dziękuje za wspólne spędzenie czasu. Przy pożegnaniu zaskakuje mnie, co w moim przypadku nie jest łatwe. — A wiesz? Znam cię z fotografii i telewizji. Jacek Pałkiewicz, prawda? Syberia, Kamczatka, pustynia Kara-kum. Miałam na wydziale kolegów, którzy byli twoimi fanami. Wszystkiego dobrego, Jacku!

Jaki mały jest świat.

Zanim położę się spać, sięgam do zgromadzonych w notebooku materiałów. Tak, nie tyle sam fakt prostytucji ciąży na wizerunku Dubaju, ile handel kobietami zmuszanymi do tego rzemiosła. Amerykański Departament Stanu oszacował, że w 2014 roku przez Dubaj przewinęło się kilkanaście tysięcy ofiar handlu ludźmi. To duży biznes dla międzynarodowych szajek, zawsze powiązanych z kimś lokalnym. Ogólnie biorąc, to trzeci pod względem dochodów proceder, po handlu narkotykami i bronią. Mówi się, że każdego roku dostarcza ponad 13 miliardów dolarów, a każda prostytutka w Dubaju przynosi od 60 do 80 tysięcy utargu rocznie.

Duchowny prawosławny Jergen Gasiecki, który kilkanaście lat temu przyjechał tutaj z Uzbekistanu z żoną Leną, poświęcił się wspieraniu kobiet w ich w dramatycznej sytuacji.

„Nie mamy oficjalnego poparcia władz — powiedział dziennikarzom — ale przynajmniej nam nie przeszkadzają. Co roku wyciągamy z więzienia 100-200 dziewczyn z Rosji, Tadżykistanu, Gruzji, Azerbejdżanu, Armenii, Kazachstanu, Turkmenistanu. Na początku rekrutowano je w wielkich miastach, dziś wyszukuje się je na prowincji, gdzie ludzie są biedniejsi i bardziej naiwni. Tam zarabiają najwyżej 100 dolarów, a łowcy żywego towaru zapewniają im 1000-2000 dolarów. W ostatnich latach można zauważyć znaczną poprawę. Powstało kilka schronisk dla ofiar. Od 2006 roku istnieje prawo ścigające nielegalny handel ludźmi, ale jest słabe i przede wszystkim nie mówi o wsparciu dla ofiar. Przestępcom grozi od pięciu lat do kary śmierci, ale wyroki zapadają rzadko. Sądy podchodzą do tego tematu bez przekonania, bo obok nielegalnych stręczycieli zawsze występują lokalni, którzy pośredniczą w uzyskaniu wiz pracowniczych ułatwiających sprowadzanie kobiet. Jeśli dziewczyna zgłosi na policji fakt zmuszania jej do prostytuowania się, to prawie zawsze zostaje aresztowana, właśnie za prostytucję. Wtedy zaczynają się długotrwałe korowody wymagające prawników, co w najlepszym przypadku kończy się odesłaniem do państwowego schroniska. Nasza praca nie ogranicza się wyłącznie do umożliwienia powrotu do domu. Współpracujemy z organizacjami pozarządowymi i ministerstwami spraw zagranicznych, staramy się zapewnić kobietom powrót do normalnego życia, znajdujemy psychologów, szukamy pracy".

Niestety, zdecydowana część kobiet nie jest w stanie wycofać się z tej pułapki. Nieprzynosząca chwały islamowi prostytucja pozostaje wciąż delikatnym tematem. Władze z pewnością będą próbowały rozwiązać ten problem, ale na razie, ze względu na kwitnącą turystykę i potrzebę przyciągania inwestorów zagranicznych, paniom lekkich obyczajów nie grozi status persona non grata.

NAJWIĘKSZE, NAJLEPSZE, NAJDROŻSZE, WYJĄTKOWE

Po powrocie z Abu Dhabi, gdzie z zapartym tchem zwiedzaliśmy Wielki Meczet Szejka Zaida, największą atrakcję stolicy ZEA, dominujące nad miastem architektoniczne dzieło sztuki, Izmir wszedł jeszcze ze mną do hotelu na szklaneczkę wody.

— Jutro mam pewne biznesowe zadanie do wykonania, nie będę więc mógł ci towarzyszyć — zastrzega się.

— Nie masz przecież takiego obowiązku! — ripostuję. — Nie wynająłem cię, nie płacę ci, niewiele daję od siebie, a ty poświęcasz mi całe godziny!

— Chcę, żebyś napisał o Dubaju takim, jaki on jest, bo dotąd zwykle widziałem tylko laurki i zachwyty.

— W zasadzie na razie pokazujesz mi właśnie taki Dubaj, godny laurek i zachwytów.

Izmir uśmiecha się. Wzdycha.

— Dobrze. Spotkamy się za trzy dni. Zobaczysz inną twarz miasta. Najpierw chciałem ci pokazać to, co znają wszyscy. Te wszystkie cuda, budowle, rozkosze i wszelkie kolorowe „naj".

— Skoro zobaczę cię dopiero za trzy dni, to dziś chociaż trochę mi opowiedz o tych „naj" — proponuję.

— Co masz na myśli?

— Ludzi pociągają rekordy i wyczyny, które na tle szarej codzienności rozpalają wyobraźnię i przyśpieszają bicie serca. Wydaje mi się, że promocja Dubaju w gruncie rzeczy opiera się głównie na przedrostku „naj", oczywiście w skali światowej. Czyli najprężniej rozwijające się państwo, największe centra handlowe, najdroższe hotele, najwyższe budowle, najszybsze windy, najlepsze metro. Wszystko musi być optymalne, mega, najnowsze, wyjątkowe, najbardziej osobliwe.

— Tak tutaj jest — kwituje Izmir po chwili zastanowienia. — Każde kolejne przedsięwzięcie bezdyskusyjnie usuwa w cień poprzednie. Rośnie konsumpcja, ważne koło zamachowe rozwijającej się gospodarki, wzrasta rynek dóbr luksusowych. Prestiżowe marki, takie jak Vuitton, Chanel, Gucci, podkreślają miarę zamożności i hierarchii społecznej. Choć to przykre, bo w końcu jestem tutejszy, powiem, że bogactwo Dubaju jest w dużej mierze iluzoryczne, gdyż tutaj zamki buduje się na piasku, z wykorzystaniem gigantycznych kredytów zaciągniętych dla finansowania inwestycji budowlanych. Fama strefy wolnego handlu i nieskrępowanego rozwoju przestrzennego przyciąga światowych inwestorów. To istna enklawa systemu prawnego opierającego się właściwie na całkowitym braku podatków, stabilności politycznej i taniej sile roboczej. Aby pozyskać zaufanie inwestorów i pokazać, że Dubaj stosuje takie same zasady giełdowe jak Zurych, Londyn czy Nowy Jork, sprowadzono do pracy emerytowanych brytyjskich prawników i ekspertów finansowych.

Linda wchodzi do pokoju, ale słysząc, że rozmawiamy o gospodarce, wita się i zaraz znika.

— Wiesz — ciągnie Izmir — kiedy w maju 2002 roku al-Maktum ogłosił unikatową w regionie „rewolucję nieruchomości", która pozwoliła cudzoziemcom stać się ostatecznymi właścicielami, a nie beneficjentami wynajmu na 99 lat, jak to się dzieje w ościennych krajach, sprzedaż kosztownych apartamentów z dostępem do plaży na Palm Jumeirah osiągnęła szczyt. Tak, na tle ogarniętego konfliktami regionu zrodziła się bezpieczna przystań, wolna od podatków, z dobrym transportem i wysokimi standardami mieszkaniowymi. To, oczywiście, napędzało popyt, domy wykupywali milionerzy, osobistości show-biznesu, gwiazdy sportu. Cztery tysiące mieszkań zbudowanych na „palmie" sprzedano w trzy dni. Przez pięć lat ceny nieruchomości wzrosły o czterysta procent. I tak się dzieje dalej.

Miasto, które postawiło na ten sektor, na finanse i turystykę, nieustannie inwestuje w swoją markę i renomę, walcząc o miano jednego z najciekawszych globalnych regionów turystycznych. W 2015 roku odwiedziło je 14 milionów obcokrajowców i to niekoniecznie zamożnych, bo liczne tanie hotele są w zasięgu ręki także dla ludzi podróżujących z plecakiem — backpackersów.

Izmir bierze łyk wody i rozkoszuje się nim, jakby pił najlepszą whisky. Ściąga brwi w zamyśleniu i odruchowo głaszcze swój krótko przystrzyżony wąsik.

— Ale powiedz — zagaja po chwili milczenia — czego ci brakuje w Dubaju?

Dłuższą chwilę wpatruję się w widoczny za lekką mgłą świat wieżowców, jakbym budził się ze snu. Po raz pierwszy muszę zadać sobie pytanie nie o to, czego jest w Dubaju za dużo, lecz o to, czego nie ma. Szybko jednak znajduję odpowiedź.

— Brak mi u was prawdziwej atmosfery Orientu. Wiesz, nastroju Stambułu, w którym nigdy nie odmawiam sobie wizyty w hamamie, tradycyjnej publicznej łaźni tureckiej, zwanej przez niektórych świątynią przyjemności. To prawdziwy rytuał i nieprawdopodobny relaks w ciężkich kłębach pary. Pośrodku wielkiej marmurowej sali stoi ciepły kamienny postument przeznaczony do masażu w pianie mydlanej. Ciepło promieniuje tam z podgrzewanej podłogi, ław i ze ścian. Masaż szorstką rękawicą, polewanie ciepłą i zimną wodą, mydlenie, masaż, polewanie — to wszystko uspakaja i odpręża. Wilgotne powietrze i cisza gwarantują niezapomniane doznania. To wyborna forma celebrowania tradycji, spędzania czasu z przyjaciółmi, prostego bycia razem. Zupełnie bezinteresownie polecam ci w Stambule na przykład hamam Çemberlitaş.

Izmir milczy zamyślony, więc ciągnę dalej:

— Właśnie Orientu tutaj brak. Wykorzeniliście go, a może nigdy się nie przyjął? Motto tego intrygującego miasta głosi: „Zaskoczyć, zszokować, zachwycić". Sam mówiłeś, że niedawno rozpoczęto kolejną nadzwyczaj ambitną megainwestycję, która przewróci topografię metropolii.

Parę dni temu Izmir opowiadał mi o przedłużeniu wcinającej się w głąb lądu zatoki Creek, 10-kilometrowego kanału w kształcie podkowy, który z części miasta stworzy osobliwą wyspę. O tym, że najwięcej czasu zajmie budowa szlaku wodnego pod dwiema dużymi arteriami i nadziemnym metrem.

— Zgadza się — potwierdza Izmir. — To nasze kolejne „naj". Jeden z licznych pieszych mostów ma przypominać klimat starożytnego florenckiego Ponte Vecchio. Wzdłuż nowej arterii wodnej powstanie las marketów, uzdrowisk, stref rekreacyjnych. Kanał nazwany na cześć emira Muhammada ibn Raszida będzie miał szerokość ponad stu metrów. U jego ujścia powstanie kompleks wypoczynkowy Półksiężyc, który, jak zapewniają twórcy projektu, powinien stać się kolejnym, po Żaglu, Burdż Chalifa i Atlantisie, symbolem miasta. Jego budowa potrwa trzy lata i będzie stanowić nowy element nawiązujący do rozmachu organizacyjnego Expo 2020.

Izmir spogląda na zegarek, luksusowe złote cacko Frederique Constant z diamentami wkomponowanymi w cyferblat. Przypuszczam, że za ten zegarek genewskiej firmy można by kupić w Polsce małą kawalerkę.

Żegna się ze mną, jakby trochę nieobecny. Czuję, że szuka w swoim mieście miejsca, które przywróciłoby mi wiarę w orientalność Dubaju. I wyraźnie ma z tym problem.

Wywołujący wrażenie na wszystkich szerokościach planety, zadziwiający wizerunek najbardziej dynamicznie rozwijającego się miasta, gigantycznych budowli, pionierskich projektów jest w dużej mierze zasługą kapitalnego marketingu. Na budowanie swojej marki w świecie Dubaj przeznacza kwoty zbliżone do inwestycji w kolejne niezwykłe budowle.

Nie sądzę, aby te inwestycje były postrzegane jako okazałe unikatowe zamysły, to raczej integralna część budowania marki. Wybitni fachowcy PR potrafili w kilka dekad stworzyć wokół tego miasta aurę przepychu ociekającego złotem i działając na emocjach, wykreowali fascynację wystawnością.

Każda metropolia europejska posługuje się starannie opracowanymi strategiami zarządzania marką, ale mało kto potrafi dorównać

Dubajowi, którego wyrazisty i rozpoznawalny wizerunek, stworzony właśnie takimi działaniami, podniósł prestiż tego emiratu. Specjaliści od brandingu potrafili doskonale połączyć emocje i pozytywne skojarzenia wiążące się z awangardową architekturą, niebywałym luksusem i atrakcjami turystycznymi, aby uczynić go wyjątkowym i zapewnić rozgłos oraz rozpoznawalność na całym świecie. Wizytówka Dubaju jest tak silna i ma tak ustaloną reputację, że wszyscy są przekonani, że właśnie to miasto, a nie Abu Dhabi, które uniknęło budowlanej histerii, jest stolicą Zjednoczonych Emiratów Arabskich.

Na świecie istnieje wiele łatwo identyfikowanych marek, będących strategicznym dobrem państwowym i kapitałem eksportowym, by wymienić włoską pizzę, japońskie sushi, brazylijską sambę, czeskie piwo, hiszpańską corridę czy holenderskie tulipany, ale myślę, że marka Dubaj jest dziś bardziej znacząca. A to dzięki nieustannej trosce o zachowanie wysokiej pozycji poprzez jej „odświeżanie", podobnie zresztą jak to się dzieje w przypadku Coca-Coli, która ani na chwilę nie zaprzestaje reklamy swojego produktu, by nie przegrać z głównym konkurentem, Pepsi.

Po wyjściu Izmira sprawdzam pocztę. Wśród dziesiątków arcyważnych i zupełnie bezsensownych e-maili widzę jeden z zapytaniem: „Jak wygląda miasto ze szczytu Burdż Chalifa?".

Nie wiem!

Przyznaję, nie byłem tam. Może dlatego, że wcześniej podzieliła się ze mną swoimi wrażeniami pewna moja znajoma. Przytaczam więc jej opis i niech wystarczy za całą opowieść:

„Wjechałam na szczyt z takim przyśpieszeniem, że aż zatkały mi się uszy. Pode mną rozpościerał się postapokaliptyczny scenariusz. Z piasku pustyni wyrastały ogromne drapacze chmur, a plątanina autostrad wiła się pośród futurystycznej architektury. Wszystko wokół było zasnute mgiełką i zionęło nicością. Ponadto ten piekielny upał. Patrzyłam z otwartymi ustami na agresję człowieka, który nie poddaje się woli natury i uparcie wznosi coraz to większe bastiony. Przy tym wszystkim sztucznie kreuje nasze potrzeby, narzucając wzory niepohamowanego konsumpcjonizmu i obsesji na punkcie dóbr materialnych. Zjechałam na dół z poczuciem przygnębienia i pustki w głowie".

Do obiadu mamy jeszcze dwie godziny. Ponieważ Linda zajęła się przeglądaniem fotografii, ja zerkam w komputer na stronę internetową samego szejka.

„Pewna młoda osoba prosiła mnie, by opowiedzieć historię Burdż Chalifa, budowli najwyższej na świecie, symbolu postępu naszego kraju — napisał szejk Mo. — Pierwsze szkice wieży, które mi przedstawiono, zawierały 80 pięter. Poprosiłem zespół projektantów o ulepszenie. Wrócili do mnie po miesiącu, ale nic specjalnego nie wnieśli. Wtedy wysunąłem pomysł najwyższej budowli na świecie otoczonej parkami, fontannami, hotelami, centrami handlowymi, które miały też być największe. Dzisiaj usytuowany przy jednej z najbardziej eleganckich alei świata Burdż Chalifa jest miastem w sercu miasta. Magnesem przyciągającym przybyszów do Dubaju i Zjednoczonych Emiratów Arabskich.

Kiedy cudzoziemcy pytają, dlaczego chcieliśmy mieć taką budowlę, odpowiadam, że z trzech powodów. Po pierwsze, to osiągnięcie rodzime, kamień milowy, kluczowy punkt zwrotu gospodarczego. To symbol dumy nie tylko mieszkańców emiratu, ale i wszystkich Arabów. Cztery tysiące lat temu w naszym regionie wzniesiono największe budowle znane człowiekowi. Egipskie piramidy były genezą chwały i symbolem postępu cywilizacyjnego. Dopiero po czterech tysiącleciach przewyższyła je monumentalna katedra w angielskiej miejscowości Lincoln. Mam nadzieję, że dzisiaj Burdż Chalifa symbolizuje nowy globalny zwrot: nowy świat, gdzie Orient spotyka się z Zachodem. Powód drugi: wieża wzbogaciła, ogólnie biorąc, wizerunek emiratów, zwłaszcza Dubaju, co przedstawia wartość milionów dolarów na rynku reklamowym. Po trzecie: to przesłanie dla całego świata, że ZEA są nowym podmiotem na globalnym rynku ekonomicznym, właśnie mocno zakorzenionym w Burdż Chalifa" — kończy władca Dubaju.

Zerkam za okno. Mimo lekkiego wiatru i skwaru w powietrzu czuję burzę. Zresztą nie widać już horyzontu — rozmywa się. Znikła linia dzieląca piasek od błękitu nieba. Tam, wiele kilometrów stąd, natura już walczy o swoje.

Z sentymentem wspominam sir Wilfreda Thesigera, jednego z najgłośniejszych eksploratorów cieszącej się złą sławą nieodległej stąd Ar-Rab al-Chali, największej na świecie bezmiernej połaci piasków, którą Anglicy nazwali Empty Quarter, czyli Pustą Ćwiartką. Poznałem go w połowie lat 80. w Kenii, gdzie się osiedlił. Miał wtedy 75 lat, bujne włosy i bokserski nos, ponadto wyróżniał się szczupłą i wyprostowaną sylwetką. Nie tolerował gwałtu na dzikiej przyrodzie, którą traktował ze szczególnym nabożeństwem. Nie znosił telefonu, telewizji i nienawidził auta. Do dziś pamiętam, z jakim krytycyzmem i złością zareagował na słowa jednego z gości, który z zainteresowaniem odniósł się do pierwszej podróży samochodem przez Saharę.

Dlatego też z dużą przyjemnością trafiłem na jego ślad w dobrze zaopatrzonej księgarni Kinokuniya w Dubai Mall. Zmarły kilkanaście lat temu Anglik musi cieszyć się w tym kraju niezwykłą popularnością, skoro oprócz książki *Arabian Sands* (Piaski Arabii) i jeszcze czterech innych jego autorstwa natknąłem się na co najmniej kilkanaście publikacji jemu poświęconych. Zdecydowanie więcej niż na temat, na przykład, Ibn Battuty, uważanego za ostatniego z wybitniejszych geografów arabskich późnego średniowiecza. Dobrze wyeksponowane książki Thesigera widziałem też w lotniskowym *duty free* pośród przewodników po emiratach.

Thesiger, nie bacząc na zagrożenia, jakie czyhały na niego podczas podróży wśród walczących ze sobą plemion, dwukrotnie w latach 1946–49 pokonał pustynię Ar-Rab al-Chali w niedużej karawanie w towarzystwie kilku Beduinów. Miał zbadać temat inwazji szarańczy, które niszczą uprawy w wioskach tego regionu. Ale też sporządzał dokładne mapy, które prawdopodobnie okazały się użyteczne dla Anglików w poszukiwaniu ropy naftowej.

„Ta bezduszna, martwa połać ziemi jest według Arabów zamieszkana przez dżiny, demony. Temperatura powietrza w cieniu osiąga 50 stopni, a piasku nawet 80. Tu istnieje tylko pragnienie i ryzyko śmierci z braku wody — napisał. — Są obszary, gdzie nie padało od trzydziestu lat. To okrutne terytorium potrafi jednak rzucić urok, jak żadna umiarkowana kraina".

Podczas jego pierwszej podróży studnie były oddalone od siebie o 14 dni, ale można było spotkać Arabów, którzy częstowali wielbłądzim mlekiem. Podczas następnej wyprawy odległości były jeszcze większe i lepiej było nie spotkać po drodze nikogo, bo bandyci chętnie poderżnęliby Anglikowi gardło. Jednak dla Thesigera ci dumni władcy pustyni byli najszlachetniejszym i najbardziej godnym podziwu plemieniem.

„Oni nigdy nie mieli wątpliwości co do swojej wyższości — pisał. — Nawet dzisiaj takie plemiona jak Mutair i Adżman nie poczytują sobie wcale za wielki zaszczyt tego, że niewiasta ich rodu wyszła na przykład za mąż za króla Arabii Saudyjskiej. Pamiętam, że swego czasu zapytałem przebywających w Rijadzie nomadów Raszidów, czy wiedzą, jak powinni się zwracać do króla. Zaskoczeni odpowiedzieli:

— Wymawiając jego imię: Abd al-Aziz. A jak inaczej mielibyśmy mówić?

— Myślałem, że należałoby użyć terminu: Jego Królewska Mość. A oni to skwitowali:

— Jesteśmy Beduinami. Nie mamy innego króla niż Boga".

Urodzony w Addis Abebie syn funkcjonariusza brytyjskiego na dworze cesarza Negusa, nie będąc muzułmaninem, zyskał wśród Beduinów sławę równego im nomady. Uważali, że był wytrzymały niczym „szejk" wśród piasków pustyni oraz jak Beduin potrafił „cwałować i strzelać w galopie".

Arabian Sands, hymn na cześć wyobcowanej, odciętej od reszty świata krainy, to pożegnanie znikającego wraz z pojawieniem się ropy romantycznego i sentymentalnego świata Beduinów.

„We współczesnej cywilizacji zabrakło już miejsca — konstatował Thesiger — dla szlachetnego wojowniczego instynktu, ekstremalnej odwagi, lojalności wobec towarzyszy czy absolutnej gościnności lub smaku przygody". Gdyby żył dzisiaj Joseph Conrad, to z pewnością wykorzystałby figurę Thesigera do stworzenia swojego

Mistaha Kurtza, legendarnej postaci symbolizującej epokę kolonializmu.

Kiedy ten odznaczony złotym medalem Królewskiego Towarzystwa Geograficznego spadkobierca przeszłej epoki powrócił po wielu latach do Abu Dhabi, nie skrywał ubolewania, że tradycyjny styl życia nomadów uległ rozpadowi. Jego dawni współtowarzysze przygody, nieustraszeni wojownicy pustyni, w pełni korzystali z dobrodziejstw płynących z czarnego złota. Zamienili dromadery na auta terenowe i pijąc coca-colę zamiast wody ze studni, perfekcyjnie w „obrzydliwy" sposób dostosowali się do upadającej moralności.

Sir Thesiger, nazywany „ostatnim eksploratorem", porównywany nieraz z Livingstone'em, Burtonem czy Speke'em, zmarł w 2003 roku w wieku 93 lat. Jak nikt inny potrafił opisać mistykę pustki, określając pustynię jako symbol Nicości, bardziej w sensie filozoficznym niż geograficznym. Bezgranicznie gardził postępem materialnym. W swojej flagowej książce opowiada, jak dręczony przez pragnienie, prażony przez słońce i zwodzony przez miraże, mając do dyspozycji jedynie manierkę wody, zdołał w oczekiwaniu na swojego beduińskiego przewodnika przetrwać trzy dni w nieludzkim upale. Widząc w przypływach halucynacji odległe samochody i wielkie budowle, zapisał wówczas: „O, nie! Wolałbym tu umrzeć, kołysany złowrogą martwą ciszą i bezkresną pustką, niż żyć w obrzydliwym mieście".

Kto wie, co powiedziałby dzisiaj, gdyby na końcu swojej pustynnej podróży dotarł do wyrosłego na piaskach Dubaju?

Właśnie na takiej nieprzyjaznej człowiekowi pustyni nachodziły mnie nieraz myśli o wydarzeniach z Biblii. Pustka pozwala bowiem na osiągnięcie dystansu do spraw codziennych i na refleksje o życiu. To właśnie ta bezlitosna kraina, w której człowiek musi toczyć walkę nie tylko z przyrodą, ale również z samym sobą i własnym strachem, stała się kolebką trzech wielkich religii: chrystianizmu, judaizmu i islamu. Jest idealnym miejscem do medytacji, do kontaktu Boga z ludźmi, gdzie przez czterdzieści dni przebywał Chrystus, gdzie Bóg ukazał się Mojżeszowi, gdzie rodził się naród żydowski i Żydzi zmierzali do Ziemi Obiecanej i, wreszcie, gdzie Mahometowi objawił się archanioł Gabriel.

Niejeden raz prowadziłem szkolenia survivalowe w środowisku, w którym wszystko ogranicza się do esencjonalnego minimum, gdzie deprywacja, brak wody i niepokój mają stymulować silniejszą wiarę w siebie i determinację. Zwykle otaczała nas kosmiczna pustka, pozbawiona jakiegokolwiek punktu odniesienia czy śladu cienia. Obezwładniający skwar, spotęgowany gorącym i suchym wiatrem, osuszał organizm z resztek soków życiowych. Coraz wolniej krążyła zgęstniała krew, zmuszając serce do zwiększonego wysiłku. Były chwile, że z trudem wciągałem rozpalone powietrze, piekła odsłonięta skóra twarzy i rąk, miałem poranione wargi, a coraz bardziej wysuszone gardło domagało się kolejnej dawki płynów. Balansowałem na krawędzi przetrwania, przeżywając najokropniejsze chwile w życiu. Przebywałem w innej epoce, dużo bliższej czasom Marca Polo niż XXI wiekowi, w świecie, w którym obowiązują wartości dawno zapomniane przez mieszkańców zachodniego świata.

Kiedy osiągałem metę, mogłem się kąpać i pić. Bez ograniczeń. Klimatyzacja, posiłek przy stole, zimne piwo, świeże owoce i filiżanka espresso dopełniały szczęścia. W wygodnym łóżku delektowałem się tym, że jutro będzie tak samo, już bez spartańskich niewygód. Ogarniało mnie uczucie, że pustynna przygoda była tylko jakimś snem na jawie.

PAKISTAŃSKI TAXI-DRIVER

Jako że Izmir wziął u mnie „urlop", żeby załatwić swoje interesy, umówiłem się z Matthew, australijskim inżynierem z branży naftowo-gazowej, którego poznałem jeszcze w samolocie. Wręczając mi wizytówkę, pokiwał palcem i rzekł:
— Tylko jej użyj.
No to zadzwoniłem i zostałem zaproszony na popołudniowy grill. Lektura *Arabian Sands* tak mnie jednak pochłonęła, że straciłem poczucie czasu. Gdy spojrzałem na zegarek, przeraziłem się. Wiem, że punktualność nie jest w tych stronach normą, ale ja z zasady nie toleruję spóźnialstwa. Wybiegłem z hotelu, rozglądając się za taksówką.

W Dubaju poza godzinami szczytu nie należy się martwić o ich znalezienie, bo to taksówkarze, zwykle Pakistańczycy, nieraz Hindusi, desperacko poszukują klienta. Są wszędzie i cały czas. Nie trzeba wyciągać ręki, bo oni doskonale wiedzą, że jeśli poruszam się pieszo, to bez wątpienia ich potrzebuję. Zawsze kiedy widzą idącą osobę, nieoczekiwanie pojawiają się obok. Po Dubaju jeździ ponad osiem tysięcy taksówek, wszystkie w kolorze kremowym i, co warto podkreślić, tanie. Taryfa zbliżona jest do warszawskiej, ale ponieważ odległości są duże, to rachunek zawsze wychodzi większy.

Jednak mimo obfitości taksówek ich złapanie w godzinach szczytu bywa problemem. Transport publiczny niby istnieje, ale na autobusy trudno liczyć, bo jeżdżą nieregularnie, ponadto kiedy są pełne, to się nawet nie zatrzymują. Niedawno opowiadała mi Marzena, moja znajoma z Dubaju, że praktycznie nie korzysta z takiego środka lokomocji, bo w zatłoczonym pojeździe dominują robotnicy z Indii, Pakistanu czy Bangladeszu, którzy bez cienia skrępowania nie tylko z rozszerzonymi źrenicami wpatrują się uporczywie w każdą białą kobietę, ale i pozwalają sobie na nachalne ocieranie się czy nawet obmacywanie. Jedyny pozytywny aspekt jest taki, że pośród 730 autobusów kursujących na 79 liniach jest tu 225 polskich solarisów dostarczonych w 2007 roku z Bolechowa pod Poznaniem.

Tym razem, zanim jeszcze na dobre przystanąłem przy krawężniku, pół metra ode mnie zatrzymuje się podstarzała toyota camry. Niech będzie. Nie spodziewałem się bentleya — byle dowiozła.

— *Good morning, sir!* — wita mnie śniady mężczyzna ubrany w białą koszulę i czerwony krawat. — Mam na imię Basim i zawiozę pana, dokąd pan zechce.

— Mam nadzieję — mruczę pod nosem po polsku i, przechodząc na angielski, określam punkt docelowy.

Basim szybko włącza się do ruchu — a ja, korzystając z okazji, uruchamiam dyktafon.

— Skąd jesteś, Basimie?

Kierowca z radością opowiada, że przyjechał z Multanu w Pakistanie. Niezbyt wysoki, szczupły starszy jegomość z bujnymi wąsami jest najwyraźniej szczęśliwy, że kogoś interesuje jego historia. Wydaje się wesoły, ale nie sposób nie zwrócić uwagi na jego oczy. Czujne i w nieustannym ruchu. Uważa się za szczęśliwca, tutaj zdobył prawo jazdy i teraz pracuje w państwowej korporacji. Za kierownicą spędza po dwanaście godzin na dobę. Dobrze zarabia. Jeśli nie ma mandatów za niewłaściwe parkowanie czy przekroczenie prędkości, potrafi w okresie zimowym, kiedy jest więcej turystów, zarobić miesięcznie nawet trzy tysiące dirhamów. Jeżeli taksometr wybija w ciągu dnia 370 dirhamów, otrzymuje z tego 35 procent, jeśli 220 — to już tylko 20.

— Wiedzie mi się lepiej — zapala się — kiedy trafia się kurs w rejon starego miasta, tam jest ruch, sporo pieszych. W innych dzielnicach nie zobaczysz chodnika, tym bardziej człowieka. Pracuję tak dużo, że prawie nie mam czasu porozmawiać przez Skype'a z żoną, której nie widziałem już dwa lata.

Pracodawca zabrał mu paszport, nie jest więc wolnym człowiekiem, ale żyje mu się nieporównywalnie lepiej niż jego ziomkom pracującym na budowach.

— Ja przynajmniej mam zapewnioną klimatyzację podczas pracy, oni latem duszą się od upału — podkreśla Pakistańczyk.

Na początku jechał zdecydowanie za szybko i nerwowo, a teraz wozi mnie od dłuższego czasu po tej samej okolicy. Zaczynam podejrzewać, że próbuje oszukać na taksometrze, ale okazuje się, że nie wie, jak trafić pod wskazany adres. Słyszałem już, że to ich słaby punkt i nawet z GPS-em dojazd do celu może wyglądać jak poszukiwanie skarbu. Wreszcie się poddaje i prosi, abym zadzwonił i upewnił się, jak dojechać.

Dziwne?

Wcale.

Warto wiedzieć, że tutaj nie ma dokładnych adresów czy standardowych nazw ulic. Kiedy zaczęto budować miasto, nikt nie myślał o nadawaniu ulicom nazw czy domom numerów. Architekci najpierw planowali „atrakcje", a dopiero potem musieli dostosować miasto do normalnego życia. Dlatego jakikolwiek adres dla taksówkarzy zawsze jest rebusem trudnym do rozwiązania. Potrzebny im jest jakiś znany punkt orientacyjny, galeria handlowa, stacja metra albo określenie: naprzeciw Hotelu CityMax Al-Barsha, przy wjeździe do Jumeirah Beach Park, za meczetem, druga ulica po prawej. Wszystko staje się dużo prostsze, jeśli powie się *take me to the Burj Khalifa*, wtedy taksówkarz nie ma żadnych wątpliwości. Ale najlepiej, jeśli samemu zna się dokładną drogę, bo kierowca często nie nadąża za bezustannym rozwojem miasta. Naciągaczy raczej nie ma. Przeciwnie, gdy taksówkarz zapomni włączyć taksometr, to znaczy, jak głosi ulotka w samochodzie, że jedziesz za darmo.

Basim nagle hamuje i otwartą dłonią wskazuje miejsce na swoim pasie. Siedząca za kierownicą samochodu z różowym dachem kobieta kiwa szybko głową i z wprawą zajmuje wskazane miejsce. Potem zjeżdża całkiem w prawo i znika między budynkami.

— *Woman taxi* — tłumaczy mi kierowca.

— Żeńska taksówka?

— Tak. Różowy dach — tylko dla kobiet. Kieruje kobieta, jedzie kobieta. Może być z dziećmi, takie specjalne taxi ze specjalnymi narzędziami, nawet dla małych dzieci.

Angielski tego Pakistańczyka jest dość ubogi, a ja powstrzymuję się od parsknięcia, kiedy wyobrażam sobie obcęgi, wiertarki i narzędzia spawalnicze zainstalowane w aucie z różowym dachem. Oczywiście pojmuję, co miał na myśli Basim, mówiąc *tools for children*, ale skojarzenie jest silniejsze ode mnie.

Droga się trochę dłuży, sięgam więc po taksówkowe *tools for man*, czyli gazety i reklamówki tkwiące w specjalnej przegródce.

W jednej z ulotek czytam o „Pet Taxi", serwisie stworzonym przez pewnego Brytyjczyka na potrzeby transportu zwierząt domowych. Podobno większość klientów to psy, koty, papugi, przewożone do weterynarza, kosmetyczki czy do parku na spacer. Dopiero w tym momencie uprzytamniam sobie, że nigdy nie widziałem tutaj psa na ulicy. No tak, to zwierzę nie jest dobrze widziane w lokalnym społeczeństwie, brudzi, szczeka, nieraz i gryzie. W wielu dzielnicach jego wyprowadzanie jest karane grzywną. Czworonogi mają prawo przebywać tylko w niektórych, specjalnie wyznaczonych miejscach. I właśnie dlatego przydaje się „Pet Taxi".

Dojeżdżamy już prawie do celu, kiedy mój kierowca wskazuje nieodległą plażę, na którą kiedyś za radą Piotra się wybrałem.

W opisach Dubaju niektórzy wykazują nadmierny zachwyt. W opiniotwórczym polskim piśmie przeczytałem niegdyś, że tutejsze plaże zasługują na szczególną uwagę turystów. Jest trochę inaczej. Publiczne plaże w odróżnieniu od hotelowych nie są zbyt zadbane. Ale trudno zarówno jedne, jak i drugie porównać z tętniącym życiem Rimini czy nawet Kołobrzegiem.

Trzeba przyznać, że bezpłatne kąpielisko ma swoją lokalną atmosferę. Sporo tam arabskich rodzin, a przy tym i skrajnych obrazków. Obok głowy rodziny w kąpielówkach siedzi jakby wstydliwie pod parasolem okutana w czerń małżonka odkrywająca tylko owal twarzy. Inne kobiety, o podobnie przygnębiającym wyglądzie, zażywają kąpieli, siedząc w wodzie albo spacerując po płyciźnie.

Pomiędzy arabskimi rodzinami można wypatrzyć zachodnie plażowiczki w odważnych strojach o bogatej i różnorodnej kolorystyce. Te są w centrum zainteresowania arabskich wyrostków z krajów ościennych, którzy zgodnie ze swoją kulturą i uwarunkowaniami społecznymi postrzegają roznegliżowane kobiety jako łatwo dostępne. Stąd dość prymitywne podrywy: „Przesunę pani parasol, bo za chwilę nie ochroni przed słońcem", „Czy może trochę wody mineralnej?". Przyglądając się skąpemu odzieniu, zasypują delikwentkę serią komplementów lub rozśmieszając zabawną serenadą, zapraszają na kolację. Adepci sztuki podrywania często wybierają bledszą panią, która dopiero co przyjechała. Widziałem też jednego z książką w ręku, to dobry rekwizyt budzący zaufanie. Kobiety na wakacjach chętniej niż zwykle zawierają nowe znajomości i niejedna pomyśli: A nuż to emiracki książę?

Dla młodych Arabów podryw to nie problem. Szans nie mają natomiast azjatyccy robotnicy. Przyjeżdżają tu grupkami w weekendy i dzikimi z podniecenia oczami rozbierają panie z ostatnich szczątków kostiumu kąpielowego, a potem w wodzie sprawiają sobie finalną przyjemność. Nad ładem czuwają przejeżdżające policyjne patrole oraz tajniacy dyskretnie usuwający osoby zakłócające spokój plażowiczom. Co do stroju, to nie ma specjalnych zakazów, ale często zdarza się, że stróże porządku polecają paniom w stringach bardziej przykryć ciało, by nie obrażać muzułmanów. Za publiczne czyny nieobyczajne, zbyt wylewne okazywanie sobie uczuć, picie piwa czy spożywanie posiłków w czasie ramadanu grozi grzywna, areszt, a nawet deportacja.

— Niech pan popatrzy, te stroje nie licują z naszą kulturą — zwrócił się kiedyś do mnie leżący pod parasolem mężczyzna w sile wieku, z pogodną twarzą. — Nie jestem muzułmaninem, nie wszyscy jesteśmy wyznania islamskiego, ja jestem sudańskim chrześcijaninem, dokładniej Koptem. Jest mi przykro, ale o tym nie można mówić otwarcie. Szejk Mo dał priorytet dla turystyki, dlatego musimy pogodzić się z takimi obrazkami.

Sto metrów dalej, na prywatnej plaży za ogrodzeniem hotelowym i nad luksusowymi basenami wśród palm, nie ma już kobiet w czerni, tylko swoista rewia mody: kostiumy kąpielowe jedno- i dwuczęściowe, bikini, pareo, sukienki plażowe. No i brak podniecających się podpatrywaczy, którym skąpe stroje niebotycznie podnoszą libido.

Z powodu sprzeczności wynikających z otwarcia na świat zachodni, a jednocześnie próby zachowania tradycyjnych wartości i przepisów wynikających z islamu nieraz gubię w Dubaju granicę między fikcją a prawdą czy między postępem a tradycją. Bo ten emirat, choć zdolny do wielkich wyczynów i wyprzedzający świat pod względem tempa rozwoju, nie wie do końca, której cywilizacji chce służyć.

Podróż wreszcie dobiega końca. Żegnam Basima i wysiadam z taksówki. Wygląda na to, że jednak zawiózł mnie tam, gdzie chciałem.

Matthew wita mnie wylewnie, klepiąc po ramieniu. Z uśmiechem informuje, że dziś skosztujemy „rodzimej kuchni", mięsa z Australii. I że ma dla mnie jeszcze dodatkową niespodziankę. Rodaka, mieszkającego w Dubaju, Stasa, czyli Stanisława.

Liczę nie tylko na smakowite kąski, ale i smakowite opowieści z życia ekspatów.

— To miasto jest agresywne — rozpoczyna Matthew, częstując argentyńskim winem. — Rozrzucone na dużych przestrzeniach rozprasza uwagę. Ludzie przyjechali, aby zaspokoić swoje ambicje, zrobić karierę, no i oczywiście zarobić trochę grosza. Ale kiedy człowiek już się dobrze zadomowi, to wtedy zwykle musi się pakować i wracać do domu.

Do późnej nocy biesiadujemy, rozmawiając o tutejszym życiu.

— Emirat jest oszałamiającym katalogiem skrajnych absurdów, które działają niczym magnes. Jak pewna winiarnia, która najcenniejsze gatunki przechowuje strategicznie wysoko na półkach, tak że zamawiający ma dodatkowe korzyści z oglądania dziewczyny w mini wspinającej się po drabinie. To nowa ziemia obiecana, z nieograniczonymi perspektywami — stwierdza Stas, rocznik 1979, rezydent podatkowy Dubaju, gdzie kupił apartament. — Zajmuję dobre stanowisko w korporacji. Trafiła mi się szansa rozwoju zawodowego. No i co tu ukrywać, mogę dużo odłożyć. Ale nawet przy tej stabilnej pracy i poukładanym życiu moja pozycja jest rozmyta. Relacje międzyludzkie są płytkie, ciąży izolacja towarzyska. Kraj atrakcji godnych raju Allacha nie ma korzeni historycznych ani tożsamości. Rodowici Dubajczycy nie pozostawili tu po sobie etnograficznego szkieletu, a totalne różnice kulturowe nie wiążą jej mieszkańców. Ekspaci nie wchodzą w społeczeństwo gospodarzy, nie tylko się nie asymilują, ale nawet nie próbują zaadaptować. Zero integracji. Wyobrażasz sobie, że tylko nieliczni wiedzą, jak wygląda flaga narodowa emiratów, jak się nazywa monarcha Dubaju czy ile księstw wchodzi w skład Zjednoczonych Emiratów Arabskich? Czują się jak w czyśćcu, czyli przejściowo, śniąc o jak najszybszym powrocie do domu. Ja też nieraz tęsknię za Polską, za przyjaciółmi, za rodzimą kuchnią, deszczem czy śniegiem. A moje dzieci są na pewno zagubione, bo nie wiedzą, gdzie jest ich miejsce.

Łatwo więc zauważyć, że ten dubajski raj z pewnością nie jest krainą bezgranicznego szczęścia.

TRUDNE DO SPRECYZOWANIA CENTRUM

Większość znanych mi miast posiada jakieś atrakcje turystyczne, zabytki, rynek czy plac z ratuszem i charakterystycznym pomnikiem bohatera narodowego, które turysta chciałby zobaczyć. Od początku szukałem czegoś takiego, co by odzwierciedlało europejskie kanony, „ludzki wymiar", gdzie można by przespacerować się chodnikiem, usiąść na ławce, spotkać się towarzysko w kafejce. Daremny trud. Czuję się w Dubaju wyobcowany, modernistyczna urbanistyka zapomniała o ludziach, wszystko podporządkowała efektywnemu przemieszczaniu się samochodem. Nie znajduję tu żadnego atrakcyjnego miejsca — a nawet ludzi na ulicach, bo często na przestrzeni kilometrów nie ma chodników. A przechodniów spotykam głównie na przystankach autobusowych lub w okolicy gigantycznych centrów handlowych, prawdziwych miniaturowych miast, stanowiących obowiązkową metę wizyt w tym mieście.

Pewnego wieczoru, po dniu moich jałowych prób zwiedzenia miasta, zagadnąłem Izmira.

— Nie uważasz, że Dubaj nie ma serca?

— Co przez to rozumiesz? — zaśmiał się.

— Wasze miasto, uznawane za symbol nadmiaru, z lasem wieżowców i bogactwem, które może zawstydzić każdą inną stolicę świata, tak naprawdę ma trudne do sprecyzowania centrum. Nie istnieje takie miejsce, w którym pulsowałoby serce miasta. Projektanci chcą dopiero stworzyć Downtown w obrębie największego pomnika pierwszego dubajskiego boomu gospodarczego, Burdż Chalifa, oraz galerii handlowej Dubai Mall. Marzy im się jeden z najbardziej niezwykłych bulwarów planety, brandowe zagłębie na miarę Bond Street w Londynie, Madison Avenue w Nowym Jorku czy Saint-Honoré w Paryżu. Sam mi o tym opowiadałeś. Projektów jest kilkanaście, ale mam wrażenie, że ich realizacja się odwleka. Ale nawet jeśli te plany wejdą w życie, czy sądzisz, że to miejsce zostanie uznane za serce miasta? Ekwiwalent europejskiego rynku? Tu nie ma czegoś takiego jak rzymskie forum, do którego prowadzą wszystkie drogi.

Izmir zdaje się rozumieć — może dlatego, że sporo czasu spędził w europejskich stolicach. Proponuje mi przejażdżkę w pewne miejsce, które być może zaspokoi moje oczekiwania. Nie przyjechał dziś samochodem. Nie wzywamy jednak taksówki, celowo skorzystamy z metra.

— To kolejne światowe „naj" — nie tyle chwali, ile po prostu informuje Izmir, gdy zbliżamy się do stacji. — Od pięciu lat, odkąd oddano do użytku linię zieloną, dubajskie metro jest najdłuższym, w pełni zautomatyzowanym tego typu przedsięwzięciem na świecie. Pociągi nie mają maszynisty, wszystkie stacje są klimatyzowane, a tu, w centrum, wagony jadą pod ziemią. Potem już wyjedziemy na nadziemne estakady. Coś takiego widziałem w Austrii, w Wiedniu, gdzie byłem w interesach.

— Tak, jest. Chodzi ci o U-bahn — precyzuję. — Ich linia szósta okrąża centrum właśnie nad miastem.

Tymczasem pod ziemią, dokąd można zjechać schodami lub zejść — co preferuję — czeka mnie obrazek odmienny od europejskiego. Ekskluzywność stacji — to oczywiste. Wszystko w błękitach, czyste do nieprzytomności, monitory, reklamy, ławeczki. Ale na naszych stacjach zawsze jest takie miejsce z długą linią, poza którą nie należy wychodzić, grozi to bowiem spadkiem w czarną czeluść, w której co kilka minut pojawia się wyjeżdżający z tunelu pociąg.

Tu nie ma takiej linii.

Bo nie ma czeluści.

Bezzałogowe wagony poruszają się oczywiście tunelami, ale cała stacja odgrodzona jest od nich szklaną ścianą złożoną z kwadratowych przezroczystych tafli oprawionych w metalowe ramy.

Już miałem zapytać, jak to wszystko działa, kiedy dobiegł nas lekki gwizd zbliżającego się wagonu. Dopiero gdy wyhamował i zatrzymał się z milimetrową precyzją dostępną jedynie komputerowemu motorniczemu, kilka szklanych tafli rozsunęło się. Zsynchronizowane z nimi drzwi wagonu także się otworzyły i ze środka wysypali się ludzie. Wówczas mogliśmy zająć miejsca we wnętrzu równie ekskluzywnym, jak cały ten bajkowy świat. Miękkie fotele, ekrany telewizyjne, białobłękitna podłoga.

W piętnaście minut dotarliśmy do stacji — już nadziemnej — z której trzeba było trochę podejść, by znaleźć się w pobliżu słynnej fontanny stanowiącej tło widowiska wodno-świetlno-muzycznego. Kierujemy się więc kilometrowym tunelem, takim jak na lotniskach — z ruchomym chodnikiem prowadzącym do centrum handlowego. I tak samo jak coraz częściej bywa na lotniskach, także tutaj, aby dojść do celu, musimy przedrzeć się przez Mall, będący najbardziej popularnym miejscem na globie. W 2015 roku odwiedziło go podobno ponad 60 milionów turystów.

Wchodzimy w zbierający się w półmroku tłum. Jak zawsze pamiętam o sprawdzeniu, czy dokumenty i pieniądze mam zabezpieczone i pozamykane w wewnętrznych kieszeniach. To odruch nabywany przez półwiecze. Wszyscy zwróceni są twarzami do akwenu, za którym widać niewysokie budynki i oświetloną drogę. Dalej, po prawej, w ciemne niebo strzela kolonia drapaczy chmur.

Znajdujemy miejsce na ławce, a Izmir, jak na zamówienie, wyławia z tłumu kolejnego swojego znajomka.

— Stephen! *Komm!*

Pięćdziesięcioletni jowialny pan z brzuszkiem przysiada się do nas z radością. Już mam przejść na niemiecki, kiedy pan odzywa się czystą polszczyzną, skażoną co najwyżej niemieckim akcentem.

— Panie Jacku, pan tutaj! Nie na jakiejś pustyni?

— Przecież jestem na pustyni — prostuję. — Po raz pierwszy badam nie naturę, a to, co powstało po jej ujarzmieniu.

Stefan przechodzi na angielski, aby nie urazić Izmira, i kiedy dowiaduje się, co mnie tu sprowadza, wręcz bucha chęcią niesienia mi pomocy.

W rogu rozlegają się pierwsze takty tradycyjnej arabskiej muzyki, kilka „tańczących fontann" rozpoczyna swoje kolorowe pląsy, ale nam wystarczą one za tło rozmowy, nie musimy z otwartymi ustami śledzić tego bądź co bądź niezwykłego widowiska.

— Co pana interesuje? — dopytuje się polsko-niemiecki Stefan.

Wyjaśniam więc:

— Zastanawiałem się nieraz, czy, tak jak się zwykle myśli, życie w Dubaju rzeczywiście usłane jest różami. Staram się przyjrzeć temu bliżej. Poprawcie mnie, jeśli się minę z prawdą. Ponad osiemdziesiąt procent populacji Dubaju to ludzie napływowi, dzielący się na dwie zasadnicze grupy: imigranci z Azji i z Zachodu. Pierwsi stanowią trzy czwarte przyjezdnych i w większości są to mało płatni robotnicy budowlani.

Pamiętam, że przed boomem naftowym w 1973 roku tania siła robocza pochodziła z biednych krajów arabskich, w szczególności Egiptu, Jemenu i Sudanu. Od 1990 roku zaś, od kryzysu spowodowanego wojną w Zatoce Perskiej, skład populacji imigrantów zdecydowanie się zmienił. Państwa regionu stwierdziły, że najlepszymi pracownikami będą Azjaci, zwłaszcza z Indii, Pakistanu, Sri Lanki i Filipin. W jednym z raportów rządowych napisano, że ich wyłącznym celem jest zaoszczędzenie pieniędzy i powrót do rodzimego kraju, w którym pozostawili swoje rodziny. Zadowalają się niskimi płacami i nie skarżą na ciężkie warunki pracy. Nie ma obawy, że będą domagać się lepszych warunków życia.

Druga grupa to Amerykanie, Europejczycy, Australijczycy, mieszkańcy RPA i Arabowie z ościennych krajów, świetnie zarabiający profesjonaliści, kadra menedżerska, inżynierowie, lekarze, architekci, których dochody oscylują na poziomie równowartości 10–20 tysięcy dolarów miesięcznie. Chociaż pewien polski lekarz mówił mi niedawno, że zarabia jeszcze więcej.

Pytam Stefana, co sądzi o Dubajczykach i przyjezdnych.

— Ech, sam jestem takim wiecznym włóczęgą — opowiada. — W latach 80., po studiach, wyemigrowałem z Torunia do Niemiec. Potem pracowałem tu i tam — aż wylądowałem w Dubaju. Ale wiesz co? Czuję się tu jak Włóczykij z bajki o Muminkach. Wszędzie jestem tylko na chwilę, obcy, nie swój. Żyjemy w czasach wielkich migracji, kiedy ludzie są często zmuszeni do poszukiwania gdzie indziej swojego przeznaczenia i dostosowania się do zupełnie nowych realiów. A jeśli chodzi o miejscowych, ludzi o zupełnie odmiennej kulturze, to wybacz mi uogólnienie: w pracy zawodowej są bezużyteczni i niekompetentni, w sektorze publicznym zaś bardzo biurokratycznie podchodzą do petenta, no i zawyżają absencję. W życiu towarzyskim okazują się chyba trochę nieśmiali, choć momentami może nawet i mili. W stosunku do nas, Europejczyków, odnoszą się zwykle z odrobiną szacunku.

— A co powiesz o tych rzeszach niespokojnych duchem awanturników, którzy, tak jak ty, przyjechali tu ze wszystkich stron świata, żeby ustawić się finansowo?

— Hmm... — Stefan unosi brwi. — Dubaj jest niczym wielkie lotnisko: ogromna bezczasowa sztuczna metropolia, w której człowiek czuje się jak w miejscu przechodnim, a nie w domu. Osobiście dobrze mi w tym tyglu narodowości, jakiego nie spotkasz nigdzie na świecie. No, chyba że w Hongkongu czy Szanghaju. Żyjemy tutaj jak w jednej wielkiej korporacji, która zapewnia imponującą karierę, ale też wyciska z ciebie pot, energię i czas. W pracy jesteśmy więźniami gotowymi do poświęceń. To norma, że do domu nie wraca się wcześniej niż o dwudziestej. Ale wieczorem znowu stajemy się niewolnikami, tym razem siłowni znajdującej się w prawie każdym apartamentowcu, bo przecież powinniśmy dbać o kondycję i samopoczucie. A o świcie do pracy... i koło się zamyka.

Fontanna dogorywa, muzyka łagodnie cichnie, rozlegają się brawa. Choć chyba pozbawione sensu — tym przedstawieniem zarządza ukryty gdzieś bezduszny komputer.

Wracam do hotelu, ale umawiam się ze Stefanem i Izmirem, że za dwie godziny spotkamy się na czacie, do którego oni zaproszą jeszcze kilkoro znajomych.

Zanim więc nadejdzie pora tej rozmowy, dyskutujemy z Lindą o wrażeniach z Dubaju.

Jej postrzeganie tego świata odbiega bardzo od mojego. Ja staram się zaglądać pod dywan, ona robi wszystko, aby nie zerkać w takie miejsca. Ja pytam: dlaczego jest tak czy inaczej? Moja żona stwierdza:

— Bardzo mnie cieszy, że jest tu czysto, kulturalnie i że galerie są tak doskonale wyposażone.

Ale o Dubaju jako wielkim przedsięwzięciu rozmawiamy z zapałem.

Wnioski?

Korporacja o nazwie Dubaj, a właściwie jej mistrzowie PR, wyprodukowała i rozpowszechniła nowy symbol specyficznej turystyki, która zachęca natarczywym: „Przyjedź!", „Musisz to zobaczyć", a potem swoimi skonwencjonalizowanymi atrakcjami stara się zapewnić dużo silnych emocji. Przemysł turystyczny, wspomagany sprowadzaniem celebrytów, wykreował nowy trend, tworząc w krótkim czasie z Dubaju potęgę turystyczną. Zamienił autentyczne zwiedzanie w rodzaj atrakcyjnej rozrywki, w zglobalizowany, homogeniczny koktajl przypominający park tematyczny. Coś na wzór ostentacyjnej konsumpcji Las Vegas czy Disneylandu dla dorosłych. Bo w dubajskim świecie funkcjonuje wiele gigantycznych oaz wypoczynkowych, czy, jak się przyjęło nazywać, parków rozrywki, a nowe, coraz ambitniejsze projekty są w nieustannej budowie.

NA MIĘDZYNARODOWYM CZACIE

Nadchodzi pora naszej debaty.

W ciągu piętnastu minut zbiera się przy komputerach międzynarodowe towarzystwo. Na szczęście mam w moim Macu program pozwalający zapisywać rozmowy, daję się więc wygadać wszystkim, których zaprosił Izmir. Na początku stawiam oczywiste pytanie: co sprowadziło moich rozmówców do Dubaju?

— Dubaj intrygował mnie od samego początku — dzieli się swoimi wrażeniami Marcel, Francuz pracujący w usługach geodezyjnych. — Zdecydowałem się przyjechać pomimo głosów ostrzegających, że życie tutaj nie będzie proste. I rzeczywiście, już na samym początku trzeba było przestawić swoją mentalność. Nie skrywam, że dzisiaj jestem nawet zachwycony podszytymi pychą inwestycjami i tym bardzo żywym, innowacyjnym miastem, gdzie na każdym kroku można liczyć na życzliwy uśmiech. Pod jego złotą powierzchnią istnieje też inny Dubaj, tradycyjny, prostszy i bardziej intrygujący. To Dubaj islamski, ze swoimi wystawnymi meczetami, sukami i starą dzielnicą Al-Bastakija. To miasto, w którym didżeje kończą pracę na krótko przed śpiewem muezina wzywającego wiernych do modlitwy.

— Plusy i minusy bywają w każdym aspekcie tutejszej codzienności — dopowiada Cris, steward linii lotniczych Emirates. — Bywa, że ludzie, zaślepieni łatwym zarobkiem i płytką propagandą, dokonują wyborów, których przychodzi im potem żałować.

— No dobrze, zacznijmy od tego, z jakimi problemami boryka się przyjezdny — rzucam kolejne pytanie.

— Lista złych stron jest pokaźna, niektóre znacząco wpływają na to, że nie każdy potrafi się tu zadomowić. To trochę taka plastikowa bańka, z zewnątrz świecąca, w środku pusta — uważa Zuzia, Polka, która w Dubaju znalazła się ze względu na pracę męża. — Powiem tak: to wirtualny świat, którego nie można traktować jako prawdziwego domu. W Dubaju wszystko jest sztuczne. Sztuczne wyspy, sztuczne stoki narciarskie, sztuczne jedzenie, nawet przyjaciele są sztuczni. Trudne lub prawie niemożliwe są stosunki z rdzennymi mieszkańcami, którzy pomimo pozornie przyjaznego traktowania napływowych są bardzo powściągliwi i unikają nawiązywania bliższych znajomości. W pracy relacje ograniczają się do oficjalnych. Jeśli stoimy w kolejce, to może się zdarzyć, że ich obsłużą najpierw, nawet jeśli byli za nami. Daje się nieraz we znaki brak obywatelskiej wolności, bo w imię ochrony tradycyjnej muzułmańskiej moralności czy reputacji emiratu i jego liderów media są objęte cenzurą. Rząd blokuje wszystkie strony internetowe uważane za obraźliwe względem wartości kulturowych czy przesiąknięte przemocą, seksem lub ateizmem. Wprawdzie istnieją sposoby, aby obejść tę niewygodną przeszkodę, ale problem pozostaje. Nie wiem, czy to prawda, ale ktoś mówił, że został ukarany grzywną za wpisanie na Facebooku, że nudzi się podczas ramadanu.

— Przypominam sobie, że kiedyś — ciągnie Zuzia — głos na ten temat zabrał Aleem Jumaa, szef cenzury Dubaju, który powiedział, że Dubajczycy nie pozwolą na obrażanie ich kraju lub władcy, na nic, co mogłoby wywołać rozruchy, na pokazywanie niemoralnych obrazów ani promowanie alkoholu czy narkotyków. To właśnie w jego biurze kilka lat temu zapadła decyzja okrojenia filmu *Syriana* z George'em Clooneyem w roli głównej. Pokazano w nim między innymi historię Wasima, młodego robotnika pakistańskiego, pracującego w bliżej nieokreślonym bogatym kraju Zatoki Perskiej. Chłopak zaprzyjaźnia się z terrorystą i staje się zamachowcem samobójcą. Ale nie to przeszkadzało cenzorom. Młody człowiek i jego ojciec reprezentują świat azjatyckich imigrantów, którzy za głodowe płace budowali Dubaj. Losy Wasima mogłyby stać się detonatorem niezadowolenia robotników, bo na filmie pokazane zostały potworne warunki bytowe, bezduszny reżim pracy oraz przemoc policji, gdy uciskani ośmielili się protestować.

— Odczuwasz ingerencję cenzury? — pytam.

— Nigdy nie widziałam, aby na przykład pokazano los niskopłatnych najemnych robotników — bez zwłoki odpowiada Zuzia. — Uwaga skupiona jest prawie zawsze wyłącznie na osiągnięciach. Ponadto drażnią mnie wszechobecne kamery przemysłowe do kontroli ruchu drogowego. Metropolia razi swoją bezdusznością, bo, nastawiona na biznes i pracę, ocenia człowieka po tym, co ma, a nie jaki jest. Więcej pieniędzy, większy szacunek.

Alessandro, operator turystyczny przybyły z Padwy, opowiada, jak to nabył u pośrednika za 9320 dolarów siedmioletniego jeepa cherokee. Zaproponowano mu też tablicę rejestracyjną „57775" za podwójną wartość nabytego auta. Zdecydował się jednak kupić dużo tańszą, banalną, „E 11016" za sto dolarów.

Zupełnie nie zrozumiałem, o co mu chodzi.

— Bo tutaj, Jacku, tablica rejestracyjna może być warta bajońską sumę. Pod hotel, w którym mieszkasz, podjeżdża porsche, lamborghini czy aston martin i to nie wzbudza żadnego zainteresowania. Markowy samochód czy pałac nie są wystarczającym wyznacznikiem statusu społecznego i konta bankowego. Od dawna zakorzeniła się tutaj mania posiadania takiej tablicy rejestracyjnej, która wyróżniałaby się w tłumie. W Stanach Zjednoczonych używa się tablic personalizowanych, praktykujecie to też chyba w Polsce. Tutaj szczytem próżności są tablice z jak najmniejszą liczbą cyfr czy też z cyframi powtarzającymi się albo ustawionymi w kolejności, przykładowo: 222, 99999, 1234. Można je kupić na specjalnie organizowanych aukcjach, których dochód zasila potem konta organizacji charytatywnych. Zawsze kosztują więcej niż luksusowe auto. Na ostatniej sprzedano „S Dubaj 500" za ponad czterysta tysięcy dolarów. Gdyby zamiast „S" była początkowa litera alfabetu, miałaby dwukrotną wartość. Za tablicę dwucyfrową trzeba zapłacić nawet kilka milionów. Jeśli więc widzisz rejestrację z jedną, dwiema lub nawet trzema cyframi, to raczej nie zatrąbisz na taką osobę.

— Dlaczego? — dziwię się.

— Mój dobry znajomy, szef międzynarodowego koncernu, jadąc autostradą, wyprzedzał szóstym, zewnętrznym pasem jakiegoś kierowcę, który zaczął się z nim ścigać i nie pozwalał się wyprzedzić. A ponieważ jechali na dopuszczalnej granicy stu dwudziestu kilometrów na godzinę, to wyprzedzanie zaczęło się przeciągać. Tymczasem jakiś samochód z tyłu, z mocno przyciemnionymi wszystkimi szybami, właśnie z taką trzycyfrową rejestracją, niecierpliwie migał światłami, żądając, by mu ustąpili miejsca. W pewnym momencie jego kierowcy puściły nerwy i postanowił wyprzedzić na siódmego. Otarł się na początek o auto mojego przyjaciela, po czym wcisnął się między niego a barierkę, aż się iskry posypały, i zmusił go do zjechania nieco w prawo. Oba auta nadawały się do warsztatu blacharskiego. Finał tej przygody był zaskakujący. Podjeżdżając pod dom, pechowy kierowca zobaczył, że czeka już na niego policja z oskarżeniem, że rzekomo znieważył matkę wyprzedzającego go Emiratczyka. Na szczęście zakończyło się tylko naganą, choć już pachniało deportacją.

— Duszą nas przeogromne korki. — Alessandro kontynuuje temat komunikacyjny. — W godzinach szczytu trzeba nieraz poświęcić dwie godziny na przejazd do pracy i z pracy albo na odwiezienie dzieci do szkoły. Znalezienie w centrum wolnego miejsca do zaparkowania graniczy z cudem. Dzisiaj właśnie stałem w takim gigantycznym korku na Sheikh Zayed Road. Wszystkie sześć pasów było kompletnie zatkanych. Ale cóż, to jest czwartek, czyli po południu ruch jest trzy razy większy niż w piątek w europejskiej stolicy. Nic na to nie poradzimy, bo przeciętna rodzina ma więcej niż dwa samochody.

Czytałem raporty miejscowych władz: w mieście jest więcej aut w przeliczeniu na jednego mieszkańca niż w Nowym Jorku, Londynie czy Hongkongu, dokładnie 540 na tysiąc osób! W 2014 roku było prawie półtora miliona samochodów. Co roku liczba pojazdów wzrasta. Jeśli ta tendencja się utrzyma, to w 2020 roku po ulicach trzyipółmilionowego Dubaju może jeździć 2,2 miliona aut. Władze Dubaju liczyły na rozluźnienie ulicznych korków, nagradzając tych mieszkańców, którzy zostawią auta w garażu i przesiądą się do metra, autobusu czy tramwaju. Ale nic z tego nie wyszło i sterczenie w korkach stało się częścią miejscowego rytuału.

— Jeśli ktoś mieszka w peryferyjnej dzielnicy, tak jak ja w Remraam na przykład, gdzie wynajmuję 80-metrowe mieszkanie za 800 euro, jedną trzecią kwoty, jakiej życzą sobie bliżej centrum, musi mieć samochód, bo w centrum skoncentrowane jest wszystko: sklepy, szpitale, stacje benzynowe, biura policji i szkoły. Komunikacja miejska nie zawsze się przydaje, zwłaszcza jeśli ktoś mieszka daleko od stacji metra.

— Trzeba też zwrócić uwagę na to, co dzieje się na drogach Dubaju — mówi Marcel. — Szczególne niezdyscyplinowanie i niską kulturę jazdy prezentują Hindusi i Pakistańczycy, których za kierownicą jest najwięcej. Doświadczam tego, jeżdżąc taksówkami. Mają luźne podejście do przepisów i pozostałych użytkowników dróg. Nie pamiętają o kierunkowskazach, nagminnie ignorują przejścia dla pieszych, nieustannie trąbią, poruszają się dwoma pasami jednocześnie, a co najgorsze — nie honorują auta nadjeżdżającego z prawej strony, a nieraz nawet i czerwonego światła. Na dodatek, pracując po kilkanaście godzin na dobę, bywają bardzo zmęczeni i zdekoncentrowani, a to prowadzi do stłuczek. W takim ruchu zasada ograniczonego zaufania staje się głównym prawidłem.

W Dubaju dochodzi do wypadku średnio co trzy minuty. Swego czasu miasto zwróciło się do Wielkiego Mufty Dubaju, najwyższego sunnickiego muzułmańskiego duchownego, aby w swojej fatwie, czyli opinii prawnej, napiętnował piratów drogowych.

— No dobrze — pytam — a jak wygląda sprawa karania piratów drogowych?

— Faktem jest, że kary są surowe — stwierdza Marcel. — Za przekroczenie prędkości nakładają tu tylko wysokie grzywny, ale za

inne wykroczenia drogowe do kwoty pieniężnej dochodzi konfiska-
ta auta na tydzień. W przypadku recydywy mogą go już nie oddać,
a ponadto zamknąć kierowcę w więzieniu. Jazda po pijanemu kończy się najczęściej miesięcznym aresztem, wraz z bardzo wysoką
grzywną i konfiskatą auta na trzy miesiące. Za powtarzające się prze-
winienia delikwent ryzykuje odesłaniem do kraju.

— Trzeba przyjąć za regułę — dopowiada Alessandro — że w razie stłuczki autochton ma zawsze rację. Lokalne prawo jest wyjątkowo
wielkoduszne i tolerancyjne dla miejscowych. System sądownictwa federalnego wywołuje nieraz konsternację, bo nie zawsze jest niezależny
i bezstronny. Opiera się na systemie dualnym, mianowicie kodeksu
karnego i szariatu regulującego normy społeczne, co też ma odbicie
w jego arbitralnym stosowaniu. To labirynt klauzul i obwarowań, nawiązanie do prawa rzymskiego i jurysdykcyjnych pułapek technicznych, z nawiasami wewnątrz nawiasów i niekończącymi się frazami
prowadzącymi w próżnię. Często też sądy wydają wyroki według
„sugestii" szczebli decyzyjnych. Kuriozalne, rażąco niesprawiedliwe
wyroki godzące w elementarne poczucie sprawiedliwości zdarzają się
nagminnie. Sąd potrafi albo oddalić wnioski dowodowe, albo nie roz-
poznając istoty sprawy, podjąć urągające zasadom prawa orzeczenia.
Sędziowie zwykle pochodzą z krajów arabskich, głównie z Egiptu, i na
swój sposób interpretują kodeks o anglosaskich korzeniach, dopusz-
czając się nieprawidłowości formalnych.

— W Dubaju oprócz trybunałów orzekających w sprawach kar-
nych, cywilnych i handlowych istnieją także sądy islamskie dla sporów moralnych, rodzinnych czy religijnych — podpowiada mecenas
Jerzy Ł. — Ustawodawstwo ma duże luki, a w przypadku sporów ekspatów z obywatelami emiratu rzeczywiście interpretacja zwykle ko-
rzystna jest dla tych ostatnich. Trzeba wiedzieć, że sąd kasacyjny za-
wyrokował swego czasu, że werdykty trybunałów zagranicznych nie
mogą być egzekwowane w Zjednoczonych Emiratach Arabskich. To
samo odnosi się do orzeczenia międzynarodowego arbitrażu handlowego, który rozstrzyga spory między osobami fizycznymi i prawnymi mającymi swoje siedziby w różnych państwach, nawet jeśli roz-

prawa miała miejsce w tutejszym sądzie, jak zwykle to ma miejsce w sporach między firmą zagraniczną i lokalną. Dlatego, nawet jeśli ZEA podpisały Konwencję nowojorską z 1958 roku o uznawaniu i wykonywaniu zagranicznych osądów arbitrażowych, odwołanie się do takiej instytucji nie oferuje specjalnych gwarancji. Warto też dodać, że wszystkie procesy zawsze odbywają się w języku arabskim.

Nikt tutaj nie ocenia pracy sędziów ani nie odwołuje się do wyższych instancji. Nie można też zaskarżyć wyroku do Europejskiego Trybunału Praw Człowieka. Jedyne, co nieraz skutkuje, to apel placówki dyplomatycznej kraju osoby „pokrzywdzonej" u głowy państwa. Podobno rząd czyni starania, aby jakoś naprawić nieprzejrzystość wymiaru sprawiedliwości, ale postępów nie widać.

— Uważam, że niełatwo będzie to przeprowadzić. Potrzebne są radykalne kroki lub, jeszcze lepiej, należy zbudować cały system prawodawczy od nowa — kończy swój wywód Alessandro.

Do tematu tego wróciłem jeszcze w Polsce. Moja przyjaciółka adwokat Joanna Hetman-Krajewska tak to ujęła:

— Zdumiewający jest kontrast pomiędzy ekonomiczną i technologiczną nowoczesnością emiratów a systemem prawnym i społecznym tego kraju. Należy jednak odróżnić dwie kwestie: zakres uregulowań prawnych i ich zasady od ich praktycznej realizacji przez organy ścigania i wymiar sprawiedliwości. Często bowiem okazuje się, że te pierwsze mają zdrowe, nowoczesne podwaliny, ale brakuje im społecznej akceptacji, co skutkuje rozdźwiękiem i naruszeniami praw człowieka oraz zasad państwa prawa w naszym, zachodnim rozumieniu. Wynika to z odrębnego podłoża aksjologicznego systemów społeczno-normatywnych Zachodu oraz krajów arabskich — w kulturze Zachodu centralną wartością jest jednostka, jej prawa i wolności, podczas gdy w krajach arabskich kluczowa jest ochrona zbiorowości, a prawa pojedynczych ludzi schodzą na dalszy plan. Bez wątpienia już samo podporządkowanie prawa zasadom religijnym jest naruszeniem podstawowego prawa człowieka, jakim jest swoboda wyboru wyznawanego światopoglądu. W Europie to od wielu lat standard, w krajach arabskich — nie. Co prawda 25. artykuł konstytucji Zjednoczonych Emiratów Arabskich zapewnia równe traktowanie ludzi bez względu na ich przynależność rasową, religijną, narodowościową i społeczną, jednak — jak pokazuje wiele przykładów — ta norma prawna niekoniecznie przekłada się na życie.

Przypominam sobie teraz, że początkowo zamierzałem wynająć samochód, bo to wyjątkowo tani interes, zwłaszcza jeśli bierze się nieduże auto. Miałbym wtedy większą swobodę poruszania się, ponadto chciałem wybrać się do sąsiednich emiratów. Szybko jednak porzuciłem ten pomysł, bo prowadzenie pojazdu wymaga dużego skupienia, a do tego system nawigacji satelitarnej jest mało przydatny ze względu na nieustanne zmiany organizacji ruchu. W tej chwili cieszę się ze swej przezorności — kto wie, czy nie wylądowałbym w jakimś areszcie?

Głos zabiera do tej pory cicho siedzący Cris:

— Problem jest dużo poważniejszy, bo to właśnie szariat ma zapewnić społeczeństwu pomyślność, oferując ochronę i przepisy związane z każdą sferą życia muzułmanina. Stąd wynikają obowiązki, zakazy czy prawa trudne dla nas do zrozumienia, a tym bardziej do zaakceptowania.

— Co do sprawiedliwości, to zdarzają się wyjątki — dołącza do dyskusji zaproszony przeze mnie Piotr. — Na przykład jakiś czas temu gazeta „Gulf News" informowała, że sąd apelacyjny w Dubaju podtrzymał karę 15 lat więzienia dla 46-letniej mieszkanki Zjednoczonych Emiratów Arabskich oskarżonej o bicie kijem i torturowanie służących. Jedna z nich, Etiopka, została zmuszona za karę do wypicia pestycydu, w wyniku czego poniosła śmierć. Inna cudzoziemka, zajmująca się dziećmi, zeznała w sądzie, że oskarżona pani domu nękała ją nieustannie, bo w nadmiarze pracy przez nieuwagę zbiła kryształową wazę. Zwykle po interwencji kogoś ważnego takie przypadki zostają wyciszone. Zwłaszcza sprawy związane ze sferą erotyczną, które stanowią tabu. Gdzie jednak tak się nie dzieje?

Alessandro podejmuje temat ewentualnego aresztowania.

— Widzisz, przyjacielu, w Dubaju system bezpieczeństwa jest naprawdę dobrze zorganizowany. Mundurowych policjantów nie uświadczysz, ale po cywilnemu są wszędzie, we wszelakich możliwych i niemożliwych przebraniach, przenikają do wszystkich środowisk. Wspomaga ich wszechobecny monitoring, wszystko i wszyscy są pod bezustannym nadzorem rozsianych po mieście ukrytych kamer. Kontrolują i monitorują wszystkich, poprzez paszporty i telefony komórkowe, podczas meldowania się w hotelu, wynajmu samochodu, podpisywania umów o usługach telefonicznych, wynajmu domu itd. Wszystkie informacje spływają bezpośrednio do policji. W ten sposób wie ona w czasie rzeczywistym, gdzie znajduje się dana osoba, jakim jedzie autem, z jakiego numeru telefonu dzwoni. Gdy pojawia się jakiś problem, natychmiast jest w stanie trafić na ślad poszukiwanego. Mało też ekspatów wie, że obywateli zachęca się do zgłaszania „szkodliwych", naruszających niepisane standardy moralne zachowań — kończy z kpiną Włoch.

No cóż, osobiście mam swoje zdanie w tej materii. Niestety, ład publiczny i porządek mają swoją cenę. Nie mam nic przeciwko takiemu systemowi, bo wiem, że to oznacza większe bezpieczeństwo, czyli dobro niemające ceny. Praktyka europejska dowodzi, że strategia partnerskiej współpracy z policją i tworzenie właściwego klimatu przez budowę wzajemnego zaufania przynosi wymierne efekty w zapobieganiu przestępczości i zwalczaniu jej. Informowanie odpowiednich służb o nagannym postępowaniu nie jest donosicielstwem, ale wręcz moralnym obowiązkiem, chociaż w naszym polskim rozumieniu współpraca z nimi jest, jeśli nie naganna, to przynajmniej dwuznaczna moralnie. Dzięki temu, że tutejsze społeczeństwo ma świadomość, iż może wpływać na porządek publiczny, w Dubaju przestępczość prawie nie istnieje. Smutne jest to, że zasady karania są inne dla autochtonów, a inne dla ekspatów.

— Wprawdzie 18-tysięczna armia stróżów porządku nie jest zauważalna, za to cały świat wie, że istnieje policja drogowa — kontynuuje swoją krytykę Alessandro. — Na ulicy widuje się ją rzadko, częściej w mediach, gdzie ochoczo prezentowana jest flota superaut, z których najtańsze to lamborghini.

Gdy po powrocie do Polski opowiadałem o Dubaju, ludzie często pytali, jakimi autami jeżdżą szejk i elita kraju, bo nasi rodacy mają dużą słabość do samochodów dobrze wyposażonych i oczywiście odpowiedniej marki. Dla wielu to atrybut zamożności. Jeden ze znajomych automaniaków, który dopiero co wrócił z Moto Show we Frankfurcie, gdzie chciał zapoznać się z wszelkimi nowinkami, z przejęciem wypytywał właśnie o policyjne auta. A ja nie potrafiłem odpowiedzieć, bo nigdy się nie interesowałem samochodami. Jeżdżę oplem, ale gdy ktoś zapyta, jakim, to przekornie odpowiadam, że nie wiem. I nie ukrywam, że żal mi trochę tych, dla których marka samochodu jest wyznacznikiem społecznej pozycji.

Komputerowy czat zaczyna przygasać, proponuję więc zmianę tematu.

Pojawia się kwestia klimatu.

Od czerwca, a nawet już od maja, do października w Dubaju królują obezwładniające upały, temperatury sięgają nawet 50 stopni przy wilgotności 90 procent. To jest bardzo męczące nie tylko dla ludzi starszych. Na szczęście wszędzie jest klimatyzacja. Życie sprowadza się tu do mieszkania w klimatyzowanym domu, podróżowania klimatyzowanym samochodem i pracy w klimatyzowanym biurze. To nieustanny szok dla organizmu, bo chłodne pomieszczenie oznacza często temperaturę 16 stopni, zatem różnica jest ogromna. W centrach handlowych czy w metrze jest tak zimno, że zawsze trzeba zabierać ze sobą lekki sweterek i szal.

Dokuczliwe bywają burze piaskowe, które potrafią nagle ograniczyć widoczność do kilku metrów. Powietrze jest gęste od drobniutkiego pyłu, wszystko jest zawoalowane, a wszechobecny pustynny kurz odkłada się cienką warstwą w mieszkaniu.

Następny temat dotyczy stosunków w pracy. Tutaj każdy obcokrajowiec uzależniony jest od pracodawcy, który ingeruje w różne aspekty prywatnego życia. To on daje zgodę na uzyskanie prawa jazdy, na zmianę pracy i temu podobne.

Zuzia opowiada znów z zapałem:

— W odróżnieniu od Polski, gdzie zwykle obchodzi się imieniny, urodziny, rocznice ślubu, w Dubaju wszyscy przyjezdni są przede wszystkim zajęci pracą i dojazdem do niej. W tygodniu w zasadzie nie ma wolnego czasu i rzadko wychodzi się z domu. Co innego w tutejszy weekend, czyli w piątek. To dzień rekreacji, poznawania miasta, prywatnych odwiedzin, wyjazdu na plażę. Albo też wieczór spędzony w restauracji, jakimś barze lub klubie nocnym. Niektórzy chodzą na mszę świętą do kościoła Matki Bożej. Może pomieścić nawet 1700 osób, ale miejsca nie wystarcza, bo katolików w Dubaju jest przynajmniej ze czterysta tysięcy, głównie pracowników sezonowych pochodzących z Indii i Filipin.

— Z pewnymi niedogodnościami należy się liczyć w czasie ramadanu, podczas którego muzułmanie poszczą od świtu do zmierzchu — zabiera głos Marek, który przeżył tutaj już trzy takie posty. Dołączył do rozmowy na zaproszenie Zuzi. — Przestrzeganie ograniczeń w środowisku pracy zależy od dyskrecji pracodawcy. W biurze staram się jeść po kryjomu, pić chodzę do łazienki, papierosy palę cichcem na korytarzu. Moi arabscy koledzy pracują na zwolnionych obrotach. W mieście rytm życia też jest spowolniony, niektóre restauracje są zamknięte, a jeśli już otwarte, to można kupić jedzenie tylko na wynos. Jedyną korzyścią jest fakt, że pracujemy wtedy dwie godziny krócej.

— Brakuje mi nieraz normalnego życia. Chwilami odnoszę wrażenie, że to miasto nie jest dla ludzi — zauważa Jarosław, montażysta dźwigów produkowanych w oławskiej firmie Metalerg na konkretne zamówienie dla Dubaju. — Dubaj wydaje mi się bardziej miastem do oglądania niż do mieszkania. Ten wygenerowany na pustyni produkt ma wszystkie atuty, aby ochrzcić go mekką dla urlopowiczów, spragnionych niebanalnych doznań, splendoru i słońca 350 dni w roku.

Z naszej długiej rozmowy wynika jeden wniosek: wielonarodowościowy miks może być ciekawy i edukujący, lecz ograniczenia kulturowe, które da się zamknąć w trzech słowach: religia, alkohol i kobiety, są dla Europejczyków mało komfortowe.

— Oczywiście, różnice istnieją, ale ich skala jest mitem — próbuje minimalizować podniesione kwestie zaproszony przez Jarosława sąsiad. — Nie ma żadnych większych ograniczeń dla stylu życia według własnych upodobań poza zasadami wynikającymi ze zdroworozsądkowego poszanowania dla kultury i tradycji kraju gospodarza oraz sąsiadów i współpracowników pochodzących z różnorodnych kultur. Gorzej mają kobiety. Niektóre narzekają na złe postrzeganie, bo w mentalności muzułmanów wyemancypowana kobieta często bywa automatycznie degradowana do poziomu prostytutki.

— Moi kochani, przecież chyba nie zebraliśmy się tu, żeby cały czas narzekać. Jeśli byłoby tu tak źle, to już dawno byśmy stąd wyjechali — wkracza do dyskusji Darek, inżynier z branży budowlanej, którego poznałem kiedyś przypadkowo w lobby mojego hotelu. — Dubaj oferuje mnóstwo możliwości wypełnienia wolnego czasu i prowadzenia aktywnego życia. W odróżnieniu od Abu Dhabi, gdzie godziny pracy są przeplatane i odmierzane modlitwami. Tu nie ma stałych rozkładów dnia. Cały czas się coś dzieje. Koncerty, eventy korporacyjne, pokazy znanych projektantów mody, gale najróżniejszego typu. Jeśli chcę uciec od zgiełku miasta, biorę namiot, śpiwór i wyruszam jeepem z przyjaciółmi na dwudniową wędrówkę przez pustynię. Nieraz wyskakujemy do Omanu, gdzie nad samym morzem są okazałe wydmy. W ekskluzywnym obozowisku zjadamy kolację, delektując się zmysłowym tańcem brzucha. Możliwości są nieograniczone. Jest też dużo światowej rangi imprez sportowych. Ludzie w Dubaju pasjonują się głównie piłką nożną, a jej gwiazdy zarabiają krocie. Nieco mniejsze wynagrodzenia są na wyścigach konnych, w golfie czy sportach motorowych. Dwadzieścia lat temu pojawiły się wielkie imprezy tenisowe, czołowi zawodnicy przyjeżdżali chętnie, bo otrzymywali nagrody już za same „startowe", nie mówiąc o nagrodach dla zwycięzców. Tymczasem powstawały drogie obiekty, duże kluby i nowe turnieje. Pomimo szczerych intencji i szkoleń na różnych szczeblach mistrzów tenisa jednak nie wychowano.

À propos futbolu nasuwa mi się od razu pewna refleksja. Polscy piłkarze okazują się dobrymi ambasadorami w emiratach. Tak jak niegdyś obok najbardziej rozpoznawanego na świecie Polaka, czyli Jana Pawła II, na wszystkich kontynentach znano nazwiska Laty, Deyny, Gadochy, tak teraz recepcjonista hotelu odniósł się do mnie z rewerencją, bo pochodzę z tego samego kraju, co podziwiany przez niego Lewandowski.

W sukurs Darkowi idzie Scott, Anglik, którego wysłała tutaj firma budowlana z Cardiff. Nie wiedział, dokąd jedzie, liczył, że kontrakt zakończy się po trzech latach. Pracuje już dziewięć lat i wcale nie śpieszy się z powrotem w rodzinne strony. Żyje ponad stan w dużym apartamencie na jednej z Wysp Palmowych, z oknami od podłogi do sufitu, za którymi rozciąga się widok na całe miasto.

— To galaktyka, która zapewnia nieskończone możliwości. Chwalę sobie wysokie dochody i komfort, w jakim żyję. Ale muszę uważać, aby nie wyłamać się z obowiązującej „etykiety", bo wtedy idylla łatwo może się ulotnić i będę zmuszony do opuszczenia kraju. Nie mogę też wsiąść za kierownicę nawet po najmniejszym drinku, bo za to ląduje się w więzieniu.

I w ten sposób nasz optymista sprowadził rozmowę znów do zagrożeń.

W dyskusji stale powraca sprawa kosztów utrzymania. Jeśli ktoś dobrze zarabia, to ceny na rynku, trochę wyższe niż w Polsce, nie mają znaczenia. Jednak osoby o umiarkowanych zarobkach wyraźnie odczuwają różnicę. W komfortowej sytuacji znajdują się pracownicy międzynarodowych korporacji, które gwarantują szeroki pakiet obejmujący bezpłatne mieszkanie, samochód, opiekę medyczną, często także edukację dzieci.

Osobiście poznałem osoby z klasy średniej, których takie luksusy nie obejmują i które nie mogą sobie pozwolić na bezstresowe życie. Ich pobyt często staje się nieopłacalny. A nie daj Boże, jeśli ktoś straci pracę, wtedy ma się tylko jeden miesiąc na znalezienie nowego pracodawcy, w przeciwnym wypadku delikwent musi wyjechać z kraju.

Trzeba wiedzieć, że cały czas rosną ceny wynajmu mieszkań. Wprawdzie różnią się w zależności od lokalizacji i standardu, ale za przeciętny apartament trzeba wyłożyć od 4 do 10 tysięcy dirhamów. Kawalerkę da się znaleźć za 3,5–5 tysięcy, ale na wstępie należy uiścić depozyt i kilkumiesięczną kaucję. Wysokie są rachunki za elektryczność i wodę. Na przykład Piotr płaci w gorącej porze roku, od maja do października, kiedy używa klimatyzacji, 3500 dirhamów miesięcznie, a od listopada do kwietnia połowę tej kwoty. To są pokaźne koszty. Nie ma chyba jednej prawdy o opłacalności zatrudnienia się w Dubaju. Sytuacja nie jest tak jednoznaczna, jak w czasach PRL-u, gdy praca na Zachodzie oznaczała dla Polaka wejście do raju. Każdy tutaj ma swój indywidualny przelicznik.

Na koniec głos zabiera Jana, Polka, która wyszła za mąż w Wielkiej Brytanii za konsultanta finansowego i przyjechała z nim tutaj pięć lat temu.

— Mówi się, że mieszkania ma tu prawie 100 tysięcy Brytyjczyków, wśród których są najsłynniejsi fani Dubaju, czyli David Beckham i Rod Stewart — dzieli się swoimi spostrzeżeniami. — Wszyscy cenią sobie możliwość wygrzewania się z dala od zimnego i mglistego Londynu. Traktują to miejsce trochę jak swoje terytorium, które nieopatrznie opuścili w połowie lat sześćdziesiątych, na krótko przed tym, jak popłynęła tutaj gęstą strugą ropa naftowa. Teraz żyją w świecie przypominającym wspaniałe czasy, utracony splendor i chwałę Imperium Brytyjskiego. Idealne miejsce na zaspokojenie kolonialnej nostalgii.

KOMFORTOWY BYT EKSPATÓW

Podobnie jak wielu Polaków Piotr Długosz znalazł się w Dubaju po zdobyciu doświadczenia w innych obcych krajach. Od razu przypadliśmy sobie do gustu i szybko się zaprzyjaźniliśmy. Dzisiaj to „mój" człowiek w Dubaju, osobisty „ambasador".

Korzystam z jego zaproszenia na przejażdżkę po Zatoce Perskiej. Wypływamy w pełnym słońcu z niewielkiego portu rybackiego sąsiadującego z Dubai Offshore Sailing Club. Trafia mi się pyszna okazja obejrzeć miasto od strony morza. Jako żeglarz powiedziałbym, że pogoda jest beznadziejna, nawet śladu wiatru, jak zwykle zresztą w tym regionie, tylko słońce. Dominuje ono cały okrągły rok, jest tak silne, że na horyzoncie trudno odnaleźć linię zetknięcia się nieba i pustyni. Nigdy nie widziałem w Dubaju chmury, tak jakby one w ogóle nie istniały. Błękit nieba zawsze taki sam, bez najmniejszej zmiany tonacji. Mogłaby być z powodzeniem jedenasta rano albo czwarta po południu i gdybym nie patrzył na słońce i zegarek, nie zauważyłbym upływu czasu. A potem, nagle, z zadziwiającą szybkością zapada zmrok.

Odbijamy powoli białym ścigaczem od nabrzeża, zostawiając w oddali las drapaczy chmur. Białe i różowe, w większości zbudowane na bazie prostokąta lub kwadratu wieżowce nakryte są często srebrzystymi kopułami. Spośród nich wyróżnia się świeża Infiniti Tower. Sprawia wrażenie wieżowca po przejściach — jakby za jego szczyt złapała dłoń olbrzyma i okręciła dwa razy wokół osi.

Mój przyjaciel jest pasjonatem motoryzacji, lubi dobre, szybkie samochody, ale też i komfortowe łodzie, tak jak ta, długa na 25 stóp

(7,5 metra) z silnikiem Mercury 300 KM, pozwalającym rozwijać prędkość nawet 50 węzłów.

Początkowo bierzemy kurs na otwarte wody. Widoczność ograniczają ostre słońce, wilgoć i pył zawieszony w powietrzu. Oddycha się ciężko, w usta wpadają niepostrzeżenie tysiące drobin piasku, linii horyzontu niemal nie widać, chociaż z brzegu widziałem delikatną kreskę dzielącą jasny błękit nieba od turkusu morza.

Piotr, jakby odgadując moje rozterki, macha ręką.

— To nic w porównaniu z tym, co dzieje się w marcu i we wrześniu, kiedy masy ciepłego powietrza napływające znad pustyni oziębiają się nad chłodną morską wodą. Wszystko spowija gęsta mgła, która paraliżuje miasto i utrudnia ruch lotniczy.

Oglądałem kiedyś fotografie lotnicze ukazujące wierzchołki drapaczy chmur wynurzające się niczym zjawy z mlecznej mgławicy. Widok surrealistyczny.

Z tej odległości tonące w półmgle najwyższe wieżowce świata przypominają pozbawione życia skamieniałe pnie starożytnych sekwoi, siłą umarłego ducha trzymające się pionu, jak nauczyła je natura przed tysiącami lat.

Dopiero kiedy Piotr nadaje swojemu morskiemu rumakowi tempa, pozwalając, by ostry dziób rozbijał słabe fale, zbliżająca się ostoja przepychu znów nabiera współczesnych kształtów.

— Dżamira! — słyszę okrzyk i biegnę wzrokiem w stronę, którą wskazuje Piotr.

Ach, Palma Jumeirah! Mijamy właśnie osiedle wzniesione na sztucznej wyspie. Apartamentowce usytuowane na pniu palmy, kompleks ekskluzywnych domków dla wyrafinowanych klientów na liściach jej korony i przyciągający uwagę kompleks wypoczynkowy Atlantis na samym czubku palmy, wybudowany w hołdzie zapomnianej mitycznej cywilizacji — Atlantydzie.

— To jedyna do tej pory zamieszkana palma — informuje gospodarz. — Pozostałe dwie czekają na lepsze czasy.

Manewrując manetkami i sterem, Piotr z wprawą zatacza łuk. Robimy rundę wewnątrz Mariny, drugiego centrum Dubaju uważanego za najbardziej ekskluzywne osiedle mieszkaniowe w mieście. Z daleka widziałem właśnie to imponujące zagęszczenie strzelistych wieżowców skoncentrowanych wokół sztucznego jeziora połączonego z morzem. To ogromny port jachtowy, coś na wzór przystani w Vancouver zbudowanej u stóp skupiska wysokich budynków. Marina, uważana za najbardziej „zachodnią" dzielnicę miasta, stała się symbolem jego rozwoju i widokiem przypomina mi Hongkong, chociaż atmosferą jest bliższa Miami na Florydzie. To też centrum lansu, gdzie miejscowi przyjeżdżają, żeby na promenadzie pełnej ekskluzywnych butików i renomowanych lokali pochwalić się swoim luksusowym supersamochodem dla wybrańców. Elektryzujące, nierzadko platerowane złotem, przyciągające wzrok auta są dziełem motoryzacyjnej sztuki, pochodzą z bardzo krótkich serii, wyróżniają się futurystycznym wyglądem i mocnym silnikiem pozwalającym rozpędzać się do setki w kilka sekund. I oczywiście liczącą się w milionach dolarów ceną. A nieraz i ekstrawagancją. Moi znajomi widywali na siedzeniu obok kierowcy duże maskotki, na przykład małego tygrysa czy lwa.

Na jednym ze zrobionych przeze mnie zdjęć drapaczy chmur znalazł się osiemdziesięciopiętrowy apartamentowiec Torch Tower, czyli Pochodnia. Nomen omen, miesiąc później zapalił się w środku nocy. Według obserwatorów widok był przerażający, niczym z pamiętnego filmu *Płonący wieżowiec* ze Steve'em McQueenem i Paulem Newmanem. Pożar wybuchł na 51. piętrze i szybko rozprzestrzeniał się w górę. Straż przybyła już dziewięć minut po pojawieniu się ognia i tylko dzięki wysokiemu profesjonalizmowi opanowano go po dwóch godzinach. Tymczasem ewakuowano w kłębach gryzącego dymu ponad tysiąc mieszkańców. Aż trudno uwierzyć, że obyło się bez ofiar śmiertelnych. A to, jak pisała tutejsza prasa, jest zasługą regularnych ćwiczeń lokalnej straży pożarnej i doskonale zorganizowanej ochrony przeciwpożarowej.

Teraz na pokładzie mknącej łodzi obserwuję z zadartą głową triumf człowieka nad naturą. Przyznam, że z mieszanymi uczuciami. Przez całe życie stoję przecież po stronie natury, jej ochrony i niezatracania się człowieka w konsumpcjonizmie.

Ale chyba po to przyjechałem do Dubaju. By dotknąć, poczuć, zbadać, jak przesuwa się granica naszych ludzkich możliwości w ujarzmianiu sił, do których pierwotni mogli się jedynie modlić.

— Chcesz zobaczyć archipelag The World?

Kiwam głową.

The World to kolejne wielkie nadbrzeżne przedsięwzięcie. Kompleks wysp, który — widziany z lotu ptaka — tworzy gigantyczną mapę świata szerokości dziewięciu kilometrów.

Pędzimy na północ, szybko zbliżając się do wyspy, która ma być w przyszłości Ameryką Południową. W tej chwili, jak cała reszta „mapy", składa się z setki mikrowysepek, między którymi prowadzą wąskie morskie kanały. Widać pływające dźwigi, barki transportowe. Ale niemal nie widać ludzi, których setki przy takiej inwestycji powinny krążyć po placu budowy.

Nie jest nam jednak dane przyjrzeć się temu magicznemu — w przyszłości — miejscu z bliska. U przejścia w falochronie zatrzymuje nas łódź patrolowa. Ubrani w jaskrawe kamizelki funkcjonariusze dają sygnał, abyśmy się oddalili.

Zawracamy.

— Niczego szczególnego nie straciliśmy — pociesza mnie Piotr. — Sam zresztą widziałeś, że z wyjątkiem jednej z trzystu wysp żadna nie jest jeszcze zabudowana. To efekt kryzysu finansowego z 2008 roku.

Zmniejsza obroty, by móc spokojnie opowiadać.

— Ta ekscentryczna inwestycja jest jedną z największych porażek budowlanych Dubaju. Rozpoczęte w 2004 roku prace miały być zakończone osiem lat później. Jednak największe inżynieryjno--architektoniczne przedsięwzięcie skończyło się klapą. Wstrzymano prace i archipelag niszczeje w wyniku erozji, zapadania się i zamulania.

Ponad trzy czwarte wysp wykupiono wkrótce po wystawieniu ich na sprzedaż, płacąc po 10–35 milionów dolarów, chociaż nieprawdą jest, że nabyli je różni celebryci. Brad Pitt i Angelina Jolie zaprzeczyli informacji rzekomego posiadania wyspy „Etiopia". Schumacher oświadczył, że wprawdzie był zainteresowany zakupem „Brunei", ale nie podpisał umowy, a były mąż Pameli Anderson zamierzał podarować małżonce „Grecję", ale też się rozmyślił.

— Teraz może coś się ruszy — tłumaczy Piotr — bo w 2014 roku na horyzoncie pojawił się austriacki deweloper, który za cenę miliarda dolarów postanowił zagospodarować kontynent europejski luksusowymi hotelami i willami, z pionierskimi rozwiązaniami technologicznymi wytwarzającymi sztuczny deszcz lub śnieg. Facet zapowiada zakończenie prac na koniec 2016 roku, ale to zupełnie nierealne. W każdym razie jest szansa, że coś drgnie.

Jedyne, co w tym momencie drgnęło, to jego dłoń. Szybko — ale nie gwałtownie — zmienił kurs, bo na naszej drodze pojawiło się dau.

Piękne!

Niemal identycznym miałem okazję pływać niegdyś w pobliżu Dar es Salaam w Tanzanii.

— Przygotowują się do regat! — informuje Piotr, a ja po prostu stoję i patrzę.

Chłonę widok tradycyjnego arabskiego statku żaglowego, w tym wypadku z jednym wielkim żaglem. Na rufie ma rodzaj daszka, w którego cieniu może się skryć wolna od pracy kilkunastoosobowa załoga. Niewielka to jednostka, ale ożaglowanie typu łacińskiego wymaga obsługi wielu ludzi. Widzę trójkątne płótno zespolone z długą ukośną rejką, która z kolei zamocowana jest do masztu niesymetrycznie: jej przednia — krótsza — część styka się ze statkiem w okolicach dziobu.

W głowie żeglarza od razu — mimowolnie — otwierają się historyczne szufladki.

Czytałem, że pierwotnie łodzie dau używane były u wybrzeży Półwyspu Arabskiego, Indii i Afryki Wschodniej. Największe z nich mustrowały nawet do trzydziestu marynarzy. Aż do lat sześćdziesiątych ubiegłego wieku odbywały pod żaglami komercyjne rejsy między Zatoką Perską a wschodnim wybrzeżem Afryki. Ładunek stanowiły głównie daktyle i ryby przewożone do Afryki, a w drodze powrotnej zabierano drewno mangrowe. Zimą i wczesną wiosną, czyli w porze monsunowej, dau kursowały na południe, powracały zaś do Arabii późną wiosną lub na początku lata.

Łódź, którą mamy przed sobą, nie popłynie pewnie w niebezpieczny półroczny rejs, pożegluje tylko po Zatoce Perskiej, dla sportu lub wożąc majętnych turystów. Ale to i tak miłe sercu, że ktokolwiek jeszcze pamięta, do czego służy żagiel.

Wracamy.

Po drodze zajeżdżamy do hotelu. Linda czeka już, elegancka, z ozdobnym szalem przerzuconym przez ramię, gotowa do wyjścia. Nasza eskapada nieco się przeciągnęła i Agnieszka, urocza żona Piotra, niepokoi się, gdzie zaginęliśmy, bo gosposia przygotowuje już kolację. Dlatego po drodze Piotr dwukrotnie odbiera telefon, tłumacząc spokojnie, gdzie jesteśmy i kiedy planuje być w domu.

Kolacja jest iście królewska. Linda wyraźnie czuje się dobrze, to jej świat! Elegancja i kultura. Nie przeszkadza jej nawet, że rozmawiamy po polsku — sporo czasu spędzamy w warszawskim mieszkaniu i opanowała nasz język na tyle, że nie ma problemu z komunikacją. W razie potrzeby tłumaczę jej na włoski trudniejsze frazy, a gdy na chwilę zostajemy sami, opowiadam jej o naszej dzisiejszej wyprawie.

Do jadalni wchodzi elegancka, smukła gospodyni. Jasne włosy i wydatne kości policzkowe zdradzają rodowitą Słowiankę. Radosne, błyszczące oczy zerkają na nas przyjaźnie.

— Zapraszam do stołu — mówi.

Podczas deseru Piotr zaczyna opowiadać ich historię:

— Poznaliśmy się podczas wakacyjnego wyjazdu do Stanów Zjednoczonych, gdzie pracowaliśmy w żydowskim obozie letniskowym w stanie Massachusetts. Zmywaliśmy trzy razy dziennie naczynia po 900 osobach. Doszliśmy do takiej wprawy, że cały proces zajmował nam za każdym razem półtorej godziny. Menedżer kuchni został naszym osobistym przyjacielem i był nawet na naszym ślubie w Polsce w roku 2002. Większość zarobionych pieniędzy roztrwoniliśmy w kilka tygodni, jeszcze przed powrotem do kraju. A właściwie nie roztrwoniliśmy, tylko zainwestowaliśmy we wspomnienia. Wynajmowaliśmy minivana i z dobraną paczką przyjaciół jechaliśmy od Atlantyku do Pacyfiku lub szlakiem parków narodowych. Była to dobra lokata w znajomość angielskiego. Dzięki tym wyprawom mieliśmy później odwagę podjąć pracę poza Polską.

Sięga po drinka, podaje swojej uśmiechniętej żonie, sam bierze następny.

— Po studiach szukałem pracy w dużych międzynarodowych firmach, które stwarzają możliwości szkoleń, awansu i zagranicznych wyjazdów. Obsesja pracy w dużych koncernach i ciągłe kręcenie się przy nich zaowocowało ofertą z firmy Unilever. Zacząłem pracować w dziale marketingu. Najpierw zajmowałem się margaryną, a po dwóch latach przeszedłem do branży sprzętu do pakowania i przetwarzania płynnej żywności, w której jestem do dzisiaj.

— A jak trafiliście do Dubaju? — pytam.

— W roku 2004 mój ówczesny pracodawca zaproponował wyjazd do swojego biura i fabryki opakowań w Kenii. Agnieszka była wtedy w piątym miesiącu ciąży. Pamiętam reakcje znajomych, którzy pukali się w czoło — mówili o egzotycznych chorobach, braku warunków do urodzenia dziecka, ludożercach i innych mniej lub bardziej niedorzecznych zagrożeniach. Oczywiście pojechaliśmy. Nie zdołali nas przestraszyć.

— I co tam robiłeś?

— Moja praca w Nairobi polegała na zdobywaniu nowych klientów w krajach ościennych. Przyjmowaliśmy licznych gości, nasz dom w Karen był bazą wypadową na safari dla znajomych i rodziny z Polski. Jeździliśmy mitsubishi pajero na samodzielne wyprawy do najpiękniejszych kenijskich parków. Tamto doświadczenie i obycie z egzotyką w sferze bytowej i biznesowej dało nam pewność siebie. I nagle pojawiło się kolejne wyzwanie — Dubaj.

— A gdybym zapytał cię o klucz do sukcesu zawodowego w Dubaju?

Piotr nie ma gotowej odpowiedzi. Waha się chwilę.

— Trudno chyba uogólniać, powiem więc o przypadku moim i Agnieszki. Podstawa to znajomość angielskiego, łatwość nawiązywania kontaktów i zdolności komunikacyjne. Wszystko to potwierdzone przykładami skutecznej biznesowej współpracy z ludźmi z odmiennych i dalekich kręgów kulturowych. Wyzbyliśmy się też tego, co Polaków na obczyźnie ogranicza i powoduje, że często nie wychodzą poza polskie getta. Chodzi mianowicie o strach przed obczyzną i tęsknotę za wszystkim, co polskie, a co za tym idzie, poszukiwanie za granicą tego, co rodzime.

Potem Piotr odpowiada na moje pytanie, starając się sprecyzować pozycję ekspatów w Dubaju.

— Widzę tutaj cztery grupy: bardzo majętną, dobrze sytuowaną, niezbyt zamożną i żyjącą na granicy ubóstwa. Do pierwszej zaliczają się wysoko kwalifikowani przybysze ze Stanów Zjednoczonych, Australii, Europy i Kanady. Niektórzy pracują w wielkich korporacjach, od amerykańskiego General Electric po indyjski Tata Industries i brytyjski HSBC, chociaż nie tylko. Mają od 25 do 50 lat, posługują się różnymi odmianami języka angielskiego i zwykle nienagannie się ubierają. Można ich spotkać w dobrych hotelach, na polach golfowych czy w eleganckich restauracjach z kuchnią libańską. Uprzywilejowani przez mamonę więźniowie luksusu zawsze są gotowi zapewnić, że znaleźli się tutaj przypadkowo.

Drugi krąg jest mniej zauważalny, w trzecim znajduje się na przykład znana ci Katarzyna. Z dyplomem magistra ekonomiki przyjechała tutaj z mężem inżynierem, goniąc za marzeniami. To jedna z tych osób, które miały niezbyt jasne pojęcie o emiratach i wierzyły, że to ziemia obiecana o nieograniczonych możliwościach. To prawda, ale niestety tylko dla nielicznych. Na początku Katarzynie wszystko wydawało się jak z bajki, było egzotyczne i wow! Była kimś, nie to, co pracująca na zmywaku w Anglii jej przyjaciółka ze studiów. Po miesiącu straciła pracę, a mąż pracował w firmie, która dwukrotnie była bliska bankructwa. Zarabiał niewiele ponad dwa tysiące euro, podczas gdy koszty życia cudzoziemca wymagają zarobku co najmniej czterech tysięcy miesięcznie i to pod warunkiem, że firma zapewni mieszkanie, opiekę zdrowotną i edukację dzieci. Bez tego wszystkiego życie w emiratach jest zupełnie nieopłacalne. Po roku wrócili do kraju.

Na końcu są imigranci z Azji, robotnicy budowlani, sprzątaczki. Ich średnie zarobki kształtują się na poziomie 250 dolarów. Dochody kelnerów, ekspedientek, fryzjerek, masażystek itp. są kilkakrotnie wyższe. Nie potrafię sobie wyobrazić, jak oni wiążą koniec z końcem. A jednak funkcjonują. Ich prawdziwy dramat zaczyna się z chwilą, kiedy tracą pracę — wtedy muszą szybko szukać jakiegoś zajęcia, bo nikt im nie przedłuży wizy pobytowej.

KRYZYS WIECZNEJ
SZCZĘŚLIWOŚCI

Izmir postanawia dziś rozmawiać ze mną w moim hotelu.

— Nie chcę — akcentuje — aby ktoś przypadkowy słuchał naszej rozmowy. I tak niejedna kamera zdążyła już nas zarejestrować, ale na to nie ma rady.

— To znaczy, że dziś porozmawiamy o czymś, co nie przynosi Dubajowi chluby?

— Tak. O kryzysie, o który pytałeś.

Z dobrze zaopatrzonej lodówki wyjmuję zimne napoje. Linda siada razem z nami, bierze do ręki szkicownik i jakby od niechcenia miękkim ołówkiem zaczyna portretować gościa.

— Kryzys to nie ujma, zdarza się w każdej gospodarce — rzucam prowokacyjnie.

— Niby tak — mruczy Izmir. — Ale boom budowlany na początku stulecia skłaniał do powszechnego przekonania, że nic nie będzie w stanie powstrzymać coraz bardziej zuchwałych projektów. A jednak.

Rozsiada się wygodnie.

— Jeszcze do drugiej połowy lat 90. — zaczyna opowieść — w Dubaju nie było prawdziwego rynku nieruchomości. Zajmowała się tym tylko rodzina królewska, która rozdzielała ziemię ludności tubylczej i wynajmowała różnym firmom kompleksy mieszkaniowe i handlowe. Zwrot nastąpił w 1997 roku, kiedy to król deweloperów Emaar Properties — spółka budowlana kontrolowana w 70 procentach przez szejka — wystawiając na sprzedaż luksusowe wille w kompleksie rezydencjalnym Emirates Hills, umożliwiła po raz pierwszy ich zakup obcokrajowcom. Ponadto musisz wiedzieć, że dywersyfikacja gospodarki Dubaju szeroko otworzyła drzwi dla inwestycji zagranicznych, które dały impuls do dynamicznego rozwoju nowatorskich i ambitnych projektów budowlanych wyróżniających się wśród wszystkich istniejących na świecie. U podstaw sukcesu leżała wizja szejka Mo, czyli przewidywanie przyszłych trendów. Lubił on powtarzać: „Zbudujmy, a kupiec zawsze się znajdzie".

Oprócz udzielonej cudzoziemcom koncesji na nabywanie mieszkań decydujące znaczenie dla niepowtarzalnego rozwoju sektora *real estate* miał pokaźny wzrost demograficzny. Jak grzyby po deszczu rosły monumentalne budowle zrealizowane przez takie potęgi na miejscowym rynku, jak Emaar, Damac, Dubai Holdings czy Nakheel. Banki ochoczo udzielały łatwych i tanich kredytów, a to, począwszy od 2002 roku, przyczyniło się do irracjonalnej euforii wywołanej przez masową, emocjonalną spekulację zarówno indywidualnych nabywców, jak i różnych oszustów podatkowych. Ale przede wszystkim przez wielkie międzynarodowe firmy pośrednictwa, które przyczyniły się do większego zainteresowania nowych inwestorów. Równolegle rosły ceny nieruchomości, które zajęły eksponowaną pozycję w sektorze luksusu.

Izmir, niby pochłonięty swoim wykładem, przez cały czas stara się zajrzeć do szkicownika Lindy.

— Dobre interesy na tym rynku — mówi — rzadko są wynikiem genialności. Przede wszystkim są rezultatem różnych przecieków wykorzystywanych z wyprzedzeniem w stosunku do konkurencji. Nierzadko dobrze ulokowani pośrednicy kupowali na słowo i uścisk dłoni całe piętro lub biurowiec, który powstawał jeszcze w biurze architektów i był widoczny tylko na makietach. Następnego dnia, podczas spotkania promocyjnego, sprzedawali go od ręki za żywą gotówkę. Bez żadnego wkładu i ryzyka inkasowali 10-20 procent. Lokale były następnie zawsze przedmiotem kolejnych transakcji na rynku wtórnym, podczas których kupujący otrzymywał na przykład kluczyki do jaguara czy kilogramową sztabkę złota.

To była istna gorączka budowlana. Lawinowo powstawały niepłacące podatków firmy zakotwiczone w klasycznych schematach *offshore*. Gigantyczna fala zasobów finansowych zalała emirat. W konsekwencji galopujący wzrost cen mieszkań doprowadził je do nierealnego poziomu, niemającego już żadnego związku z wartością.

Świat przyglądał się z niedowierzaniem, jak w czasach globalizacyjnego kryzysu powstają w Dubaju projekty na coraz większą skalę. Silna konkurencja między firmami budowlanymi wywindowała ceny sprzedaży. Spekulacja osiągnęła apogeum. W 2008 roku emirat osiągnął pułap swoich zdolności budowlanych, zabrakło robotników i materiałów. Niemożliwe stało się kontynuowanie wszystkich rozpoczętych w poprzednich latach projektów. Niektóre firmy zamrażające przedsięwzięcia rząd oskarżył o podważanie reputacji księstwa. Sytuacja poprawiła się na chwilę, kiedy firmy zrezygnowały z rywalizacji i zdecydowały się nawiązać współpracę. Ale prawdziwie mroczne chwile miały dopiero nadejść, cena ropy wzrastała, turystyka szła w dół.

Bankom zabrakło środków. W krótkim czasie dług przekroczył wartość produktu krajowego brutto, księstwo nie miało z czego go spłacić. Sytuację pogorszyło błędne przekonanie elit rządowych o nierealności zagrożenia. Wierzono, że wszystko wróci do normy. Nawet szejk Muhammad uważał, że „futurolodzy" przesadzają, oskarżył ich o pesymizm i brak nadziei. Trudno było uwierzyć, że państwu, które potrafiło zbudować takie imperium, zabrakło finansów.

W udanych programach dywersyfikacji gospodarki, dzięki której emirat uniezależnił się od wydobycia ropy, pojawiły się obszary problemowe, takie jak zmonopolizowany sektor prywatny kierowany przez rodziny spokrewnione z władcą, silna zależność ekonomiczna od światowych koncernów i nadmierna konsumpcja mieszkańców, która doprowadziła do poważnego zachwiania równowagi w bilansie płatniczym. No i fakt niebagatelny, czyli nadpodaż w sektorze nieruchomości, która zachwiała równowagę i dała początek kryzysowi finansowemu. Niektórzy pracownicy dobrze prosperujących firm wykorzystywali ten fakt, aby przeprowadzić się do bardziej komfortowych lokali za dużo mniejsze pieniądze.

Izmir prosi o kawę. Gdy Linda wstaje, by ją zamówić, on zagląda w jej szkicownik i daje mi znać, że portret uważa za doskonały.

— Załamanie rynku nieruchomości boleśnie zweryfikowało wybujałe ambicje inwestorów — kontynuuje po chwili. — Spadło tempo prac, opustoszały niektóre imponujące place budów, przerzedził się las dźwigów pracujących nieprzerwanie przez całą dobę. Spośród prawie tysiąca zarejestrowanych projektów koncerny budowlane anulowały połowę, doszło do opóźnień bądź rezygnacji z projektów o łącznej wartości 330 miliardów dolarów. Dołek finansowy pogrążył kilka monumentalnych inwestycji. Drapacz chmur Nakheel Tower miał osiągnąć tysiąc metrów wysokości. Budowa ruszyła w 2008 roku, ale po 12 miesiącach prace wstrzymano i zapowiadane przez dewelopera wznowienie nigdy nie nastąpiło. Podobny los spotkał Burdż al-Alam w biznesowej dzielnicy miasta, nie doczekał się końca realizacji Lam Tara Tower, 70-piętrowy kompleks biurowo-hotelowy, czy Lighthouse Tower, po którym została jedynie wykopana dziura pod fundamenty.

— Temu wszystkiemu towarzyszyła dramatyczna sytuacja na rynku pracy. Hinduskich robotników odsyłano masowo do domu — ciągnie mój przyjaciel. — Pamiętam, jak nasza gazeta „Khaleej Times" pisała, że każdego dnia anulowano 1500 kart pracy. Exodus dotknął Europejczyków i Amerykanów. Ludzie, którzy zaciągnęli w Dubaju wysokie kredyty hipoteczne, po utracie pracy nie byli w stanie ich spłacić. A tutaj za nieuiszczenie jakichkolwiek należności idzie się do więzienia. Instytut bankowy przekazuje zobowiązania sądowi, który natychmiast wysyła zawiadomienie na wszystkie przejścia graniczne. Ludzie w pośpiechu zaczęli uciekać przed wierzycielami za granicę, porzucając dobytek w mieszkaniach i luksusowe samochody na drodze dojazdowej na lotnisko.

Rzeczywiście, teraz, gdy Izmir opowiada, przypominam sobie, że widziałem w mieście dużo takich pokrytych grubą warstwą pyłu aut, co świadczy o tym, że cały czas stosuje się tę praktykę. Gdy dzielę się tym spostrzeżeniem, Izmir się uśmiecha.

— Tak, ale są też strzeżone parkingi, na których do obowiązków personelu należy codzienne zmywanie kurzu. Wszystko po to, aby ludzie nie zorientowali się, jak dużo osób opuściło kraj.

Marzenie szejka Muhammada, by zrobić z Dubaju światowe centrum finansowe, rozpłynęło się. 25 listopada 2008 roku jak grom z jasnego nieba w emirat uderzył kryzys kredytowy. Świat finansowy wstrzymał oddech, po sześciu latach napędzanego spekulacjami boomu nieruchomościowa bańka pękła. Tego dnia olbrzym Dubai World, państwowa spółka inwestycyjno-deweloperska zarządzana przez rodzinę królewską, poprosiła o wydłużenie terminu spłaty długu w wysokości 26 miliardów dolarów. Zapowiedziała, że nie będzie w stanie spłacić obligacji, kwestionując zdolność emiratu do uregulowania debetu zaciągniętego przez spółki skarbu państwa. Było to spore zaskoczenie, bo wszyscy wierzyli w stabilność, sądząc, że rozmiar holdingu i prestiż realizowanych przez niego projektów ma wsparcie i gwarancje szejka Muhammada ibn Raszida al-Maktuma. Prawie już ukończona 163-piętrowa Wieża, najwyższa budowla wzniesiona przez człowieka, symbol wielkości i, co tu ukrywać, arogancji, porównywana do sięgającej nieba biblijnej wieży Babel, mogła stać się symbolem porażki wielkiego wizjonera. Dubaj raptownie wyhamował i być może wsiąkłby w piaski Arabii, nie pozostawiając po sobie śladu, gdyby jego mniej nieumiarkowany i mniej zamożny sąsiad Abu Dhabi nie wyłożył petrodolarów, aby uchronić go przed skutkami tych ekscesów.

To, że coś poszło nie tak, z pewnością nie było tylko winą ambicji szejka. W kręgach rządowych byli tacy, którzy korzystając z okazji wzbogacenia się, doprowadzili do coraz większych długów. W listopadzie 2009 roku aresztowano czterech mężczyzn blisko związanych z boomem gospodarczym ubiegłych lat i usunięto z rządu niektórych skorumpowanych urzędników.

Izmir milknie na chwilę. Marszczy brwi i kręci głową, jakby ciągle przeżywał tamte kryzysowe chwile.

— Pamiętam — kontynuuje — że 30 listopada Zjednoczone Emiraty Arabskie zapewniły wsparcie bankom regionu Zatoki Perskiej i zagranicznym, u których pojawiły się problemy w związku z wstrzymaniem spłat przez Dubaj. Wkrótce „Financial Times" przyniósł informację, że „dług rządowy" został uregulowany. Bankierzy i podwykonawcy odetchnęli z ulgą. Przepompowanie 10 miliardów dolarów pozwoliło zakończyć budowę gigantycznej Wieży. Ten gest upokorzył szejka Mo i słono go kosztował. Ku zaskoczeniu wszystkich na 24 godziny przed inauguracją 828-metrowego drapacza chmur Burdż Dubai władca emiratu zmienił jego nazwę na Burdż Chalifa, od imienia szejka Abu Dhabi i prezydenta Zjednoczonych Emiratów Arabskich.

To trochę tak — przeszło mi przez myśl — jak gdyby gdańskie lotnisko imienia Lecha Wałęsy przemianować na Michaiła Gorbaczowa.

Izmir kiwa głową, jakby sam sobie musiał przytakiwać.

— Myślę — zdobywa się na refleksję — że tak naprawdę nikt nie wiedział, jakie było prawdziwe zadłużenie Dubaju wynikające z zaciągania ogromnych kredytów na finansowanie kolosalnych projektów. Analitycy mówili, że z pewnością nie mniejsze niż osiemdziesiąt miliardów dolarów, chociaż niektórzy eksperci byli skłonni założyć, że chodziło nawet o sto siedemdziesiąt miliardów, czyli dużo, dużo więcej od PKB emiratu. Pytano, czy to nie koniec bajecznej historii osady rybackiej. W końcu 2012 roku rynek nieruchomości w Dubaju podniósł się z kolan — wzdycha Izmir.

Władze w oficjalnym komunikacie zapewniały, że wprowadziły nowe reformy, w tym ograniczenia dotyczące kredytów hipotecznych i zakaz odsprzedaży mieszkania przed upływem roku. Większość zakupów podczas wcześniejszego krachu finansowana była przez banki i dotyczyła nieukończonych budynków wznoszonych poza przewidzianymi planami. Tym razem większość transakcji bazuje na środkach pieniężnych, a apartamenty są budowane pod klucz, co umożliwia natychmiastowe wprowadzanie się do nieruchomości. Dziś w Dubaju inwestują przede wszystkim firmy z Iranu,

Arabii Saudyjskiej, Egiptu i z subkontynentu, czyli z Indii i Pakistanu. A nabywcy nieruchomości pochodzą najczęściej z krajów Zatoki Perskiej, Libanu, Chin, Iranu, Syrii i Rosji.

— Nie boicie się kolejnego krachu? — pytam.

— Krach to tabu. Ludzie nie chcą nawet myśleć, że to się może powtórzyć — mówi Izmir. — Chociaż specjaliści ostrzegają, że ceny nieruchomości rosną nadmiernie, a to doprowadza do przegrzania rynku i w konsekwencji grozi załamaniem. Harry Dent, niezależny analityk i doradca inwestycyjny, uważa, że kryzys, do którego doszło w 2008 roku, to nic w porównaniu z tym, co może tutaj zdarzyć się któregoś dnia. Tym razem byłoby już trudno otrząsnąć się z kłopotów.

Huśtawka cenowa jest nieunikniona. Jak dowiedziałem się później, w kwietniu 2015 roku okazało się, że wartość sprzedanych nieruchomości w Dubaju była o ponad połowę niższa niż w analogicznym okresie rok wcześniej. Specjaliści sektora tłumaczyli, że powodem była obniżka cen ropy naftowej, która zawsze przekłada się na gorszą koniunkturę na rynkach nieruchomości krajów eksportujących czarne złoto, oraz cała gama dodatkowych obostrzeń, które wprowadzono, aby ukrócić spekulacje i schłodzić rynek mieszkaniowy. Polecono bankom ograniczyć udzielanie kredytów hipotecznych, zmniejszono możliwości zadłużania się, podwyższono podatki od sprzedaży dopiero co nabytych mieszkań, podniesiono wysokość wkładu własnego wymaganego od kupujących, w przypadku obcokrajowców nawet do 50 procent. Zrozumiałe, że taka polityka władz uderzyła w branżę deweloperską i budowlaną.

Przez chwilę milczymy z Izmirem. Daję mu czas na przemyślenie i komentarz.

— Dubaj da sobie radę — zapewnia wreszcie mój przyjaciel. — Przecież nie mamy żadnej konkurencji... Jesteśmy najlepsi. Mimo wszystko.

Wstaje i się żegna. Wychodzi obdarowany szkicem Lindy.

Za trudną do wyobrażenia skalę przeinwestowania czasem trzeba drogo zapłacić — taki morał płynie z jego dzisiejszego wykładu. Za świeżej pamięci robię notatki z rozmowy i odnajduję link do bloga ekonomisty Piotra Kuczyńskiego, który tak napisał o kryzysie: „W Dubaju liczono na wieczną szczęśliwość, którą miały przynieść ciągle drożejąca ropa i wzrost gospodarczy. Okazało się, że kosztująca niemal 147 dolarów baryłka ropy może pół roku później kosztować tylko nieco ponad 30 dolarów, a kryzys wprowadził świat w recesję. Po prostu plany inwestycyjne Dubaju okazały się słusznie ukaraną manią wielkości. Inaczej mówiąc, był to normalny proces, w którym kredytobiorca okazuje się fantastą, a kredytodawca chciwą i nierozsądną ofiarą".

Przy okazji trafiam na interesujące spojrzenie Barucha Knei-Paza, historyka z Uniwersytetu Hebrajskiego w Jerozolimie: „Słabo rozwinięte społeczeństwa, przyjmując nowe struktury społeczne, nie tworzą ich w inicjalnym kształcie, tylko pomijają niektóre etapy rozwoju, dochodząc od razu do «wytworu finalnego». To wyjaśnia, dlaczego w zacofanych narodach tak zwane nowe formy pojawiają się ulepszone w stosunku do tych, które istnieją w zaawansowanych krajach".

No tak, ale czy z ekonomicznego punktu widzenia taki rozwój można zaakceptować? Podręczniki uniwersyteckie z pewnością powiedziałyby, że nie. Gigantyzm architektoniczny zawsze był przewrotnym przejawem gospodarki przegrzanej i spekulacyjnej. Budowle Empire State Building czy World Trade Center są symbolem epok przyśpieszonego wzrostu gospodarczego. Cynicy słusznie zwracają uwagę na fakt, że nadmierne rynki nieruchomości w Dubaju stanowią składnice superzysków otrzymanych z ropy naftowej i eksportu towarów wytworzonych pracą tysięcy ludzkich rąk. Jeśli wierzyć lekcjom wyniesionym z minionych cykli gospodarczych, można oczekiwać dnia, kiedy przerośnięty rynek nieruchomości eksploduje.

A może al-Maktum, podobnie jak król enigmatycznej wyspy Laputa z *Podróży Guliwera*, wierzy w wieczne życie i szczęście?

SIEDMIOGWIAZDKOWY ŻAGIEL
ŁECHTA PRÓŻNOŚĆ
ZAMOŻNYCH

-Pakujemy się...? — Linda wchodzi do pokoju i zastyga nagle w pół kroku. — Przecież...

— Tak — odpowiadam jak zawsze stanowczo, starając się ukryć uśmiech, który mimowolnie pojawia się na mojej twarzy. To jednak przyjemne, zrobić jej tak wielką niespodziankę. — Zmieniamy hotel.

— Ale tu jest zupełnie dobrze.

— Tam też będzie.

Gdyby szef marketingu hotelu, do którego się wybieramy, usłyszał, że w jego przybytku jest „zupełnie dobrze", umarłby pewnie na zawał.

Nieraz oglądałem zdjęcia, a potem przejeżdżałem blisko ikony Dubaju — Burdż al-Arab, pierwszego na świecie siedmiogwiazdkowego hotelu. Ten olśniewający szklany obiekt przypominający wzdęty wiatrem żagiel dumnie stoi na sztucznej wyspie kilkaset metrów od brzegu. Pełni funkcję symbolu, podobnie jak wieża Eiffla, Statua Wolności czy gmach Opery w Sydney. Nigdy nie sądziłem, że mógłbym się tam zatrzymać. Dopiero teraz, planując niespodziankę dla Lindy z okazji rocznicy naszego ślubu, postanowiłem zrobić jej taki prezent i po dwutygodniowym pobycie w Marriott Marquis zarezerwowałem apartament w tym kuszącym swoją niedostępnością hotelu.

— Już czas!

Siedmiogwiazdkowa przygoda zaczyna się na pół godziny przed zanurzeniem się w luksusy.

Czekamy w lobby na transport, przez oszklone drzwi widać ulicę — szarą dziś, nieoświetloną złotymi promieniami. To wyjątkowy dzień — nad Dubaj nadciągnęły chmury, z których litościwa natura sączy życiodajny deszcz.

W pewnej chwili widzę, że na patio przed wejściem do hotelu majestatycznie wtacza się biały rolls-royce phantom. Nawet tu, w Dubaju, nie widuję ich często, na chwilę więc zawieszam wzrok na limuzynie. Właśnie wysiada z niej kierowca w białej liberii. Zamienia trzy słowa z kimś z obsługi i z uśmiechem powitania maszeruje wprost do nas.

— Mister Palkiewicz?

Linda nadal nie wie, dokąd się przenosimy. Jest zaskoczona, widząc, jak kierowca wyciąga w jej stronę dłoń z bukietem czerwonych róż.

A więc to dla nas ten krążownik!

Bagaże z trudem mieszczą się w przepastnym bagażniku samochodu. W tej półtoramiesięcznej podróży dorobiliśmy się czterech walizek i czterech małych neseserów.

Linda z zachwytem lekkim skinieniem głowy dziękuje kierowcy za otwarcie drzwi i zajmuje miejsce w przestronnym wnętrzu.

— Jeśli państwo chcieliby skorzystać — zwraca się do nas londyńską angielszczyzną pakistański kierowca — to w szafeczce przed państwem znajdują się odświeżające ręczniczki. Obok w lodówce stoi woda mineralna. Nasza podróż nie będzie długa, ale dla jej uprzyjemnienia włączę muzykę, jakiej sobie państwo zażyczą.

Moja żona rozgląda się spokojnym, powłóczystym spojrzeniem, ale widzę, że wnętrze robi na niej wrażenie. Wobec auta, jakim jeżdżą królowa angielska i szejkowie arabscy, nie można pozostać obojętnym. Przestronne wnętrze wykończone skórą i drewnem mahoniowym, komfort resorowania, oaza spokoju pozwalają totalnie odizolować się od świata po drugiej stronie szyby.

— Jak ci się podoba? — pytam mimochodem.

— Doznanie jak z bajki — słyszę. — Idealna oprawa godna podróży życia. Czuję się tak, jakbym płynęła jachtem, a przed dziobem ze statuetką Spirit of Ecstasy, ducha uniesienia, świat przesuwa się niczym w filmie.

Kierowca jest trochę podenerwowany, bo od wczoraj pada deszcz, co zdarza się tutaj najwyżej dwa razy w roku. Opady przysparzają sporo kłopotów, gdyż po niezbyt drożnych ulicach płyną potoki wody i nieprzyzwyczajeni do takich warunków kierowcy poruszają się niepewnie. Na niektórych skrzyżowaniach nie działa sygnalizacja, tworzą się gigantyczne korki. Mijamy kilka stłuczek i strażaków przy podtopionym centrum handlowym, które starają się ratować barykadą budowaną z worków ryżu. Temperatura z 25 stopni obniżyła się do 15. Oficjalne czynniki podają, że spadło 110 milimetrów wody na metr kwadratowy, czyli tyle co średnio przez dwa tygodnie we wrześniu w Polsce. Odwołano zajęcia w szkołach. Zarząd Dróg i Transportu powtarza komunikaty przypominające o szczególnej ostrożności, bo drogi są śliskie. W Abu Dhabi podczas nawałnicy w wyniku licznych wypadków drogowych zginęły trzy osoby, a w Dubaju odnotowano 756 wypadków. Na międzynarodowym lotnisku odwołano kilkadziesiąt lotów.

— Dużo większą frajdę sprawił nam śnieg — wspomina Pakistańczyk. — W styczniu 2009 roku 100 kilometrów stąd, w emiracie Ras al-Chajma, przy temperaturze minus trzy stopnie spadł śnieg, który pokrył kilkunastocentymetrową warstwą górę Jais (1800 m n.p.m.). Czegoś podobnego, jak sięga pamięć miejscowej ludności, tutaj nie było. To był fenomen o tyle niezwykły i zaskakujący, że w tutejszych dialektach nie ma nazwy na takie opady atmosferyczne.

W pewnej chwili Linda pociąga mnie za rękaw i z uśmiechem pokazuje grupkę dzieci, które z wielkim impetem skaczą po szeroko rozlanej kałuży na skraju parku. Rozsiewają wokół siebie tysiące błotnistych kropli, a cztery filipińskie nianie, oddalone o kilka metrów, bezradnie przyglądają się widowisku, wyraźnie niepewne, jak zareagować w tak nietypowej sytuacji.

Ale obrazek znika, zbliżamy się do nabrzeża.

Burdż al-Arab, powszechnie znany jako Żagiel, nie jest dostępny dla przypadkowych przechodniów. Dlatego przed bramą wjazdową na prywatną groblę zebrała się liczna grupa turystów, którzy robią pamiątkowe zdjęcia na tle jednego z najbardziej rozpoznawalnych budynków w nowoczesnej architekturze. Zewnętrzna fasada tajemniczego, a przez swą niedostępność niezwykle kuszącego hotelu rzeczywiście zdumiewa rozmachem, zachwyca nowatorskimi rozwiązaniami architektonicznymi. Czysta, pozbawiona zbędnych ozdobników bryła lśni nieskazitelną bielą, co jest efektem specjalnego pokrywającego ściany materiału odbijającego promienie słoneczne. Charakterystyczna konstrukcja o opływowej sylwetce stoi jakby wyobcowana, samotna, ale prezentuje się nad wyraz godnie, przypominając scenę z filmu o Jamesie Bondzie bądź obraz żywcem ściągnięty z jakiejś powieści science fiction.

Kiedy na początku lat 90. emir Maktum III ibn Raszid al-Maktum zlecił brytyjskiemu architektowi Thomasowi Willsowi Wrightowi zaprojektowanie „symbolu Dubaju za pomocą trzech kresek", mało kto oczekiwał tak spektakularnego rezultatu. Ten Żagiel, symbol przeszłości Dubaju, osady rybackiej, który zbiera wiatr innowacji, kieruje Dubaj ku obiecującej przyszłości. Najbardziej luksusowy i najdroższy hotel, jaki kiedykolwiek zbudowano, zapewnił miastu światowy rozgłos i przyciągnął tysiące inwestorów zagranicznych. Kamień węgielny pod budowę położono w 1994 roku, a prace trwały sześć lat. Zużyto ponad 360 tysięcy metrów sześciennych betonu, ponad 9 tysięcy ton stali i 150 tysięcy metrów kwadratowych szkła okiennego. Fasada wysokiego na 321 metrów gmachu została wykonana z dwuwarstwowego włókna szklanego pokrytego teflonem. Dla stabilizacji konstrukcji, która według zapewnień architektów wytrzyma trzęsienia ziemi i huragany, użyto 250 betonowych pali wbitych w dno na głębokość dziesiątków metrów. Cała bryła ukryta jest w ruchomym szkielecie stabilizującym budowlę. Podobno hotel kosztował 1,6 miliarda dolarów, ale szczegóły są nieznane, bo właściciel nigdy tych danych nie ujawnił.

Mimo sceptycyzmu i raczej braku namiętności do zbytku przyznaję, że jeden z najbardziej medialnych dzisiaj budynków na świecie robi duże wrażenie także na mnie. Powiem więcej — oszałamia swoim unikatowym charakterem i przepychem.

Tuż po wejściu, w atrium, pięć hostess w firmowych kostiumach wita nas z mokrymi ręcznikami do wytarcia rąk, daktylami, kawą i powitalnym drinkiem — orzeźwiającą wodą różaną, symbolem arabskiej gościnności. Stoimy chwilę bez ruchu, aby przyjrzeć się pełnemu kolorów, świateł i błyszczących ornamentów największemu na świecie surrealistycznemu atrium, które samo w sobie już jest atrakcją. Bez kłopotu pomieściłyby się w nim na wysokość trzy figury Chrystusa Króla ze Świebodzina, nota bene prawie tak wysokiego, jak pomnik Chrystusa Odkupiciela w Rio de Janeiro. Całość jaśnieje złotem, odcieniami czerwieni, bieli i błękitu. Pomiędzy monumentalnymi złotymi kolumnami znajdują się godne hollywoodzkiego musicalu schody i ogromna fontanna wysypana kolorowymi szklanymi kamieniami, która wystrzela z gracją gładki słup wody aż do dwunastego piętra. Czyste uosobienie mitu o arabskiej okazałości.

Linda, oczarowana tą feerią kolorów i blasku, przymyka oczy i uśmiecha się łagodnie. A ja dobrze wiem, co ten uśmiech znaczy. Już z zewnątrz hotel musiał zrobić na niej ogromne wrażenie, w końcu jest artystką, a architektura to też forma sztuki, ale jego wnętrze przemawia do marzycielskiej duszy każdej kobiety. Zanurzenie się w mieszance piękna i luksusu odwołuje się do jej ukrytych tęsknot, najskrytszych potrzeb bycia wyjątkową, a co za tym idzie, wyjątkowo traktowaną — hotel zaspokaja to w stu procentach.

Cieszę się, że ją tu zabrałem. Po ceremonii powitalnej jedna z pań prowadzi nas ruchomymi schodami obok szyby kilkupiętrowego akwarium ze sztuczną rafą koralową i mieniącymi się kolorami tęczy rybami morskimi. Na pierwszym piętrze mijamy cały rząd ekskluzywnych butików z witrynami pełnymi biżuterii, by windą wznieść się na piętnaste piętro.

Manny, 34-letni Filipińczyk, dyskretnie uśmiechnięty, o wysokiej kulturze osobistej, zajął się rejestracją. Każde piętro to oddzielne małe królestwo i gość jest tutaj przez okrągłą dobę otoczony osobistą opieką butlerów, czyli majordomusów, inaczej kamerdynerów albo konsjerżów. To nowy element w ekskluzywnym charakterze obiektu. Dzisiaj cały świat podróżuje i zapotrzebowanie na usługi hotelarskie zwiększa się, wzrastają także wymagania co do jakości. Butler jest na każde zawołanie gościa, spełnia jego nawet wyjątkowo absurdalne zachcianki i nigdy nie może powiedzieć „nie". Jego osoba wnosi nową jakość, wywiera pozytywne wrażenie i zwiększa zadowolenie gości, ponadto doskonale sprzedaje się marketingowo. Ale przede wszystkim jego rola polega na zaspokojeniu naszych wszelakich oczekiwań. Staje się on zapewniającym pełną dyskrecję powiernikiem, doradcą, asystentem. To właśnie, między innymi, dzięki butlerom hotel wyznacza nowe horyzonty luksusu.

Przez trzy dni na każdym kroku będę dostrzegać dbałość o najmniejszy nawet detal. Na każdy apartament przypada tu ośmiu pracowników obsługi hotelu, wszystko po to, by utrzymać jak najwyższe standardy. Pracownikom mówiącym w kilku językach, gdyż każdy musi się tu czuć pewnie i swobodnie, wpaja się, by niezależnie od tego, jakie funkcje pełnią, starali się wyróżniać najwyższym profesjonalizmem.

Potem, gdy już się znajdziemy w apartamencie, zajrzę do internetu, by więcej dowiedzieć się o hotelu. I odnajdę polskie ślady i tutaj!

Antoni Rygiel, jedyny do tej pory Polak, który pracował w należącym do giganta branży hotelarskiej Jumeirah Hotels & Resorts Burdż al-Arab, opowiadał mediom o trudach i odpowiedzialności w tej profesji. Jako absolwent Sorbony zdobył kwalifikacje w elitarnej szkole kształcącej w Wielkiej Brytanii butlerów nawiązujących do epoki dawnych dworów arystokratycznych. Podkreślał, że kamerdyner powinien całkowicie poświęcić się temu zawodowi, musi sobie radzić z różniącą się kulturowo międzynarodową klientelą, a to nie zawsze jest proste, kiedy pracuje się z kapryśną gwiazdą pop czy majętnym oligarchą rosyjskim, który w ciągu dnia kilkakrotnie radykalnie zmienia pieczołowicie dla niego przygotowany program. Bywały przypadki, że pan Rygiel sam już z tym sobie nie radził i musiał wspierać się kilkoma swoimi kolegami. Podkreślił przy okazji, że wszelkie tajemnice gości zawsze zatrzymują dla siebie.

I chociaż dyrekcja hotelu także stara się skrzętnie skrywać niewygodne fakty, to przecieki się zdarzają. Z dużym opóźnieniem dotarło do publicznej wiadomości, że w 2006 roku dokonano tu morderstwa. Anglojęzyczny „Gulf News", powołując się na źródła policyjne, poinformował, że czterech Rosjan przyszło do pokoju wynajmowanego przez pewną kobietę z Kazachstanu, by korzystając z jej pośrednictwa, nabyć od dwóch arabskich biznesmenów diamenty. Zaraz po wejściu pobili miejscowych, związali ich i zakleili im usta taśmą samoprzylepną. Po czym zbiegli z łupem wartości 225 tysięcy dolarów. Jednej z ofiar udało się doczołgać do drzwi i wezwać pomoc. Druga się udusiła. Według prasy „Policja w krótkim czasie nawiązała kontakty z władzami kraju, do którego zbiegli podejrzani zabójcy, gdzie też zostali zatrzymani. Podjęto niezbędne kroki w celu ich ekstradycji".

Milionerzy, biznesmeni, arystokraci, gwiazdy show-biznesu zwykle mogą tu zachować całkowitą prywatność, uniknąć błysku fleszy natrętnych paparazzi. Dyrekcja hotelu przyznaje, że nazwiska gości wolno ujawnić dopiero po ich śmierci. Trochę naiwnie, ale z uzasadnionej profesjonalnej ciekawości dziennikarskiej pytam Manny'ego, czy w hotelu aktualnie mieszkają jakieś znane osobistości. Wzrusza ramionami, wymijająco odpowiadając:

— Ba, no wie pan... To duży hotel...

Nad drzwiami naszego Deluxe Suite, jednego z 202 w hotelu, wmontowany jest witraż będący kontynuacją linii kolorystycznej całego atrium. Apartament zachwyca wystrojem, ma dwa poziomy, powierzchnię 170 metrów kwadratowych, duży salon, całkowicie przeszkloną ścianę oferującą piękny widok na miasto, wyszukane meble, sypialnię i dwie łazienki wyposażone w zestaw kosmetyków Terre d'Hermès. Linda testuje zapach męskich perfum i po krótkiej chwili stwierdza, że jest wręcz zmysłowy. Nie zdążyłem się jeszcze dobrze rozejrzeć, gdy kamerdyner przyniósł pokryty 24-karatowym złotem iPad z wygrawerowanym logo hotelu.

— Szanowni państwo — wyjaśnia — ten tablet wyposażony jest w oprogramowanie „wirtualnego konsjerża", informujące o szerokim wachlarzu dostępnych w hotelu usług, szczegółowe opisy menu restauracyjnego i oferty spa, a także prywatnych propozycji kulinarnych, usług kamerdynerskich i wielu innych opcji. Do państwa dyspozycji.

To kosztowne akcesorium, warte prawie siedem tysięcy dolarów, ma jeszcze bardziej podnieść renomę Burdż al-Arab i wyróżnić go na konkurencyjnym rynku. Dostaję go na cały okres pobytu, a gdyby mi się spodobał, to mogę nabyć podobny egzemplarz w hotelowym butiku.

Godzinę później wychodzę z pokoju, by zapoznać się z tym przybytkiem. W tym samym momencie z sąsiedniego apartamentu wynurza się niewysoka, śniada kobieta o pełnych kształtach. Jej długie kręcone ciemne włosy rozlewają się na ramionach i spadają swobodnie na odważnie wyeksponowany biust i czarną prostą sukienkę.

Gdy spogląda w moją stronę, odruchowo, jak to sąsiad, kiwam jej głową na powitanie. Pozdrawia mnie równie zdawkowo i śpiesznie odwraca się do towarzyszącego jej mężczyzny.

Skąd ja ją znam? — poniewczasie przychodzi mi do głowy myśl, która niebezpiecznie wiąże się z moją rozmową z Mannym o celebrytach.

Dopiero w windzie przychodzi olśnienie.

Hayek. Tak, Salma Hayek! Meksykańska aktorka, często kojarzona z podszczypywanymi gosposiami z hollywoodzkich seriali. Dobiega pięćdziesiątki, ale nadal uważa się ją za jedną z najseksowniejszych kobiet świata.

A ja pytałem o celebrytów.

W butikach ruch może i nie jest duży, ale dla dobrego interesu wystarczy jeden klient dziennie. Właśnie Chińczyk w idealnie skrojonym garniturze, nie namyślając się długo, nabywa kolię Bulgari z dużymi brylantami. Podobno co czwarty zainteresowany dobrami luksusowymi jest dzisiaj obywatelem Państwa Środka, jednym z tych, którzy zadomowili się w światowej elicie arystokracji i śmietanki biznesu.

— A jeszcze rok temu — zauważa hinduski sprzedawca — najliczniejszą grupą, która lekką ręką dokonywała drogich zakupów, byli Rosjanie. Kryzys finansowy w ich kraju, spowodowany spadkiem cen ropy naftowej, nałożonymi na Moskwę zachodnimi sankcjami i gwałtownie taniejącym rublem sprawił, że prawie ich nie widać. Na szczęście pozostali nasi wierni klienci ze Stanów Zjednoczonych, Niemiec i Japonii.

Znajduję tu, pośród świateł i złota, kolejny polski ślad. PR menedżer hotelu, pochodząca z Konina Izabela Osowska-Hamilton, podkreśla niemal w przelocie:

— Chcemy stworzyć wspomnienia i emocje zdolne zadomowić się na stałe w sercach naszych gości. Złote tablety uosabiają filozofię wyróżniania się grupy Jumeirah — *Stay Different* — i jeszcze bardziej wzbogacają doświadczenie naszych gości podczas pobytu w hotelu. Staramy się wyznaczać wciąż nowe horyzonty wykwintności, czyniąc go bardziej dostępnym, a jednocześnie nie rezygnować z elitarności i wyjątkowości. Polecamy na szczególne okazje oraz jako spełnienie marzeń. U nas liczy się nie tylko hotel czy wykwintna kuchnia, otwarta także dla gości z zewnątrz. Jesteśmy w stanie zapewnić niepowtarzalne programy na wszelkiego rodzaju imprezy motywacyjne. Dbamy o właściwie dobrany personel, pracowników o wysokiej kulturze osobistej, doskonałej znajomości języków obcych, utożsamiający się z miejscem, w którym pracują. Ważne jest indywidualne podejście do klienta, tak aby zawsze czuł się on wyjątkowo — podkreśla filozofię hotelu Izabela Osowska.

Wnętrze, będące połączeniem nowoczesności i tradycyjnego stylu arabskiego, no i oczywiście prawdziwego złota, zaprojektowała 43-letnia Khuan Chew, Brytyjka chińskiego pochodzenia, która zdobyła już uznanie za swą wizję pałacu sułtana Brunei. Mówi się, że doskonale zrozumiała intencje zleceniodawcy, bo w założeniu szejka hotelowe pomieszczenia miały uosabiać współczesny arabski pałac. I rzeczywiście, kiedy tu człowiek trafia, odnosi wrażenie, że złoto i marmury są głównym budulcem. Wystrój tak bije w oczy przepychem, że można by się zastanawiać, czy to wszystko nie graniczy zbyt blisko z kiczem.

Na kolację zjeżdżamy do Al Mahara — co po arabsku znaczy „muszla ostrygi" — reklamowanej jako jedna z najbardziej spektakularnych restauracji świata. Wchodzimy przez złocony łuk. Obsługa, a dokładnie Ukrainka Masza, zaskakuje powitalnym „Mister Palkuievich, proszę tędy, ten stolik jest dla państwa" i sadowi nas przy ścianie gigantycznego akwarium, w otoczeniu setek barwnych ryb.

— Podoba się państwu w naszym hotelu, prawda?

Pytanie jest tak sformułowane, że nie można odpowiedzieć inaczej niż oczekiwanym „och", „ach" czy superb, splendid, magnificent. Takie sondowanie naszej opinii będzie się powtarzać jeszcze niejeden raz. Ale, szczerze mówiąc, nie muszę się szczególnie zmuszać, by właśnie tak reagować na poziom usług i jakość hotelu.

Wyjątkową atmosferę lokalu uzupełnia miękkie oświetlenie. Obsługuje nas trzech kelnerów. Wyróżniają się kunsztem zawodowym i szybko nawiązują pierwsze kontakty. Informują o potrawach, doradzają przy wyborze, wreszcie dyskretnie polecają to, co większości klientów smakuje najbardziej. Decydujemy się na zestaw sześciu potraw.

— Przepraszam — kelner pochyla się lekko — czy któreś z państwa ma może alergię na jakiś składnik żywności? Na dodatki...?

Jeśli chodzi o kuchnię, to Linda ma zawsze duże wymagania, zarówno co do jakości, jak i sposobu serwowania posiłków. Tutejszy szef będzie musiał się postarać, by czymś ją zachwycić.

Zanim pojawią się na naszym stole zamówione kulinaria, rozmawiamy z Lindą o jej kuchni.

Pamiętam, jak komentował kuchnię Lindy zaproszony na kolację Giuseppe Balboni Acqua, były ambasador Włoch w Warszawie:

— Kolacje u niej nie mają nic wspólnego z ofertą najlepszych firm cateringowych. Ona ma zawsze niepowtarzalne, własne przepisy. To nie tylko nawet wspaniała kuchnia, dobre jedzenie dostarczające wyjątkowych doznań smakowych, niezrównane lazanie czy pieczona dorada delikatnie faszerowana rozmarynem. To istna rozkoszna uczta, fiesta.

Prezydent Komorowski, który gościł u nas kiedyś na kolacji, także cenił wysoko kunszt Lindy. Zachwycał się zwłaszcza tortem „mimoza". To bardzo delikatny tort na bazie biszkoptu i kremu budyniowo-śmietankowego. Popularny we Włoszech, przygotowywany specjalnie na Dzień Kobiet, ma kształt kopuły i wygląda, jakby był obsypany kwiatami mimozy. Kiedy małżonka prezydenta Anna zapytała Lindę, gdzie kupuje tak świetne ciasto, ona niemal się obraziła. Bo Linda takich rzeczy nigdy nie kupuje — sama je robi.

Nieraz pytają mnie, czy będąc daleko w świecie, nie marzę o polskiej kuchni. Na pewno nie tęsknię, ale po powrocie do Polski rzeczywiście szukam bigosu, krupniku, smalcu, żeberek w miodzie, kaszanki, śledzi, tatara, gołąbków czy ogórków kiszonych. Często, szczególnie w wykwintnych lokalach z ambicjami, wyróżniających się staranną oprawą wnętrza, dobrą obsługą i pomysłowością, gdy sięgam do talerza, odczuwam niemiły zawód. Tradycyjne polskie specjały są stale modyfikowane i wzbogacane o nowe, dziwne przyprawy i dodatki niemające nic wspólnego z harmonią smaku. Restauratorzy i szefowie kuchni potrafią zepsuć go nawet w kotlecie schabowym czy bigosie. Niedawno podano mi śledzie z rodzynkami i smażony boczek nadziewany śliwkami. Nie nadawały się do jedzenia.

Nie znam w Warszawie restauracji z naprawdę dobrą polską kuchnią, a nawet i niepolską. W słynnej rzekomo restauracji San Lorenzo moi znajomi przytruli się dwa razy, sam też byłem tam kilkakrotnie i pewnie już nigdy nie wrócę. Polska kuchnia w ogóle nie cieszy się wśród obcokrajowców zbyt dobrą opinią, gdyż kojarzą ją z ciężkimi, tłustymi potrawami.

Na początek na stole pojawiają się wyszukane w formach „Amuse Bouche", miniprzystawki wielkości dwóch kęsów, poczęstunek od szefa kuchni. To miniaturowe dzieła sztuki, aż żal konsumować. Wkrótce jest łosoś na dwa sposoby, do tego marynowane buraczki, biały kawior jesiotra albinosa, świeże zioła, ziemniaki.

Sommelier sugeruje austriackie Gobelsburg Grüner Veltliner:

— Rocznik 2012 rieslinga jest wyjątkowo udany.

Bierzemy.

Kolejne danie to homar gotowany na parze i zapiekane małże, a do tego bottarga — zasuszone jajeczka rybich gonad, bulion kiełkowy i seler.

Jak na mój gust kelnerzy przesadnie angażują się w swoje rzemiosło. Wystarczyło, że obejrzałem się na bok, gdy natychmiast któryś się koło mnie pojawiał. Kiedy za bardzo nakrochmalona serwetka zsunęła mi się z kolan na ziemię, w jednej sekundzie podniósł ją i zamienił na nową.

Później przynoszą nam pasternak i krem z soczewicy du Puy w zestawie z australijskimi słodkowodnymi *yabbies* (rakami), japońską tempurą, kopytkami z sera ricotta i jajami przepiórczymi.

Następnie pojawia się na stole atlantycki dziki turbot w liściach winogron oraz warzywny *blanquette* z sosem grzybowym z tapioką.

Wreszcie kelnerzy przynoszą szkocki beef Angus z grilla z duszonym selerem i kopytkami z ziemniaków oraz żeberka w syropie pomarańczowym z angosturą, korzenną wódką z Trynidadu.

Na deser nadciąga galaretka bananowa, sorbet z liczi i krem waniliowy Bourbon.

Na koniec kawa arabska Chantilly, a do niej krem czekoladowy z Ghany i *speculos*, czyli ciasteczka z orzechami laskowymi.

Linda, która jest surową egzaminatorką kulinariów, wysoko ocenia serwowane dania. Kucharz tej restauracji może spać spokojnie.

— Niecodzienne, nienaganne. Ponadto bez chemii, nie to, co w Europie — mówi z uznaniem.

Gdyby jeść tak co dzień, można by po dwóch miesiącach nie zmieścić się we własnych drzwiach. Nie grozi nam to jednak, bo i rachunek jest niecodzienny: dwa i pół tysiąca dirhamów.

Luksus kosztuje.

Byliśmy przy drugiej potrawie, gdy za naszymi plecami usiadła jakaś para. Charakterystyczny kobiecy głos kojarzył mi się z którąś ze znanych postaci. Zmuszałem się, by nie spojrzeć za siebie. Nagle uprzytomniłem sobie, że ten głos znam przecież z piosenki *I was gonna cancel*. Zerknąłem spokojnie w prawo. Blondynka w jasnej prostej bluzce. Nie pomyliłem się — Kylie Minogue. Prawie bez makijażu, trudno się w niej dopatrzeć seksapilu czy słynnej tajemniczej aury. Filigranowa piosenkarka podpatrzyła na naszym stole atrakcyjnie przygotowaną rybę i zwróciła się do mnie:

— Przepraszam bardzo, że przeszkadzam, ale czy poleciliby państwo tę rybę?

— Zdecydowanie — odpowiadamy z Lindą chórem.

— Dziękuję. W zasadzie nie powinnam pytać, oni tu wszystko mają na najwyższym poziomie.

— Widzę, że pani nie pierwszy raz w Dubaju.

— Tak, byłam tu już pięć lat temu na ceremonii otwarcia Atlantisa. Takich fajerwerków i niesamowitych efektów świetlnych nigdy wcześniej nie widziałam.

Rzeczywiście, czytałem, że syn rosyjskich emigrantów Sol Kerzner, magnat w świecie luksusowych kurortów, który w pełni kryzysu światowego wydał 1,5 miliarda dolarów na budowę Atlantisa, przeznaczył na huczne otwarcie tego cudu architektonicznego z jego imponującym łukiem 20 milionów dolarów. Owego wieczoru spektakularny pokaz sztucznych ogni przyćmił dzieło chińskich choreografów zatrudnionych przy otwarciu igrzysk olimpijskich. Na wyspę Palm Jumeirah ściągnęła rzesza celebrytów, których nazwiska zapełniły pierwsze strony światowych gazet.

Kucharz tej restauracji może spać spokojnie.

Szersze aspekty kulinarne poznajemy następnego dnia, nieopatrznie decydując się na tak zwany *culinary flight*, turę po sześciu restauracjach. W każdej spożywamy po jednym daniu. Cała królewska kolacja zajmuje nam prawie cztery godziny. Wybór menu jest niezwykle zróżnicowany, dania doskonałe, wyjątkowo podane, przyjazna obsługa. Cena oczywiście wysoka, ale zaliczyliśmy doświadczenie w *all inclusive* — naszej podróży życia.

Linda dziś uważa, że to było przeżycie na miarę wizyty w galerii. Ja twierdzę, że w tym wyborze było nieco przesady, stanowczo za dużo kulinarnego święta. Już w połowie drogi moje zdolności w przyswajaniu posiłków zdecydowanie zmalały, by w ostatniej restauracji zawieść zupełnie.

Atrakcje tego wieczoru jeszcze się nie skończyły, czeka nas nie-spodzianka ze strony kamerdynera, który przygotował wannę ze świecami i wodą o idealnej temperaturze, z płatkami kwiatów.

Następnego dnia, po zapadnięciu zmierzchu, wybieramy się z Lindą w odwiedziny do znajomych. Przed wyjściem zatrzymuję się na chwilę, bo centralna fontanna zwana Wulkanem oświetlona jest ogniem emanującym z wnętrza krateru i buchającymi płomieniami u samej podstawy. Stonowane kolory i cienie stanowiące dopełnienie jasnego atrium o tej porze zapewniają ciepłą atmosferę. Grupy zorganizowane, które przyjechały tutaj na kolację, patrzą z otwartymi ustami na barwny spektakl. Flesze aparatów fotograficznych błyskają nieustannie przy wtórze zachwytów. To pora, kiedy spokojny w ciągu dnia hotel wypełnia się tłumem ludzi. Dyrekcja tego nie ujawnia, ale na moje oko w ciągu dnia przyjeżdża do sześciu restauracji ze dwa tysiące osób. Z wytwornością Burdż al-Arab, który w pewnym momencie przestaje czarować, a zaczyna szokować, może zapoznać się każdy przebywający w Dubaju bez wydawania fortuny na nocleg. Wystarczy zarezerwować miejsce na lunch czy kolację w jednej z tutejszych restauracji.

A wybór jest duży, od kuchni arabskiej i międzynarodowej, po śródziemnomorską, japońską specjalizującą się w owocach morza czy restaurację Al-Muntaha w dobudówce umiejscowionej na 27. piętrze, zawieszonej 200 metrów nad poziomem morza, skąd roztacza się widok na piękną panoramę Dubaju. Oczywiście wszystkie lokale zatrudniają wyłącznie najlepszych kucharzy, gotowych serwować gościom najbardziej wyszukane przysmaki. Ceny może nie są niskie, ale też nie szokujące, zważywszy rangę obiektu. Wahają się od 320 dirhamów za śniadanie do 510 za *afternoon tea*, popularny popołudniowy posiłek składający się z przekąsek, ciasteczek i różnych malutkich łakoci.

— Nikogo nie namawiam — mówiła mi przed naszą podróżą moja przyjaciółka Iwona Bogucka, światowy bywalec. — Tam po prostu trzeba być.

W Al-Muntaha, gdzie piękno panoramy Dubaju przewyższa tylko smak serwowanych potraw, na kolację należy wydać ponad tysiąc dirhamów. Czy to dużo? Patrząc z perspektywy eleganckich dubajskich lokali — to jest norma.

Kolejne grupy wysiadające z autobusów zatrzymują się na chwilę przed wejściem do hotelu, aby utrwalić zewnętrzną iluminację. Budowla przykuwa uwagę, bo staje się ekranem dla 142 irydowych reflektorów o stale zmieniających się kolorach.

Wiadomo, że klasyfikacja hoteli wyraża się w skali od jednego do pięciu i oficjalnego określenia „hotel siedmiogwiazdkowy" nigdzie nie ma. Skąd więc te siedem gwiazdek dla Burdż al-Arab? Po uroczystej inauguracji w 1999 roku pewna brytyjska dziennikarka napisała, że hotel nie mieści się w tradycyjnych normach. Uważała, że osiągnął pułap zdecydowanie wyższy i słuszniej byłoby ten standard określić siedmiogwiazdkowym. Tego faktu nie przeoczyli marketingowcy. W świat poszła informacja, która na dobre przylgnęła do wizerunku Żagla. Wkrótce hotel wyrósł na symbol rosnącego na arenie międzynarodowej statusu Dubaju.

A co tak naprawdę czyni Burdż al-Arab niezwykłym?

Trzeba przyznać, że to przede wszystkim sprawny marketing wniósł do naszej świadomości tę charakterystyczną, łatwo rozpoznawalną architektoniczną formę. Zagadnięta przeze mnie przy śniadaniu Brytyjka będąca w podróży poślubnej wyznała, że czuje się tutaj przez dwa dni jak prawdziwa księżniczka, a emerytowane małżeństwo z niemieckiego Kassel z zachwytem stwierdziło, że przynajmniej raz w życiu trzeba przeżyć tak wyjątkowe wakacje.

— Jeszcze niedawno za najważniejsze uznawaliśmy luksusowe dobra trwałe, samochody, mieszkania — powiedział Niemiec toporną angielszczyzną. — Dzisiaj liczą się dla nas wartości niematerialne, czyli podróże i wakacje, na które gotowi jesteśmy przeznaczyć większe kwoty.

A jednak Linda znalazła skazę tego hotelu. Po powrocie do domu stwierdziła z rozrzewnieniem:

— Spędziłam kilka dni w krainie baśni i dokądkolwiek teraz pojadę, zawsze i wszędzie będę czuła pewien niedosyt. Już nigdy nigdzie nie będzie tak jak tam.

Przychodzi mi na myśl lekcja, jakiej udzielam młodym ludziom, kiedy pytają, dokąd pojechać na wakacje. Odradzam wybieranie się na początku kariery podróżniczej w miejsca niezwykłe, poszukiwanie pereł, których niedościgłe piękno zauroczy każdego przybysza. Potem będzie tak jak z Lindą. Dokądkolwiek pojedzie, zawsze się rozczaruje, bo nie przeżyje już takiego olśnienia.

Ja sam w poszukiwaniu osobliwości ginących cywilizacji, niezwykłych zjawisk i ludzi zwykle wojażowałem w stylu XIX-wiecznych odkrywców: na wielbłądach, jakach, słoniach bądź reniferowymi zaprzęgami, piechotą, chińskim sampanem czy indiańską pirogą. Dlatego większą sympatię mam dla kolonialnej atmosfery Orientu i do hoteli tamtej epoki.

Z dużym sentymentem wspominam stylowy, zaniedbany w latach 80. Strand w Rangunie, goszczący głównie Brytyjczyków z firm drzewnych. Był tam taki swojski klimat. Dzisiaj hotel przeszedł kompleksowy remont i nie robi na mnie takiego wrażenia jak niegdyś. Bardzo cenię niepowtarzalny autentyzm Wschodu w singapurskim Raffles, zapełnionym zawsze wytwornymi gośćmi, miłośnikami luksusu i historii. Opowiadano tam, że kiedyś z pobliskiej dżungli wtargnął do hotelowej sali bilardowej tygrys, siejąc panikę. Zastrzelił go jeden z gości. Tam po raz pierwszy zaserwowano słynny dziś na całym świecie koktajl Singapore Sling.

Na pierwszym planie zdecydowanie stawiam jednak Oriental, swoistą instytucję Bangkoku. Czasy się zmieniają, a atmosfera w tym najbardziej znanym hotelu kolonialnym, położonym malowniczo nad brzegiem rzeki Czau Praja (Menam), pozostaje wciąż niepowtarzalna. Dzięki uprzejmości menedżera mieszkałem na tym samym piętrze, co niegdyś Józef Konrad Korzeniowski i Graham Greene.

Kiedy odwiedzałem Angkor, w Siĕm Réap zwykle zatrzymywałem się w Grand Hotelu, który po remoncie zmienił nazwę na Raffles Grand Hotel d'Angkor. Ceniłem jego przestronne pokoje z dużymi łóżkami z baldachimem, osłoniętymi moskitierą, wysokie sufity i obracające się skrzydła wentylatorów. Przez okno oglądałem bujną zieleń w starannie utrzymanym ogrodzie i wdychałem świeży zapach egzotycznych plumerii. Tak, to były zupełnie inne czasy.

Po powrocie do Polski spotykałem się potem z pytaniami o koszty pobytu w Burdż al-Arab. Cóż, nie są niskie i z tym trzeba się liczyć. Koszt jednej nocy jest trzy razy wyższy od tygodniowej wycieczki *all inclusive* latem do Dubaju z tanim biurem podróży. Za dzień w ekskluzywnym apartamencie niektórzy płacą równowartość dobrego samochodu. Czyli ile? Jeśli sprzedasz dziś swoje mieszkanie, kto wie, może wystarczy ci na tydzień prawdziwego szaleństwa w Żaglu?

Na internetowym wpisie ocen hotelu znalazłem uwagę emerytowanego mecenasa z Krakowa, który postanowił zrobić prezent żonie. Sprzedał nieużywaną kawalerkę, zamierzając za nią spędzić w Żaglu tydzień. Niestety, pieniędzy wystarczyło tylko na sześć dni.

HIDŻAB, CZYLI MANIFEST FEMINIZMU

Tym razem czekam na Izmira przed centrum handlowym Dubai Mall. Być może przyprowadzi żonę, choć to zupełnie nie leży w zwyczaju miejscowych. Chcę, by opowiedziała mi o życiu kobiet w Dubaju.

Przed potężnym jasnokawowym budynkiem z bordowym napisem „THE DUBAI MALL" pojawiam się pół godziny przed czasem, kręcę się więc blisko wyjścia i obserwuję. Nie jest to czas zmarnowany.

Na parking, tuż przed wejście, dostojnie podjeżdża najnowszy model range rovera. Starszymi wcieleniami tej marki przemierzałem parę razy bezdroża Azji, ale ten egzemplarz prawdopodobnie nigdy nie zazna nieutwardzanej nawierzchni — a tym samym nie poczuje potrzeby wrzucenia blokady mechanizmu różnicowego czy reduktora. Jest za to lśniący i przy klamkach ozdobiony pojedynczymi błyszczącymi kamieniami. Szkło? Diamenty?

Uchylają się drzwi i pojawia się noga. Jak najbardziej damska. Elegancki but na wysokim obcasie dotyka podłoża, a błękitne dżinsy odsłaniają kostkę. Dopiero wtedy spływa na stopę poła powiewnego płaszcza. Trzaskają drzwi.

Trzydziestoparoletnia kobieta w dopasowanej do figury abai, lekkim czarnym płaszczu, wysiada, i wówczas widzę, że ten tradycyjny strój jest pełen haftów i ozdób.

Pewna siebie, obrzucając otoczenie dumnym spojrzeniem, przechodzi obojętnie. Jej duże czarne doskonale umalowane oczy z długimi rzęsami i perfekcyjnie wyregulowanymi brwiami nie okazują najmniejszych oznak zainteresowania światem. Kiedy na dźwięki *Don't cry for me Argentina*, przeboju królowej pop Madonny, wyjmuje z torebki oprawiony w złoto iPhone, widać rękę całą w drogocennym kruszcu. Elegancka, z pięknie wykrojonymi karminowymi ustami, w markowych okularach, charakterystycznym gestem owija wokół twarzy wzorzystą chustę. Niby przypadkiem wysuwa kokieteryjnie kosmyki kruczoczarnych włosów. Przebłysk uroku. Zaraz potem miesza się z tłumem, pozostawiając za sobą zapach wyszukanych perfum.

To coraz częstszy widok Emiratek, które korzystają z dobrodziejstw skoku cywilizacyjnego w sferze światopoglądowej. Kobiety wprawdzie coraz bardziej otwierają się na świat, ale cały czas filary tradycji, czyli zakrywające włosy, uszy i szyję hidżaby, pozostają.

Nie mijają dwie minuty, a jestem świadkiem zgoła odmiennej sceny. W ślad za dostojnie kroczącym mężczyzną w śnieżnobiałej tunice chyłkiem małymi kroczkami przemykają dwie filigranowe figury w czerni. Starsza z tych żon, wychowana na pustyni wśród wielbłądów, mogłaby być matką „wyzwolonej" dziewczyny, którą widziałem przed chwilą. Twarze obu kobiet zakrywa burka z siatką na oczach, oznaka przywiązania do tradycji. Ręce w czarnych rękawiczkach, na nogach kryte obuwie i rajstopy. Znikają jak cienie za swoim panem, władcą, właścicielem.

Dubaj, kraj rozdarty między dawnym modelem życia a nowoczesnością, jest pełen kontrastów i może łatwo zadziwić lub zaskoczyć. Wprawdzie dominuje tu, powstały na bazie nauk Koranu, szariat, czyli prawo kierujące życiem wyznawców islamu, jednak jego liberalizacja pozwala kobietom iść z duchem czasu.Ponieważ naszym tematem ma być dziś sytuacja kobiet, wyszukałem w sieci informacje dotyczące tej kwestii.

Mam świadomość, że lata podróżowania i eksploracji świata, także związanego z islamem, dały mi pogląd na rzeczywistość nie tak uproszczony, jak ten lansowany w europejskich mediach. Ale wiem też, że to wszystko, co przed dwudziestu laty tłumaczył mi pewien jemeński mędrzec, a nawet to, co obserwowałem przed pięciu laty w Afryce — to już tylko przeszłość. Historia. Opowieść z minionej epoki.

Dlatego chcę wiedzieć, jak jest dziś — tu i teraz.

„Muszę obalić mit dotyczący statusu kobiet — przeczytałem opowieść Marty, żony inżyniera budowlanego pracującego w Dubaju. — Tutejsze społeczeństwo jest bardzo młode, ponad 60 procent ludzi ma 25 lat lub mniej. Wielu studiuje w Stanach Zjednoczonych i w Europie, to oczywiste, że nasiąkają Zachodem, rozwarstwiają się. Stąd konflikt tradycji i nowoczesności, świeckości i islamu. Nawet te zakwefione panie nie są zniewolone pod patriarchalnym jarzmem. Córki niepiśmiennych matek, pamiętających czasy koczowania w namiotach na pustyni, są świadome decyzji. Upinany w modny sposób hidżab często noszą z wyboru i traktują to prawie jak manifest feminizmu. Wystarczy popatrzeć, jak pociągająco i elegancko wyglądają. Udzielają się zawodowo, widoczne są na uniwersytetach, zarządzają, spotykają się w kafejkach, chodzą na fitness. Ale to wszystko nie sprawia, że zapominają o tradycji i kulturze, z których są dumne. Proces emancypacji nie odrzuca religii, która wciąż pozostaje tłem dla wszelkich przejawów tutejszego życia. Ubieranie się w czarne szaty nie zawsze wynika z religijnego przymusu czy nacisku wywieranego przez męża czy ojca".

To stwierdzenie jest warte zastanowienia, podobnie jak fakt, że tutejsze kobiety odbiegają od tradycyjnego wizerunku. Bardzo trafnie opisała je na swojej stronie internetowej mieszkająca od dawna w emiratach Anna Wosik:

„Prowadzą tu one bardzo wygodne i w naszym odczuciu pewnie dość rozrzutne życie. W swoich wielkich willach zatrudniają po kilka służących: sprzątaczkę do ogarnięcia bałaganu, kucharkę do przygotowywania posiłków, opiekunkę do gromadki dzieci, kierowcę i ogrodnika. Nierzadki jest widok Emiratki spacerującej po centrum handlowym, za którą ciągnie się sznurek opiekunek z kilkorgiem jej dzieci. Spędzają długie godziny na zakupach, w salonach piękności, regulując brwi, woskując ciało i dekorując je henną, na pogaduszkach z koleżankami w kawiarniach albo z telefonem w ręku. Najbardziej ulubionym zajęciem lokalnych kobiet w każdym wieku są zakupy. Wydają tysiące dirhamów na kosmetyki, perfumy, biżuterię, buty, torebki i inne akcesoria, wszystko sygnowane logotypami znanych projektantów. Mamy uwielbiają buszować w sklepach z odzieżą dziecięcą. Nie lubią oszczędzać. Przy tym są także niezwykle hojne, z ogromną przyjemnością obdarzają innych prezentami. Duża część kobiet ma ambicje i chce pracować, ale w starszym pokoleniu trudno znaleźć panią, która chciałaby iść do pracy, mając do dyspozycji kierowców i służbę.

Emiratki chodzą do kina, restauracji czy kawiarni właściwie bez żadnych ograniczeń, w towarzystwie sióstr, braci, koleżanek albo męża. Uczennice i studentki są dowożone i odbierane ze szkół autobusami albo przez ojca, brata, męża, prywatnego szofera. Zwykle nie wolno im samym opuszczać kampusu, chyba że mają na to formalne pozwolenie w postaci tak zwanej zielonej karty podpisanej przez najbliższych. Generalnie kobieta po zamążpójściu zyskuje więcej swobód, niż miała, mieszkając jako panna pod skrzydłami rodziców. Oczywiście — może się zdarzyć zupełnie odwrotnie, jeśli małżonek jest wyjątkowo zazdrosny i cechuje go silne poczucie dominacji nad swoją wybranką. Albo jeszcze gorzej — nieboraczka trafiła na szczególnie konserwatywną teściową".

Pojawia się wreszcie Izmir i jest w towarzystwie kobiety. Okazuje się, że to jego żona. Wprawdzie liczyłem, że ją poznam, ale nie mogłem być tego pewien, bo temat małżonki jest bardzo delikatny. Każdy mężczyzna strzeże rodzinnej prywatności nie tylko wobec cudzoziemca, ale nawet wobec innych Arabów.

— Dzień dobry, Jacku — zagaduje z dużą otwartością jego towarzyszka, patrząc, jak rzadko, prosto w oczy. — Widzę cię po raz pierwszy, ale czuję się tak, jakbyśmy się znali od dwóch lat, tyle o tobie słyszę od Izmira. Taki niezłomny facet, zdobywca oceanu i eksplorator pustyń, jak nasz słynny Wilfred Thesiger. Miło cię poznać. Jestem Aisza.

— Dzień dobry. — Lekko ściskam drobną dłoń. — Aisza?

— Tak, mam na imię tak samo, jak żona Mahometa.

Nowa znajoma nosi abaję, ale chustę ma tylko zarzuconą na szyję. Ma szczupłą sylwetkę, długie, gęste falowane włosy, gładką cerę, wyrazisty i odważny makijaż. Nie tyle uderzyła mnie jej uroda, ile rzucający się w oczy luz, w który aż trudno uwierzyć.

Izmir z ciekawością przygląda się tej scenie. Czuje chyba zawód, że na mojej twarzy nie odmalowuje się jakieś szczególne zaskoczenie, bo lekko wzrusza ramionami i rzuca:

— Umówiliśmy się ze znajomymi w jednej z kafejek. A gdzie Linda?

— Zwiedza Mall — odpowiadam.

— Może się zgubić na tych stu dwunastu hektarach.

— I pewnie jej o to chodzi — uśmiecham się. — Ale w razie czego ma telefon.

Pośród blichtru i wyszukanych reklam krąży mrowie ludzi przeróżnych narodowości, kolorów skóry i zapewne wyznań. Łączy ich jednak wspólna religia: miłość do zakupów.

Siadamy przy kawie na najwyższym, trzecim piętrze centrum, pod ogromną szklano-stalową kopułą.

Dowiaduję się, że Aisza skończyła studia prawnicze w Abu Dhabi, ale zaledwie rok pracowała w jakiejś kancelarii notarialnej. Porzuciła profesję, podobnie jak większość jej uniwersyteckich koleżanek, aby poświęcić się życiu rodzinnemu. Widzę, że jest oczytana i wie, co się dzieje na świecie. Chodzi na fitness, ale nie tyle dla utrzymania sylwetki, ile po to, by spędzać wolny czas w kobiecym towarzystwie. Ma 46 lat, wygląda na co najmniej dziesięć mniej. Jej ojciec nie umie pisać ani czytać. podobnie zresztą jak ponad 10 procent populacji Dubaju. Nie chciał przenieść się do miasta, woli mieszkać w swojej dużej willi pośród pustynnych wydm i doglądać nieudużej hodowli wielbłądów. Takich jak on dziś już niewielu mieszka poza miastem.

Po chwili to ona przechodzi do zadawania pytań. Ile masz dzieci, czym się zajmują? Ile zarabiasz? I jeszcze jakieś niedyskretne, jak na wymiar europejski, pytania. Ale to dobrze, bo ja pytań niedyskretnych będę miał dużo więcej.

Z góry widzę ogromne akwaria, w których pływa podobno czterysta rekinów, i rozłożyste palmy, pod którymi roi się mrowie klientów odbijających się w wypolerowanych taflach szyb wystawowych skąpanych w delikatnej złotej poświacie.

Po chwili pojawiają się znajomi Izmira, w tym dwie Polki — Elżbieta i Alicja.

Po obowiązkowej wymianie uścisków dłoni i słowach powitania szybko nakierowuję rozmowę na interesującą mnie kwestię i włączam dyktafon.

— Przy wejściu spotkałem kobietę, która przyjechała range roverem, cała opływała w złoto i dostatek. I nie wiem, co o niej myśleć. Bo jednak ubrana była tradycyjnie.

— A mnie do dziś ciekawi, czy one są szczęśliwe — rzuca Elżbieta, spoglądając bokiem na Aiszę. — Mieszkam tu od trzech lat, ale nie mam pojęcia, jakie są ich marzenia, nadzieje, oczekiwania. Co myślą, spotykając na ulicy cudzoziemki w minispódniczkach czy szortach. Czy czują się nieszczęśliwe, podrzędne? A może wcale im nie zazdroszczą i są wręcz oburzone, widząc tak swobodne i niezależne zachodnie kobiety?

— A czy spróbowałaś spojrzeć na to z innego punktu widzenia? — odpowiada pytaniem Aisza. — Ileż to wolności, kiedy człowieka nikt nie ogląda, nie krytykuje za niedoskonałości figury, za uczesanie czy ubiór. Czy spróbowałabyś uwieść mężczyznę zza tajemniczej zasłony? Ściągnąć na siebie uwagę minispódniczką to zbyt proste. Staram się wejść w wasze położenie. Czy wy nie zatraciłyście przyjemności spojrzeń, zakłopotanego i nieśmiałego uśmiechu? Czy naprawdę jesteście wolne, kiedy dla zaspokojenia mężczyzn decydujecie się na torturę liftingu albo ze strachu przed niewystarczającą urodą ryzykujecie anoreksję? Czy można nazwać wolnymi kobietami te, które zostały dostrzeżone wyłącznie z powodu dużego biustu czy wydatnych ust, albo te, które z niezrozumiałych powodów znalazły atrakcyjną pracę? Z powodu jakichś tam ograniczeń, narzuconych przez stereotypy zachodniej cywilizacji, wy też jesteście niewolnicami.

Chwila milczenia się przedłuża. Wreszcie przerywa ją Alicja.

— Uważam, że rzeczywiście muzułmańskie kobiety w pewnym sensie czują się „bezpieczne" w swoich burkach, czadorach, bo nie muszą odwracać głowy, aby unikać ciężaru pożądliwych, lustrujących nagą skórę spojrzeń. Bywało, że nieraz uśmiechnęłam się do jakiejś kobiety, ale jedyną odpowiedzią było przeniesienie wzroku gdzie indziej.

Ciekawy punkt widzenia.

— Czy trudno jest być niemuzułmaninem w emiratach? — pytam.

— Islam, owszem, jest w emirackich sercach, ale obcy nie czuje religijnej presji — ciężar dyskusji przejmuje Izmir. — Emiratczycy identyfikują się z islamem, ale jest to osobiste doświadczenie. Nikt się z tym nie afiszuje, zwłaszcza w Dubaju. Inne kraje, takie jak Arabia Saudyjska, uznają księstwo za kraj zeświecczony i konsumpcyjny, dlatego w weekendy i święta na tutejszych drogach roi się od obcych tablic rejestracyjnych.

— I tak już będzie — dopowiada Aisza. — Nikt już nie cofnie nas do czasów pasterskich, nawet gdyby pojawił się wielki kryzys. Mentalnie już jesteśmy inne, a tylko w waszych, europejskich głowach wciąż funkcjonujemy w świecie, w którym traktowane byłyśmy jak niewolnice. Nasi mężowie nie należą już do tych muzułmanów, którzy traktują kobiety jak mniej wartościową połowę ludzkości.

Elżbieta kręci głową.

— No, niektórym się to zdarza nawet dziś. Traktują kobiety jak przedmiot, jak krowę — komentuje.

Aisza się nie obraża. Spogląda na nią i przytakuje.

— Tak. To niestety prawda, w niektórych krajach tak jest. U was też się to zdarza.

Kontra z trafieniem! To fakt!

— Ale spójrzcie z bliska. — Żona Izmira wskazuje palcem przelewający się tłum. — Zobaczcie: młode dziewczyny starają się nosić swoje tradycyjne okrycie jak najoryginalniej. I tak ponura czarna abaja może nabrać osobistego charakteru. Panienki *glamour*, śledząc zachodnią modę, decydują się na kolorowe korale czy nawet brylanty. Jeszcze inne, bardziej postępowe, lubią podkreślić talię szerokim pasem. Wszystkie wykazują troskę o makijaż i dbają wyjątkowo o szczegóły, wydają mnóstwo pieniędzy na eleganckie buty i markowe akcesoria, no i na biżuterię. Dużo biżuterii, także od Cartiera. Na zakupy jeżdżą do Londynu. Znam wiele takich. Niby przywiązane do tradycji, ale jedną nogą są już w innym świecie.

W ramach przygotowań do dzisiejszej rozmowy przeczytałem tekst Aleksandry Chrobak, która przyjechała do emiratu z Anglii, gdzie mieszkała przez trzy lata. Została stewardesą w liniach lotniczych Etihad, ale szybko straciła serce do tego zawodu. Znalazła pracę w Abu Dhabi w administracji, w czymś w rodzaju Narodowego Funduszu Zdrowia. Jej wywiad dla Katarzyny Kantner z Onetu (pt. „Jak bańka mydlana") jest potwierdzeniem słów Aiszy.

„Tutejsze kobiety mają ogromne oczekiwania. Żądają od przyszłego małżonka milionowych posagów. Skutek jest taki, że Emiratczycy często wolą żony z Jemenu czy Arabii Saudyjskiej, które nie będą pragnęły tak wiele i będą bardziej oddane życiu rodzinnemu. Stąd wysoki odsetek starych panien, bo autochtonka w zasadzie nie ma możliwości poślubienia nie-Emiratczyka. Kobiety się emancypują, co przejawia się także w dużej liczbie rozwodów — tak kończy się około 30 procent związków. Aranżowane małżeństwa już nie zadowalają.

Podkreślę, że już założyciel ZEA szejk Zaid w latach 50. i 60. wprowadzał rewolucyjne zmiany. Mówił między innymi o tym, że kobieta nie powinna być sprzedawana mężczyźnie jak towar, ale dobrze byłoby, gdyby pracowała i dokładała coś do wspólnego dobra, które tworzą jako rodzina. Widział kobietę jako równorzędną partnerkę mężczyzny i tak kształtował swój naród. Nawet gdy kobieta okrywa się czarną abają, to nie robi tego pod przymusem, lecz w zgodzie z obyczajem narzucanym przez rodzinę".

Po godzinnej dyskusji towarzystwo się rozchodzi. Podejrzewam, że moje rozmówczynie pobiegły zaspokoić zakupowe apetyty. Zostaję sam, czekając na telefon od Lindy, która jakoś nie może do mnie dotrzeć. Domyślam się dlaczego.

Sam jestem zdeklarowanym wrogiem konsumpcjonizmu. Nigdy nie wciągnął mnie rytuał kupowania, nie imponowała wystawność i wydatki ponad stan, nie zmieniam co roku samochodu i nie mam wielkich wymagań. A jednak niektórzy zarzucają mi, że książki podpisuję wiecznym piórem marki Parker ze stalówką wykonaną z 18-karatowego złota. Przepych czy komfort nigdy nie czyniły mnie szczęśliwym, a tych kilka cennych drobiazgów, które posiadam, to szczególne pamiątki, a nie ekskluzywne zachcianki. Kiedy skończyłem sześćdziesiąt lat, Linda wymogła na mnie, abym bardziej dbał o swój wizerunek. Nosił dobrze dobrane krawaty, używał zawsze dezodorantu oraz dobrej wody po goleniu i perfum. Noszę ze sobą ładną teczkę retro pasującą do wizerunku eksploratora. Dbam także o garderobę na wyprawach. Nawet w upalnych tropikach nikt mnie nie zobaczy w stroju turystycznym, czyli szortach i pielgrzymich sandałach. Ale nie jest to powodowane modą. Zabieram po prostu ubrania funkcjonalne, odpowiadające regułom sztuki podróżowania i higieny. Nie rozstaję się z saharianą, kurtką typu safari przypominającą okres kolonialny.

Z zamyślenia wyrywa mnie telefon.

Linda! Nareszcie.

— Co się stało? — pytam.

— Później ci wszystko wyjaśnię. Przyjdź prędko. Jestem w butiku z bielizną intymną — mówi i tłumaczy, jak do niego trafić.

— Już idę!

Cóż tak niecodziennego mogła znaleźć w tym przybytku osobliwości?

Wręczam kelnerce zapłatę i pędzę do żony. Linda stoi przy szklanej witrynie sklepu, który przed chwilą odwiedziła.

Gdyby ktoś zapytał, co wówczas poczułem, rzekłbym: zdębiałem.

Oto, zerkając ostrożnie, dokonuję odkrycia, co tutejsze panie skrywają pod skromnym czarnym odzieniem. Dwie kobiety w nieokreślonym wieku, z wąską szparą w hidżabie, z zainteresowaniem przebierają w bogatej kolekcji bielizny erotycznej. Z zainteresowaniem obserwujemy z Lindą tę scenę. Zmysłowy asortyment mógłby zaspokoić oczekiwania każdej puszczającej wodze fantazji Europejki wybierającej się na romantyczny wieczór we dwoje.

Kobiety zachwycają się uwodzicielskim pasem do czarnych pończoch, body z koronkami, haftowanymi stringami czy wyszukanymi półbiustonoszami. Perfekcyjny arsenał na seksowną noc. Okazuje się, że pod surowym czadorem często skrywa się druga twarz islamskiej kobiety, która potrafi pogodzić religijne przykazania z niczym nieskrępowaną swobodą. To kolejny dowód na współistnienie w tym kraju dwóch wykluczających się światów: ortodoksyjnej religii i małżeńskiej rozpusty.

I pomyśleć, że wchodząc do tej świątyni zakupów, natknąłem się na dużą wywieszkę z zaleceniem, aby panie nie pokazywały kolan i zakrywały plecy.

Stercząc tak przy wystawie, żałuję, że nie mogę teraz wyjąć aparatu. Przydałby się taki szpiegowski sprzęt, jakim dysponuje mój przyjaciel Krzysztof. Aparat w piórze, dyktafon w długopisie, kamera w okularach.

Przy okazji odrobina refleksji. Scena, którą obserwowaliśmy, budzi zainteresowanie, ponieważ kulturę islamską odbiera się stereotypowo jako tę, która uciska i poniża kobiety, hamując ich seksualność. Zastanawiam się jednak, czy w momencie zetknięcia się kultury islamu z kulturą Zachodu nie zachodzi proces analogiczny do tego, z którym mamy do czynienia w przypadku religii chrześcijańskiej. Chrześcijanki stereotypowo też nie były utożsamiane ze swobodną ekspresją seksualną. Zalecano wstrzemięźliwość, niestosowanie pewnych praktyk miłosnych. Do dziś Kościół kodyfikuje moment rozpoczęcia współżycia i sposób kontroli płodności. A jak to się ma do praktyki społecznej? Jak wszyscy wiemy — różnie. Znajdziemy osoby wstrzemięźliwe, gorliwie wypełniające nakazy religijne, wręcz pruderyjne tak w stroju, jak w zachowaniu. Znajdziemy osoby podchodzące zupełnie liberalnie do norm, jakie narzuca religia w zakresie seksualności. Co więcej, znajdziemy też grupę „postępowych pobożnych" osób, które, jak opisane kobiety w sklepie z bielizną, będą umiejętnie łączyć tradycyjną zachowawczość seksualną z dobrodziejstwem możliwości zaspokojenia najskrytszych fantazji, byle w sakralnym związku małżeńskim. Różnica jest taka, że w naszym kraju za nieprzestrzeganie zasad obyczajowości chrześcijańskiej co najwyżej może spotkać nas ostracyzm społeczny lub będziemy borykać się z własnymi wyrzutami sumienia. Nie grozi nam jednak, tak jak w islamie, żadna sankcja prawna.

Patrzę na dwie czarne postacie i przypominam sobie film, który oglądałem we włoskiej telewizji. Amerykańska komedia *Seks w wielkim mieście* podbiła swego czasu serca nowoczesnych, wyzwolonych kobiet na całym świecie. W salach kinowych Dubaju tego filmu nie pokazywano, ale znajoma architekt mówiła, że jej miejscowa koleżanka z biura projektowego kupiła ten film na DVD w sklepie internetowym. Była zachwycona czterema paniami, które wyrwały się od codziennych problemów Nowego Jorku, by wylądować w stolicy Zjednoczonych Emiratów Arabskich, gdzie pławiły się w luksusie, ale też nie uniknęły przeróżnych pułapek wynikających z różnic kulturowych. Z winy jednej z przyjaciółek, wiecznie niezaspokojonej seksualnie Samanthy, kobiety popadły w nie lada tarapaty. Producenci zamierzali nakręcić zdjęcia w Dubaju, ale nie uzyskali na to zgody władz muzułmańskich. Podobno ze względu na słowo „seks" zawarte w tytule filmu oraz na zabawne i bezpruderyjne rozmowy o seksie. Pomimo tego mało przyjaznego gestu film przyczynił się do sporej reklamy księstwa i sprawił, że hotel Emirates Palace w Abu Dhabi, gdzie toczyła się akcja, stał się jednym z najpopularniejszych na Bliskim Wschodzie.

Dużym zaskoczeniem było ukazanie się w 2009 roku kontrowersyjnej książki Widah Lutah *Top secret*, poradnika seksualnego dla muzułmańskich kobiet. Publikacja, która wywołała sporą burzę w społeczności islamskiej, uzyskała aprobatę imama Dubaju i zielone światło samego szejka Muhammada ibn Raszida. 45-letnia autorka, trzymając się ściśle zaleceń szariatu i muzułmańskiej księgi liturgicznej, po raz pierwszy złamała tabu milczenia na temat seksu, poruszając najróżniejsze zagadnienia pożycia intymnego małżonków. Książka wydana własnym sumptem stała się bestsellerem i została przetłumaczona na język angielski, a jej autorka znalazła się na liście najbardziej wpływowych kobiet świata arabskiego ogłoszonej przez magazyn „Arabian Business".

W naszej świadomości pokutuje stereotyp zakutej w czerń, upokorzonej i uciśnionej niewolnicy. Uparłem się trochę, aby zgłębić duszę tej otoczonej aurą niedostępności i tajemniczości muzułmańskiej kobiety. Zebrałem mnóstwo ocen, ale dopiero na końcu przyszła mi z pomocą Alima al-Kusz Bsiu, libańska pisarka żyjąca od dawna w Dubaju.

Bohaterka jej powieści *Przeznaczenie i kobieta orientalna* wyznaje: „Chciałabym wyrzucić swój wizerunek do piekła. Nie jestem kobietą frywolną, niesubordynowaną. Gdybym była szczera z samą sobą, zrzuciłabym odzienie, które mnie charakteryzuje, i wytrzymałabym każde zimno, przyjęłabym karę i radości, stając się wreszcie panią siebie samej. Niestety, tchórzostwo i strach przed przeznaczeniem zakuwają mnie w kajdany, jakie dźwigają miliony innych kobiet".

Na końcu dodaje: „Serce protestuje, wyzwala się z klatki mojego przeznaczenia, delektuje się smakiem buntu i powiewem świeżości. Taką mam przynajmniej nadzieję. Ale przeznaczeniem naszych kobiet jest brak nadziei. Biedna kobieta orientalna stara się uciec, ale jej ubezwłasnowolnienie jest silniejsze".

Pisarka przyznaje: „Oczywiście, że są problemy. Problemy kulturalne, socjalne, nieraz religijne, które stawiają kobiety między młotem a kowadłem. Ale dzisiaj mamy coraz więcej pozytywnych przykładów tych, które same dokonują wyboru, walczą i budują swoje przeznaczenie".

Chyba czas najwyższy, by zweryfikować postrzeganie muzułmańskich kobiet. Zwłaszcza tych w Dubaju.

Dwie z nich właśnie kupiły koronkowe czerwone majteczki z obszytymi dziurkami w najbardziej intymnym miejscu i biustonosze, których w zasadzie nie ma, tak są skąpe.

SPOWIEDŹ
TUTEJSZYCH KOBIET

Którego dnia wpadłem do Marioli na popołudniową herbatę i pyszne suszone daktyle nadziewane orzechami. Poznałem ją kiedyś na swoim spotkaniu autorskim w Dublinie. Jej dom jest dobrze widoczny z okna hotelu Marriott Marquis w nisko zabudowanej Al-Satwie, po drugiej stronie głównej arterii miasta. Z powodu braku przejścia dla pieszych musiałem wziąć taksówkę i pojechać tam okrężną drogą. Byłem tu już raz i polubiłem tę dzielnicę. Czułem się jak w Kairze albo w prowincjonalnej arabskiej miejscowości, trochę starej, trochę nowej. Teraz ulice się zwężają, istnieje tylko jeden pas ruchu w każdym kierunku, pojawiły się światła na skrzyżowaniach, przejścia dla pieszych i przystanki autobusowe. Samochody też są w normalnych rozmiarach, nawet i małocylindrowe. Zero modeli luksusowych. To miasto prawdziwe, a nie plastikowe, bastion starego Dubaju, zamieszkany w przeważającej części przez Azjatów. Nie ma tu eleganckich hoteli ani lśniących witryn sklepowych. Na ruchliwych ulicach pełno za to sklepów włókienniczych i z częściami samochodowymi, szewców i świetnych krawców, warsztatów remontowych i pralni szybkiej obsługi. Można też kupić wszystko, co oferują w centrach handlowych, z tą różnicą, że tu ceny są dwukrotnie niższe. Albo posilić się za niewielkie pieniądze wśród tubylców, którzy jedzą bez użycia sztućców, w jednym z licznych lokalików z azjatycką kuchnią, bo Al-Satwa to miejsce na każdą kieszeń.

Dzielnica zasłynęła na całym świecie w 2013 roku, gdy na rok więzienia skazano 29-letniego Amerykanina Shezanne'a Cassima. Powód? Umieścił na YouTube'ie pseudodokumentalny satyryczny filmik o swoich rówieśnikach w tym mieście. Kilkunastominutowe nagranie ukazujące tajemniczy gang zaczynało się w wymyślonej szkole sztuk walki, gdzie uczy się adeptów rzucania pantoflem domowym i walki na liny, kończyło zaś na jeździe dużymi samochodami o przyciemnianych szybach po „niebezpiecznych" ulicach rojących się od zwalczających się gangów. W sentencji sąd w Abu Dhabi orzekł, że oskarżony — konsultant biznesowy od siedmiu lat zatrudniony w Dubaju — ośmieszył miejscową młodzież, szkodząc w ten sposób wizerunkowi ZEA za granicą. Na nieco niższy wymiar kary zasłużyło pięciu pozostałych współtwórców filmu.

Mariola pochodzi z Lęborka, wyszła za mąż za Libańczyka, którego irlandzka firma wysłała tutaj do pracy. Za oknem jej niedużego mieszkania przy Al-Wasl Road wyrasta niemal w zasięgu ręki las wieżowców przy ulicy Szejka Zaida. Jej gosposia, której korzenie sięgają koczowniczych Beludżów z pustynnego pogranicza Iranu i Pakistanu, serwuje bardzo słodką herbatę z mlekiem i kardamonem. Mariola sądziła, że będzie oryginalna, ale napój nie zdobył mojego uznania. Za to jej opowieści słuchałem z dużym zainteresowaniem.

Kiedyś postanowiła wejść w skórę rdzennych mieszkanek emiratu, aby odkryć, co robią, co mówią, jak wydają pieniądze i jakie naprawdę są pod muzułmańskim okryciem. Omotana w czarną abaję i hidżab spędziła sporo czasu w przeróżnych miejscach i okolicznościach. Pojechała na przykład na śniadanie do Marina Mall nad morzem. Dosiadła się do kilku kobiet, które zaskakująco chętnie przyjęły ją do towarzystwa.

— Od razu zauważyły różnicę między ich abają i moją. Ich szaty wyróżniały się jakością tkaniny, jedwabiem delikatnym niczym puder, kamieniami szlachetnymi, ręcznym haftem. Jedna z nich pokazała niewidoczną z zewnątrz podszewkę pokrytą złotem. Odróżniały się ode mnie nie tylko abają czy torebkami od Louisa Vuittona, ale i bransoletkami oraz łańcuszkami. Byłam zachwycona ich perfekcyjnym co do milimetra makijażem, wyglądającym na istne dzieło sztuki. „Za moją abaję, uszytą na miarę, zapłaciłam 20 tysięcy dolarów. Akcesoria też są od kultowych projektantów. To stanowi wizytówkę naszej wartości, bo nie wszystkie jesteśmy jednakowe" — podkreśliła czterdziestoletnia, pełna wdzięku kobieta o łagodnym spojrzeniu, która uważała się za kogoś ważniejszego i bardziej wartościowego. Była przekonana, że jej bogactwo wynosi ją ponad innych. A pomyśleć, że przed znalezieniem czarnego złota mężczyźni w Dubaju najbardziej cenili konie, potem wielbłądy, kozy, a na samym końcu kobiety.

Potem Mariola trafiła do Café Bateel, spokojnego miejsca na promenadzie Mariny, gdzie na tarasie z widokiem na zacumowane jachty przebywa zwykle dużo miejscowych kobiet. I tu także wprosiła się do towarzystwa, które wcześniej zamówiło duży talerz owoców i szeroki wybór soków.

— Kiedy zapytałam, co noszą pod spodem, bez żądnego zażenowania pokazywały bieliznę, która rozpaliłaby zmysły najbardziej oziębłego mężczyzny.

W południe odwiedziła centrum urody.

— Tu panie potrafią spędzać długie godziny. I to trzy razy w tygodniu. Podziwiałam ich fryzury, sprawiające wrażenie prawdziwych rzeźb. One naprawdę nigdy nie muszą myśleć o oszczędzaniu. Usługa za makijaż i ułożenie włosów sięga tu mniej więcej tysiąca euro. Środki do pielęgnacji ciała, balsamy, których się tu używa, zawierają wyciągi z ostryg, serwatki, żmij, unikatowe składniki — ekstrakt kawiorowy i ekskluzywny kompleks komórkowy, i obowiązkowo złoto. Radiance Emulsion, przywracający skórze naturalny blask i pomagający zapobiegać powstawaniu plam starczych, kryje w sobie koloidalne czyste złoto. 24-karatowe złoto zawarte jest w komórkowym serum rozświetlającym, które sprawia, że skóra ma młodzieńczy blask. Jego cena? Kto by tam na to patrzył, 30 mililitrów kosztuje 770 dolarów. Cząsteczki szlachetnego kruszcu są obecne także w kremach linii Filler, które mają niwelować zmarszczki, nadawać skórze perfekcyjny wygląd i złocisty odcień. Oprócz tego zestawu klientki mają do dyspozycji mnóstwo kremów: pod oczy, do ujędrniania skóry, do skutecznego tuszowania niedoskonałości i ocieplania kolorytu skóry. Koszt jednorazowej pielęgnacji „Lux" sięga nawet pięciu tysięcy euro.

Panie rozmawiają ze sobą o ostatnich nowościach i o rezultatach aktualnych zabiegów. Krzykiem mody jest teraz chirurgia plastyczna, która zawładnęła kobietami z Libanu, ZEA czy Kataru. W centrum zdrowotnym *free zone* w Dubaju, w 90 klinikach armia 1700 chirurgów nie może narzekać na brak pracy. Emiratki dyskutują o najnowszych osiągnięciach w kosmetologii oraz innowacyjnych zabiegach pielęgnacyjnych i leczniczych. Oceniają skuteczność nowych metod terapii tudzież nowych urządzeń przeznaczonych do rewitalizacji skóry. Zdumiało mnie, że opowiadają w detalach o odbytych rekonstrukcjach policzków czy biustu, o zabiegach wypełniania zmarszczek, poprawy konturu ust lub usuwaniu owłosienia. Jedna z nich, zbliżająca się do pięćdziesiątki pani o przyjaznym usposobieniu, poddawała się wielokrotnie zabiegom w klinikach europejskich. Opowiadała o tych upiększających, rutynowych kuracjach bez cienia skrępowania, tak jak u nas gawędzi się u fryzjerki o udanym eksperymencie wypieku ciasta. Muszę przyznać, że efekty są wspaniałe, bo ona wcale nie przypomina ofiary chirurgii plastycznej. Celem tej starającej się wszelkimi siłami zachować młodość Arabki jest odbycie pielgrzymki do najlepszych specjalistów z tej branży w Beverly Hills.

Innym razem Mariola dołączyła do czterech obwieszonych kosztowną biżuterią dwudziestolatek siedzących na tarasie włoskiej restauracji Vivaldi by Alfredo Russo, z widokiem na Creek.

— Dziewczyny wyglądały stylowo, wyposażone były w kultowe damskie akcesoria. Podobnie jak większość mieszkańców Dubaju, wciąż zaskoczonych własnym powodzeniem i otaczającą ich nowoczesnością, panienki ostentacyjnie obnoszą się ze swym bogactwem wobec całego świata. Były zajęte dyskusją na temat nowego, oglądanego na okładce jakiegoś magazynu, makijażu Haiffy Wehbe i Nancy

Ajram, libańskich piosenkarek, których teledyski zrewolucjonizowały arabski przemysł muzyczny. Te dwie gwiazdy pop są wzorami do naśladowania dla kobiet Bliskiego Wschodu. Panie przechwalały się trochę swoim obuwiem, jedna z nich miała niezwykle wysokie szpilki z czubkami w szpic, pokryte brokatem, o czerwonych podeszwach. Opowiadały, że zaangażowały się na Expo 2020 i będą prezentować międzynarodowe eventy. Tymczasem uczestniczą w rocznym szkoleniu dla hostess, mającym na celu perfekcyjne przygotowanie do reprezentacyjnej roli. Jedna z nich nawiązała do niedawnych wydarzeń terrorystycznych w Europie, gdzie zginęło wielu niewinnych ludzi. W słowo weszła jej dziewczyna o wydatnych kościach policzkowych i sięgających ramion włosach, w pięknie prezentujących się okularach przeciwsłonecznych. Zaczęła tłumaczyć koleżankom, jak właściwie dopasować model stylowych dżinsów do swojej figury. „Do wąskich bioder — wyjaśniała — powinno nosić się obcisłe rurki, do szerokich zaś koniecznie spodnie z podwyższonym stanem. Niskie osoby lepiej wyglądają w spodniach z kantem, nieco zwężonych ku dołowi. Wąskie nogawki oraz wysoko naszyte kieszenie nadadzą pośladkom atrakcyjne krągłości".

Przyznam, że te dziewczyny wiedzą, jak uwodzić. Potrafią rzucać znaczące spojrzenia, ściągające na nie uwagę. Atrakcyjna, wysoka, o przenikliwych oczach dziewczyna nieustannie poprawiała hidżab, potem niby przypadkiem odsłaniała nieco włosy, co jest czytelnym sygnałem, że chce wzbudzić zainteresowanie. Wygląda to paradoksalnie, bo strój okrywający szczelnie całą sylwetkę, który zrodził się, aby uchronić kobietę przed męskim wzrokiem, dzisiaj działa z odwrotnym skutkiem. Kobieta staje się obiektem większego zainteresowania.

Stwierdziłam, że lokalne kobiety mają niebagatelny dar obserwacji, uważnie rozglądają się dookoła i nic nie umknie ich uwadze. Rozpoznają wartość tkaniny, haftów, inkrustacji abai kobiet na ekranie telewizora. Wiedzą, ilu mężczyzn siedzi w sali restauracyjnej i co zamówili do jedzenia. Umieją też w ciągu pięciu sekund ocenić, ile pieniędzy wydali ludzie wychodzący z pobliskiego centrum handlowego.

Zapada zmrok, kiedy wychodzę od Marioli. Chętnie przejdę się pie-chotą przez tętniącą życiem, oświetloną kolorowymi neonami dziel-nicę. Zatrzymuję się na chwilę przed sklepem jubilerskim, z które-go natychmiast wychodzi Hindus w średnim wieku i zachwala swoje artykuły. O, ta finezyjnie wykonana kolia powstała we Włoszech, we Florencji. Więc odpowiadam po włosku. Sprzedawca śmieje się i ofe-ruje mi „dobrą cenę". Idę z aparatem na szyi, ludzie patrzą na mnie zdziwieni, bo turyści raczej się tu nie zapuszczają. Wchodzę do su-permarketu, mijam kilka alejek. Na półkach produkty gospodarstwa domowego, żywność, garmażeria, odzież, wszystko w bardzo przy-stępnych cenach.

Dziesięć minut drogi od reprezentacyjnego emirackiego Mallu istnieje i taki Dubaj.

Dubajskie plaże nie należą do nadmiernie atrakcyjnych, ale tolerancja religijna dopuszcza na nich nawet zbyt skromne bikini

Miejscowe metro jest w pełni zautomatyzowane

Ogromny port jachtowy
w dzielnicy Marina,
przypominającej Hongkong

Burdż al-Arab, czyli słynny Żagiel,
najbardziej luksusowy i najdroższy hotel,
jaki kiedykolwiek zbudowano

Lobby siedmiogwiazdkowego Burdż al-Arab, uosobienie mitu o arabskiej okazałości. Oddany do użytku w 2000 roku hotel oszałamia swoim unikatowym charakterem i przepychem

Przepych i blichtr Żagla jednych zachwyca, innych irytuje
bądź bulwersuje

Hotel, który zapewnił miastu światowy rozgłos, ma 202 Deluxe Suite

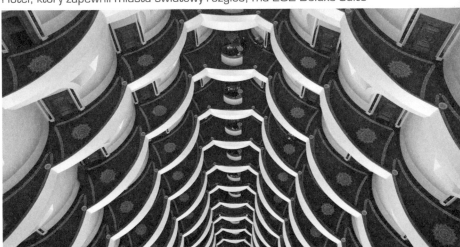

Linda rozgaszcza się w zachwycającym wystrojem,
dwupoziomowym apartamencie o powierzchni 170 mkw.

Kolacja w otoczeniu setek barwnych ryb w jednej
z najbardziej spektakularnych restauracji świata Al Mahara

Nasz Deluxe Suite

Zdjęcie na pamiątkę pysznych wakacji

Gabinet do pracy jest tutaj wyraźnie zbyt mały

Koniec ekskluzywnych wakacji, udajemy się na lotnisko

Szczątkowa forma najstarszej części Dubaju liczącej zaledwie 120 lat

Deira, dzielnica handlowo-mieszkaniowa, niegdyś serce miasta

Widok z hotelowego apartamentu

Biżuteria wyróżnia się zdobnictwem odnoszącym się do tradycji arabskiej i beduińskiej

Gwarna Deira, ze swoją typową bliskowschodnią atmosferą

Nabrzeże Port Said w Deirze to prawdziwy stary Dubaj,
gdzie Wschód spotyka się z Zachodem

Tu, nad wcinającą się głęboko w ląd zatoką Creek, istniała niegdyś
osada poławiaczy pereł

Zatoka Creek, ruchliwa arteria wodna,
wokół której narodził się i rozwinął Dubaj

Godna uwagi uroda miejscowych kobiet

Kobiety w Dubaju mają dużo większą swobodę niż w krajach ościennych

Centra handlowe są dzisiaj w emiracie instytucją narodową,
a rytuał robienia zakupów stał się swoistą religią.
Zakupy nie tylko sprawiają etnicznym Dubajczykom
przyjemność, ale też dają ekscytujące poczucie
wyższej pozycji

Wszystkie galerie handlowe starają się zwabić klientów
dodatkowymi atrakcjami, na przykład stokiem narciarskim
z pięcioma trasami narciarskimi czy gigantycznym akwarium

Centra handlowe są ulubionym miejscem spędzania czasu
całych dubajskich rodzin

Gigantyczne akwarium w centrum handlowym Dubai Mall
mieści w sobie 10 mln litrów wody, w której żyje ponad
33 tysiące gatunków zwierząt wodnych

Siedmiogwiazdkowy hotel Żagiel to jeden z najbardziej rozpoznawalnych gmachów na świecie. Ikona miasta, szklany obiekt, stylizowany na wydęty wiatrem żagiel, przypomina scenę z filmu Jamesa Bonda

Dubaj zbudowali współcześni niewolnicy — nisko opłacani Azjaci, pracujący za nędzne wynagrodzenie i mieszkający w fatalnych warunkach. Petrodolary zapewniły monarchii pobłażliwość świata, który nie ma odwagi, by złożyć interesy ekonomiczne na ołtarzu walki o prawa człowieka

Rząd, który zainwestował tak dużo w idylliczny wizerunek
raju ekonomicznego, ma podstawy do obaw, że ewentualny
zryw robotniczy mógłby mieć katastrofalny wpływ na rozwój turystyki
i zaufanie inwestorów

Niewyobrażalne warunki egzystencji w cieniu bogactwa Dubaju.
Turyści nigdy nie zobaczą skrajnego ubóstwa na obrzeżach miasta.
Jak na ironię Sonapur w języku hindi oznacza „Miasto Złota"

Tania siła robocza stanowi kłopotliwy temat dla szejka

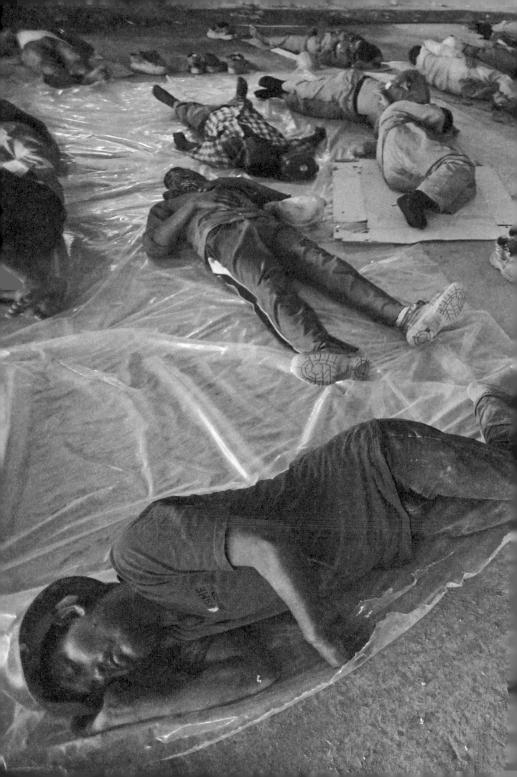

Przerwa południowa. Latem temperatura powietrza
sięga nawet 50 stopni. Co roku w nieszczęśliwych wypadkach
bądź z wycieńczenia, hipertermii czy udaru mózgu
ginie tu ponad stu robotników budowlanych

Żyjąca w ubóstwie rzesza anonimowych gastarbeiterów z Indii,
Pakistanu, Nepalu czy Bangladeszu zatrudniona jest na budowlach
w bezlitosnym skwarze, w złych i niebezpiecznych warunkach pracy

Pomimo grożących represji i szantażu wybuchają nielegalne strajki
i protesty z powodu niskich płac, ciężkich warunków pracy,
braku wynagrodzenia za nadgodziny i niewystarczających
racji żywnościowych

BUSZRA,
RACZEJ FRUSTRACJA
NIŻ SZCZĘŚCIE

Izmir umówił się ze mną w Dubai Racing Club, najnowocześniejszym hipodromie na świecie. Dzisiaj nie ma tu wyścigów, ale oprócz toru Meydan, mieszczącego na trybunach 60 tysięcy ludzi, to także miejsce konferencji, koncertów i biznesowych spotkań. Zdążyliśmy tylko przysiąść w eleganckim barze z widokiem na niedużą przystań jachtową, gdy pojawiła się córka Izmira, pasjonatka koni.

— Masz teraz okazję dowiedzieć się, co myśli o emancypacji nasza młodzież.

Buszra, czyli po arabsku „dobry omen", studiuje nauki humanistyczne na żeńskim Uniwersytecie Zaid w Abu Dhabi, gdzie kształci się ponad pięć tysięcy studentek. Interesująca dziewiętnastolatka, o owalnej buzi i z aparatem na zębach podkreślającym młody wiek, ma wyraziste oczy, usta pomalowane jasnoczerwoną szminką, która zdaje się aż nadto wyzywająca, i charakterystyczny dla osób zamożnych zblazowany uśmieszek. Całe ciało okrywa ozdobiona srebrnymi haftami i kryształkami Swarovskiego, nadmiernie przyciągająca uwagę, obcisła, lekko prześwitująca abaja. Na głowie luźno opadająca chusta częściowo zasłania piękne długie włosy. W pewnym momencie hidżab zsuwa się jeszcze bardziej i Buszra z wdziękiem przerzuca włosy z jednej strony na drugą, wystawiając na widok publiczny bardzo dwuznaczną część swojego ciała. Islam włosy każe zakrywać, gdyż uważa je za połowę całkowitego piękna kobiety. Okrycie powinno przecież „chronić jej kobiecość przed prowokacjami i niskimi żądzami wilków w ludzkich skórach". Urodę podkreśla biżuteria, nieodłączny atrybut arabskich kobiet, bogatych i biednych. U mojej rozmówczyni widać złote bransolety, ciężki łańcuszek oraz duży pierścień.

Podczas rozmowy Buszra napomyka, że od kołyski miała angielską nianię.

— Na studiach rozmawiam po arabsku, ale o swoich uczuciach myślę po angielsku.

— Pomiędzy przeszłością i czasem teraźniejszym istnieje zasadnicza rozbieżność. Czy nie boisz się, że twoja tożsamość zostanie pochłonięta przez zachodnią? — pytam. — Czytałem w waszej prasie, że dużo się na ten temat mówi. Co ci się podoba w nowej kulturze? Fakt, że wszystko jest *easy*? Czy interesuje cię sztuka zachodnioeuropejska? Michał Anioł na przykład?

Buszra wzrusza tylko ramionami. Nie jest zainteresowana renesansowym artystą.

— A Roberto Cavalli? — rzucam nazwisko włoskiego stylisty, uważanego za dość prowincjonalnego, ale z pewnością celebrytę.

— Ach tak, niezły.

Buszra podróżowała z rodzicami po całej Europie, poznała ulice eleganckich butików, Avenue Montaigne, Via Monte Napoleone, Savile Row. Świetnie zna wszystkie liczące się luksusowe brandy.

— Czy można oprzeć się rodzicom w kwestii miłosnej? — rzucam prowokacyjnie.

— Wychodząc za mąż za cudzoziemca, tracimy obywatelstwo.

— A jeśli zakochasz się w biednym imigrancie?

Buszra spogląda na mnie jak na idiotę.

— Rozumiem... To powiedz mi, jak to jest z twoją tożsamością w sytuacji, kiedy patriarchat chwieje się pod wpływem globalizacji? — zachęcam.

— Z całych sił staram się bronić tradycji, ale moja młodsza siostra nie chce mnie słuchać.

— Wydaje mi się, że nosisz z pewną dumą abaję, mającą ukryć twoje kształty przed wzrokiem mężczyzny, tak aby nie stać się obiektem pożądania.

Izmir unosi ostrzegawczo brwi. Czuję, że wkroczyłem na grząski grunt.

— Dla mnie to oznaka uprzywilejowania — odpowiada Buszra — tego, że jestem autochtonką. Ludzie okazują mi więcej szacunku.

Nie wiem, co by mi powiedziała, gdyby nie było z nami jej ojca. Na koniec zauważam, że luksus jest tutaj stylem i filozofią życia. Nawet zakupy nie tylko sprawiają miejscowym przyjemność, ale też dają ekscytujące poczucie wyższej pozycji. Potem pytam ją wprost, czym jest dla niej szczęście. Nie namyślając się długo, zdecydowanym głosem odpowiada:

— Szczęście to gwarancja dostatniego życia.

Uśmiecham się i nie dyskutuję. Przecież nie przekonam jej, że pieniądze czynią ludzi szczęśliwszymi w niewielkim stopniu. Zadowolenie z życia zależy od innych, pozafinansowych aspektów. Realizowanie potrzeby szczęścia poprzez zakupy prowadzi jedynie do frustracji, a nie do spełnienia. Chociaż niejeden chętnie pewnie wybrałby taką frustrację. Ale ja najszczęśliwszych ludzi spotykałem w ubogim Buthanie czy syberyjskiej głuszy.

STARE MIASTO —
HISTORYCZNA WYDMUSZKA

Uciekając od wrażeń XXI wieku, chętnie powracam na miejscową starówkę w poszukiwaniu okruchów kulturowego dziedzictwa Dubaju, bo nie wyobrażam sobie metropolii bez historycznych korzeni. „Stare miasto" to termin zdecydowanie na wyrost, bo historia najstarszej części Dubaju liczy zaledwie 120 lat, a jej ślady przetrwały w szczątkowej formie. Tak jak niegdyś jednak kwitnie tu kupiectwo, a w porcie wciąż cumują niewielkie drewniane statki dau. Na początku miasto składało się z trzech rozciągających się wzdłuż Creek zabytkowych kwartałów: Bur Dubaj, Szindagha oraz Deira. Bur Dubai to spokojna dzielnica banków i instytucji finansowych, gdzie tradycyjne suki mieszają się z wieżowcami, a ulica sklepów ze sprzętem komputerowym przechodzi w *textile souq*, jeden z najstarszych bazarów w mieście. Przykryty kunsztownie rzeźbionym dachem gości alejkę podobnych sklepików i stoisk wypełnionych belami kolorowych materiałów i barwnymi sukienkami. Te ostatnie przeznaczone są nie bardzo wiadomo dla kogo, bo jeśli nie liczyć turystek, to kobiety, i to w czerni, są tutaj rzadkością. Zawsze uśmiechnięci kramarze zachęcają do oglądania i przymierzania. Wystarczy zatrzymać się na chwilę, aby usłyszeć jakąś przekonywającą propozycję. Niektórzy zachowują się dość powściągliwie, ale większości nie wystarcza jednorazowa odmowa.

Trochę przez przypadek docieram do fortu Al-Fahidi, imponującej budowli z widokiem na morze. Urządzone w nim muzeum miałem już okazję poznać.

W pobliże muzeum podjeżdża właśnie konwój autobusów z pasażerami „Costa Serena", statku, który rano zacumował w nieodległym stąd porcie Raszid. Wysypuje się kilkuset turystów, ruchliwych i głodnych wrażeń.

Na ich widok oczywiście aktywizują się sprzedawcy pamiątek, tkanin i przewodników. Ceny skaczą o sto procent, by w mozolnym znoju targowania zadowolić zarówno turystów, którzy kupią coś za pół ceny, jak i portfel kramarza.

W 2015 roku do Dubaju zawinęło ponad 200 luksusowych statków wycieczkowych, przywożąc na pokładzie ponad pół miliona osób. Władze miasta liczą na to, że za pięć lat na oddany niedawno do użytku nowy terminal przybędzie dwa razy więcej wycieczkowiczów. Nic dziwnego, skoro wakacje na morzu są coraz bardziej popularne i sektor cały czas się rozwija. Kilka dni temu w porcie Raszid widziałem cztery kolosy, takie po kilkaset metrów długości, które zabierają w rejs po kilka tysięcy pasażerów, zapewniając im najwyższy komfort i nieskończoną liczbę atrakcji.

Wizytówką Bur Dubaj jest Al-Bastakija i chociaż nie przepadam za skansenami, to jednak postanawiam przejść się po jego może dwustu lub trzystu metrach powierzchni. To najstarsza zamieszkana część miasta, największe skupisko tradycyjnych zabudowań w Dubaju. Została całkowicie odrestaurowana i to zbyt przesadnie, bo w tym odświeżeniu zatraciła cały swój dawny urok. Jestem trochę rozczarowany i dochodzę do przekonania, że w tej metropolii na pewno bardziej zasługuje na uwagę nie tyle jej historia, ile przeobrażenie i wszechpotęga, z jaką emirat przekracza granicę przyszłości.

Nazwa Bastakija związana jest z irańskim regionem Bastak, skąd pochodziło wielu imigrantów, kupców i rzemieślników. Zachęceni polityką wolnego handlu przybyli do księstwa pod koniec XIX wieku i osiedlili się właśnie w tej części miasta. Zbudowali pierwsze osiedle murowanych domów z charakterystycznymi wieżami wiatrowymi zapewniającymi naturalną wentylację, w której system rurowy powodował wymuszoną cyrkulację powietrza. Taki pierwowzór obecnej klimatyzacji, który niósł mieszkańcom ulgę w upalne letnie dni.

W początkowym okresie budowy miasta plany architektoniczne przewidywały wyburzenie części zapuszczonych zabudowań, bo widziano tutaj kompleks wieżowców. Na szczęście ten pomysł porzucono i w 2005 roku zabrano się do odrestaurowania dzielnicy. Tak zrodziła się przypominająca skansen atrakcja turystyczna, którą władze dzisiaj się chlubią. To typowo arabska, ciasna zabudowa, utrzymana w piaskowych barwach, z mnóstwem zakamarków, niewysokich domów z niewielkimi dziedzińcami.

Kręcę się trochę bez celu po wąskich uliczkach, w końcu decyduję się przepłynąć wysłużoną drewnianą abrą, czyli taksówką wodną, na drugi brzeg zatoki. Moim celem jest Deira, dzielnica handlowo-mieszkaniowa, będąca niegdyś sercem Dubaju.

Od pierwszej chwili czuje się tu bliskowschodnią atmosferę. Na zacienionych, ale mimo wszystko gorących ruchliwych ulicach, pełnych sklepików z rzemiosłem, tradycyjnych arabskich kawiarenek, fast foodów, pizzerii, indyjskich i irańskich jadłodajni, spotyka się sporo skromnych, nie najczystszych hotelików, gdzie cena noclegu w pokoju wieloosobowym zaczyna się od kilkunastu dolarów. Wbrew temu, co się powszechnie uważa, w Dubaju niekoniecznie trzeba wydać fortunę. W odróżnieniu od całej reszty miasta tu panuje typowy azjatycki chaos, intensywny ruch — riksze, auta transportowe, rowery i piesi, dużo pieszych. Ludności lokalnej nie widać, dzielnica zdominowana jest przez imigrantów azjatyckich.

Oto i historyczny Stary Suk z chroniącą od słońca interesującą konstrukcją drewnianego dachu. Gwar nigdy tu nie cichnie. Krzykliwy tłum Hindusów w tradycyjnych szatach kłębi się wśród kolorowych pięknych tkanin i intensywnych zapachów przypraw Orientu. Chwilami trudno jest się poruszać. Sprzedawcy dość nachalnie zachęcają do kupna telefonu, souveniru, chusty, dywanu, nakrycia głowy, zegarka, obszywanych butów, torby, walizki, sprzętu elektronicznego... Nie dają spokoju także naganiacze. O cokolwiek zapytasz, wszystko ci zdobędą. Często bez pytania proponują też usługi atrakcyjnych prostytutek. I to wcale niedrogo!

Hindusi stanowią w Dubaju najliczniejszą grupę etniczną, jest ich dużo więcej niż rdzennych mieszkańców tych ziem. Wykonują niemal wszystkie prace, od najgorszych, takich jak sprzątanie ulic, po kierowanie międzynarodowymi korporacjami. Pracuje tu wielu księgowych, inżynierów, lekarzy, bankierów i przedsiębiorców prowadzących 11 tysięcy firm. Jest ich tak dużo, że miejscowi dowcipkują: „Jakie jest najlepsze miejsce w całych Indiach? Dubaj!".

Rzadko spotykam zakwefione kobiety, a jeśli już, to z mężem i dziećmi. Częściej oglądam siedzących na ziemi mężczyzn, bezmyślnie wpatrujących się w przechodniów. Gdy nadchodzi biała kobieta, to natarczywość ich wzroku staje się krępująca. W indyjskiej restauracyjce zjadam za kilka dolarów zupełnie dobry obiad, uwieńczony filiżanką mocnej, parzonej w tygielku kawy z kardamonem. Sympatyczny wąsaty Hindus proponuje karak, herbatę z mlekiem, kardamonem i przyprawami, ale na tak fantazyjną recepturę nie mam zupełnie ochoty.

Dołącza do mnie Linda, zadowolona po zwiedzeniu galerii sztuki współczesnej The Third Line. Spotykamy się u Prafula Soni, właściciela Shyam Jewellers, jednego z najstarszych sklepów jubilerskich w Dubaju. Będzie naszym przewodnikiem po świecie złota, sztandarowym produkcie tego miasta.

Na legendarnym Złotym Suku czuję prawdziwego ducha dawnych czasów. Ten synonim arabskiego bogactwa to jedna z najpopularniejszych, przynajmniej dla kobiet, atrakcja turystyczna na Bliskim Wschodzie. Mijamy liczne zakłady jubilerskie, produkujące na miejscu biżuterię. Linda coraz to zatrzymuje się przed silnie oświetlonymi witrynami, ociekającymi złotem i szlachetnymi kamieniami. Oczom potencjalnych nabywców prezentuje się niepowtarzalna gama towarów: kolie, łańcuszki, naszyjniki, bransolety, kolczyki, brosze, złoto żółte, białe, różowe. Wyroby wyróżniają się zdobnictwem odnoszącym się do tradycji arabskiej i beduińskiej, a przede wszystkim wielkością, bo tu nie ma rzeczy małych lub skromnych. Niektóre wyroby są tak duże i ciężkie, że trudno sobie wyobrazić, jak można je nosić.

— W tej hali targowej mamy 360 sklepików — rzuca Praful. — Najlepszymi klientami są obywatele Indii, dla których złoto ma duże znaczenie religijne i kulturowe. Wabią ich dobre ceny i gwarancja jakości. Dla Syryjczyków, Irańczyków czy Egipcjan królewski kruszec to także inwestycja, rodzaj zabezpieczenia przed niepokojami społecznymi i ekonomicznymi w ich krajach. Szczególnym zainteresowaniem cieszy się wśród nich 22-karatowe złoto, które nigdy wcześniej jakoś nie przyciągało uwagi. Statystyki podają, że w 2014 roku przez Dubaj przewinęło się 2250 ton złota o wartości 70 miliardów dolarów, pochodzącego głównie z importu z południowo-wschodniej Azji i krajów ościennych. Bez wątpienia jest to najszybciej rozwijający się ośrodek handlu złota na świecie.

Trudno przejść spokojnie, bo sprzedawcy nalegają, aby obejrzeć ich imponujące wyroby, oferowane zawsze za *good price*. Zwykle są to Hindusi lub Pakistańczycy w swoich skromnych, nieskazitelnie białych, niegniotących się diszdaszach. Jeśli jest to kobieta, to zawsze bardzo elegancka, z perfekcyjnym makijażem, czerwonymi ustami i rzucającą się w oczy biżuterią na szyi.

— Kreatywność rzemieślników nie zna granic — wyraża swoją opinię Praful. — W luksusowych sklepach jubilerskich Paryża czy Nowego Jorku mamy do czynienia z cennymi i wysublimowanymi wytworami, lecz trzeba wiedzieć, że są one produkowane seryjnie. Co innego tutaj, gdzie można znaleźć artykuły wyjątkowej jakości i przede wszystkim jedyne, niepowtarzalne. Wprawdzie tutejszym jubilerom nie wolno wystawiać certyfikatu gwarancji na kamienie szlachetne czy złoto, które z pewnością jest tańsze od wyrobów znanych międzynarodowych marek, to jednak można mieć pewność, że biżuteria, którą oglądacie, często jest prawdziwym dziełem sztuki jubilerskiej.

Jubilerzy oferują tu również wyroby z platyny, biżuterię z brylantami i innymi szlachetnymi kamieniami.

Linda, która już dawno temu zaprojektowała na swój użytek złote kolczyki, duże koła wysadzane kryształkami Swarovskiego, teraz zamierza zlecić ich wykonanie jakiemuś zręcznemu złotnikowi. Zostawia wzór w jednym ze sklepików, polecając, aby ten ekskluzywny model nie został przypadkiem gdzieś rozpowszechniony. Czy takie polecenie zostanie spełnione, tylko Allach może wiedzieć. Bez względu na wszystko kolczyki mamy odebrać już jutro.

Pośród zgiełku i nawoływań tysiąca gardeł łapie mnie za rękaw niski, chudy mężczyzna. Nie jest młodzieniaszkiem, siwizna przyprószyła mu już skroń i brodę, ale siły w palcach ma tyle, że nie jestem w stanie łagodnie się wyswobodzić.

— *I am master, I have good prices!* — buczy i wyciąga w moją stronę płaskie pudełko, jakby po butach, ale niższe.

Już mam go odsunąć, gdy dostrzegam, że domokrążca z trudem unosi je na wysokość swojej twarzy.

Skarby.

Trudno jego pierścienie nazwać po prostu ciekawymi. To misterne dzieła sztuki, najwyraźniej wzorowane na tradycyjnych ozdobach, niegdyś o znaczeniu magicznym i będących same w sobie oznaką władzy. Maleńkie brylanty otaczają płonący niepokorną czerwienią rubin, białe złoto przeplata się z żółtym, kolia przypomina winorośl oplatającą grona wykonane z pereł, a maleńki, drobny pierścionek jest niczym innym, jak wężem, pragnącym owinąć się wokół palca kobiety. W jego pysku widnieje różowa, rzadka perełka.

— Co masz na myśli, mówiąc: dobra cena? — wskazuję maleńki pierścień.

Facet lustruje mnie, jakby teraz dopiero ustalał wartość dzieła, co zresztą rzeczywiście się odbywa.

— 3000 dolarów amerykańskich.

Odwracam się i odchodzę, ciągnąc za sobą żonę. Nie słucham już jego nawoływań.

I tak nie zamierzałem dokonywać zakupów, ale w Dubaju *good price* oznacza chyba coś zupełnie innego niż na przykład w Barcelonie.

Jeszcze przez chwilę lustrujemy okolicę.

Oczywiście, wśród kupujących nie brak Arabek, bo, jak zauważa Praful, odwiedzają one sklepy jubilerskie z taką samą częstotliwością, jak Europejki chodzą do sklepu z pieczywem. Podczas gdy Linda przygląda się prawie kilogramowemu naszyjnikowi, jaki nosiła w dawnych czasach Kleopatra, miejscowa dama długo targuje się o cenę masywnego pasa, zapominając o płaczącym dziecku, które zostawiła w ramionach azjatyckiej guwernantki. Taki rodzajowy obrazek.

— Skoro poruszamy się pośród złota — rzuca nasz przewodnik — to opowiem, jak bogaty kraj walczy z nadwagą i otyłością ponad połowy swoich obywateli, przy czym liczba grubasów gwałtownie rośnie. W 2013 roku rząd przeprowadził z sukcesem kampanię „Wasza waga na wagę złota". Przez dwa miesiące rdzenni Dubajczycy otrzymywali za każdy zrzucony kilogram masy ciała jeden gram 24-karatowego złota, czyli równowartość 30 euro. Nie bez przyczyny niecodzienna akcja pojawiła się w okresie ramadanu, kiedy muzułmanie powstrzymują się od jedzenia i picia w ciągu dnia, ale rekompensują to sobie po zachodzie słońca, co nie służy ich organizmowi.

Sukces ma swoją cenę i dobrobyt przyniósł też negatywne skutki. „Rozwój cywilizacyjny nie sprzyja zachowaniu szczupłej sylwetki. Zachęcamy do poświęceń, pozwalających zmienić nawyki żywnościowe i promować aktywność fizyczną, by ograniczyć ryzyko chorób związanych z niewłaściwym stylem życia" — przeczytałem gdzieś w oficjalnym komunikacie opublikowanym przez władze miasta. Lekarze rzeczywiście alarmują: zachorowalność na typowe dla zamożnego świata choroby stale rośnie. Pogłębia się epidemia otyłości, coraz więcej ludzi choruje na cukrzycę, umiera na zawał serca, cierpi na stres i wysokie ciśnienie.

Akcja spotkała się ze sporym zainteresowaniem, uczestniczyło w niej ponad 10 tysięcy osób, które stały się posiadaczami 13 kilogramów drogocennego kruszcu. Rok później kampanię powtórzono, tym razem adresując ją do dzieci.

Motywacji za pomocą złota używa się w Dubaju nie tylko w celu zachęcenia do odchudzania. Z okazji dnia transportu publicznego miasto przeznaczyło cztery kilogramy tego kruszcu dla osób, które zrezygnują z dojazdu do pracy samochodem i przesiądą się do komunikacji miejskiej. Na każdą rodzinę przypadają tu ponad dwa auta, metropolia staje się ciasna. Tylko 13 procent mieszkańców korzysta z autobusów czy metra, stąd ta kusząca zachęta. Takie konkursy są oczywiście dodatkowym elementem wizerunku miasta, które potrafi nieustannie zaskakiwać.

Pan Praful już nas opuszcza, a my zdążamy jeszcze na pobliski Spice Souq, Targ Przypraw. Zanim dostrzegę szczegóły, zanim zalśnią stojące równo metalowe dzbanki o smukłej szyjce i wygiętym dziobku, czyli tradycyjne *dallah*, z których nalewa się kawy *gahwah*, w nos uderza mnie specyficzna woń. To niepowtarzalna mieszanka cierpkich i słodkich zapachów przypraw Orientu, leczniczych ziół, kadzideł, naturalnych barwników, henny, sziszy, świeżej wanilii i soli niesionej od portu lekką bryzą. Małe, ciasne sklepiki wypchane są towarami, sprzedawcy wspinają się po drabinach, głośna muzyka płynie z radia, a na zapleczu znajdują się łóżka, na których sypia personel. Aromatom zasypiających już kramów towarzyszą dźwięki przesuwanych koszy, zgrzyt składanych lad, grzechot metalowych ozdób i kuchennych narzędzi. I nawoływania — teraz, o zmierzchu, słabe już, rzadsze i pozbawione werwy, ale wciąż wypełnione nadzieją sprzedania jeszcze jednego dziś drobiazgu.

Powoli przecinamy targ. Wózki, które przez cały dzień dowoziły towary do stoisk, teraz zapełniane są materiałami, ozdobami, narzędziami, talerzami i wypiekami. Szczelnie załadowane z turkotem ruszają w ślad za ciągnącym je człowiekiem. Obserwuję, jak jeden z wózków kończy swoją krótką podróż na nabrzeżu, gdzie czeka już dwóch młodych ludzi. Ledwie zatrzymują wózek rozpędzony przez starszego człowieka — może to ich ojciec? — w ostatniej chwili ratując go przed niechybną kąpielą.

Natychmiast jeden z młodzieńców wskakuje do płaskiej łodzi, drugi rzuca mu towary z wprawą, jaką daje tylko wieloletnie doświadczenie. Nic nie zostaje rozbite — i wózek, opróżniony, może stać teraz spokojnie przy mieszkalnej małej barce, ciesząc się widokiem księżyca.

W PORCIE
Z MINIONYCH CZASÓW

Muszę przyznać, że dzień poświęcony na Deirę traktowałem jako typowo turystyczny. Prawdziwy stary Dubaj, gdzie Wschód spotyka się z Zachodem, to dla mnie tradycyjny port przeładunkowy z nabrzeżem wypełnionym stosem różnorodnych towarów z całego regionu. To miasto w mieście. W pozornym chaosie towary czekają, aż dokerzy zaniosą je na plecach na pokład trzeszczących ze starości drewnianych stateczków dau zacumowanych w iluś tam rzędach u stóp wieżowców. To właściwie łodzie, których długość nie przekracza 25–30 metrów. Takie sceny widywałem już w Adenie czy Aleksandrii.

Pośród słupów, magazynów, drewnianych zadaszeń i plątaniny pomostów można się zgubić jak w labiryncie Minotaura. Kilometry lin, często już nie pierwszej młodości, poprzecieranych, syntetycznych i konopnych, polują na stopy, by je zahaczyć i złośliwie wrzucić turystę do kanału.

Ale ja nie jestem zwykłym turystą.

Tysiące godzin spędziłem w portach, dokach, tawernach, jako oficer pływałem na pokładach tanich bander, na co dzień zmagając się z rdzewiejącymi i rozpadającymi się statkami. Zapach kopry, ropy, gnijących ryb i dżinu jest mi nieobcy od półwiecza.

Już mam się rozejrzeć za jakimś źródłem informacji, gdy obok materializuje się może czterdziestoletni brodaty spracowany olbrzym. Rude włosy i europejskie rysy nie pozwalają widzieć w nim autochtona. Mierzy mnie wzrokiem, po czym zagaduje po angielsku z wyraźnym irlandzkim akcentem:

— Zgubiłeś się, bracie?

— Nie. — Ściskam mocno jego dłoń, silną i nie pierwszej czystości. — Byłem kiedyś żeglarzem i mam sentyment do portów.

— Tak? — Unosi brwi. — A gdzie pływałeś?

Gdy wymieniam listę, dokąd wiodły mnie wiatry i na jakich stanowiskach, przekrzywia głowę. A gdy wspominam o samotnej wyprawie szalupą ratunkową przez Atlantyk, zakłada ręce na piersi.

— Ty chyba pożyczyłeś sobie czyjąś historię, bracie — stwierdza.

— W brytyjskim Królewskim Towarzystwie Geograficznym jest taki jeden facet, eksplorator i odkrywca. Czytałem kiedyś o jego wyprawie przez Atlantyk. Czterdzieści dni samotnie!

— Czterdzieści cztery — prostuję odruchowo. — Czterdzieści lat temu. Tak się to wszystko zaczęło.

Facet nieruchomieje, po czym zbliża swoją twarz do mojej.

— Nie mów, że to ty. Poczekaj!

Sięga do kieszeni, wyjmuje oprawiony w gumę specjalny telefon, po czym zamienia z kimś szybko kilkanaście zdań. Mówi takim slangiem, że równie dobrze mógłby gadać po chińsku.

— Jak? — pyta na koniec, po czym rozłącza się i spogląda na mnie. — A jak ty się, bracie, nazywasz?

Wiem, do czego zmierza. Czuję się mile połechtany, dlatego w odpowiedzi sięgam po paszport, otwieram na stronie z fotografią i nazwiskiem i podsuwam mu pod nos.

Po kilku sekundach Irlandczyk — gość nie może pochodzić z żadnego innego zakątka globu — rozpromienia się.

— O ja cię pierniczę, Palkiewicz, naprawdę! Ale ja mam szczęście! Daj grabę jeszcze raz, chłopie, jesteś moim guru! Chodź, przedstawię cię chiefowi!

Nie mam wyboru, zresztą wcale nie zamierzam się opierać.

Długie tłumaczenia i pochwały skutkują oprowadzeniem po porcie przez samego szefa. Chwali się łodziami, jakby stanowiły jego własność.

— Te statki budowane są od wieków bez żadnych rysunków technicznych przez genialnych cieśli — wyjaśnia, jednocześnie gestami nadzorując załadunek. Ten niski, mocno zbudowany Irańczyk, Mehrdad Karam Zadeh, ma wśród dokerów posłuch. — Dau ze względu na swoją smukłą linię osiągają prędkość do piętnastu węzłów i obsługują żeglugę kabotażową w całym regionie. Z powodzeniem konkurują z jednostkami oceanicznymi, bo nie potrzebują portów i drogiej infrastruktury. Są w stanie dostarczyć 200 ton ładunku „od drzwi do drzwi", nawet na plażę somalijską czy irańską. Zwróć uwagę, że na nabrzeżu widoczne są tablice informujące, że kapitan taki a taki wypływa danego dnia i zabiera towar w jakieś tam miejsce. Tak jak w dawnych czasach, wszystko opiera się na zaufaniu do kapitana.

W czasie krótkiej poobiedniej sjesty gości mnie na herbacie irański kapitan Amirali o dobrotliwej, spalonej słońcem i solą twarzy. Prowadzi familijne przedsiębiorstwo, w którym jako marynarzy zatrudnia bliższych i dalszych członków rodziny. Nadbrzeżny bulwar zaskakuje sprzecznościami. Z jednej strony Dubaj ze swoim kapitalizmem w sosie arabskim, z drugiej Iran z jego handlową tradycją.

Kapitan opowiada, że nie wszystkie dau używają wyłącznie napędu motorowego, niektóre, tak jak dawniej, napędzane są tradycyjnym żaglem łacińskim na jednym czy dwóch masztach.

— To wspaniały statek — chwali swoją jednostkę. — Pływam na nim od 40 lat, a zaczynałem jako majtek. Już w czasach Sindbada Żeglarza dau wykorzystywały siłę monsunu, wożąc przyprawy z Kerali w południowo-zachodnich Indiach czy kość słoniową z Zanzibaru. Teraz transportuje się co innego. Złoto, jedwab, srebro i perły zamieniliśmy na pralki, lodówki, mleko w proszku, sprzęt elektroniczny, a nawet używane samochody. Takie czasy.

Podczas gdy uginający się pod ciężarami ludzie wbiegają z towarem po trapie, załoga zabezpiecza ładunek przed bryzgami fal. To właśnie ci ludzie morza są ogniwem łączącym przeszłość z lasem drapaczy chmur, które wyrosły jak pustynny miraż. To żeglarze i kupcy stworzyli historię świata arabskiego. Za sprawą szejka w końcu XIX wieku powstała tu wolna strefa, która przyciągnęła kupców irańskich, skrępowanych w swoim kraju przeróżnymi limitami. Pozostali tu ich wnukowie, bo, podobnie jak Szwajcaria czy Singapur, Dubaj wciąż doskonale prosperuje, wykorzystując istniejące obostrzenia ekonomiczne sąsiadów.

Stosunki między Iranem i Dubajem sięgają najodleglejszych czasów, kiedy ich mieszkańcy koligacili się przez małżeństwa, dzielili kuchnię, język i tradycje. Dubaj ciągnie duże korzyści z doskonałych relacji handlowych z sąsiadem, który dla wielu innych państw Zatoki Perskiej jest co najmniej uciążliwy. Przez wiele lat emirat musiał wykazywać dużą elastyczność, aby nie narazić się Stanom Zjednoczonym, które ze względów militarnych domagały się od niego odcięcia wszelkich kontaktów z Iranem. W konsekwencji sankcje ograniczyły wymianę handlową o ponad jedną trzecią. Potrzeba było trochę czasu, aby Dubaj zrozumiał, że amerykański sojusznik nie prowadził z nim czystej gry, a raczej go tylko wykorzystywał. Nic dziwnego, że doszło do ochłodzenia relacji. Pozostawał jeszcze „wielki brat", Abu Dhabi, który wrogo odnosił się do Iranu, widząc w nim zagrożenie strategiczne. Szejk al-Maktum musiał dostosować się do jego oczekiwań. Trzeba wiedzieć, że po wybuchu kryzysu finansowego w 2008 roku, w zamian za duże kredyty z Abu Dhabi, Dubaj musiał zrezygnować z części swojej autonomii, godząc się na większe wpływy sąsiada. Jednym z pierwszych postulatów było właśnie ochłodzenie stosunków z Iranem. W związku z tym handel z Teheranem wyraźnie się zmniejszył, ale wkrótce zaczął powoli odzyskiwać swoją rangę. Dzisiaj dzięki poprawnym stosunkom w emiracie Dubaj stał się głównym miejscem rejestracji spółek *offshore* z wirtualnymi biurami, jest istnym rajem podatkowym, doskonałym przyczółkiem dla wszystkich, którzy chcieli robić interesy z objętym embargiem Iranem.

W 2012 roku amerykańskie Ministerstwo Skarbu ogłosiło, że bank Standard Chartered w Dubaju jest podejrzany o naruszenie wielu sankcji nałożonych przez Stany Zjednoczone na Iran. Zarzuty wycofano, kiedy bank zobowiązał się do poprawienia standardów w kwestii przestrzegania sankcji i wypłacenia grzywny 227 milionów dolarów. Dwa lata później to samo ministerstwo ostrzegało, że irański rząd pozyskał setki milionów dolarów w banknotach, wykorzystując do tego tzw. firmy-przykrywki mające siedzibę w Dubaju. Wreszcie w lutym 2015 roku Agencja Reutera poinformowała, że w ciągu ostatnich miesięcy do Iranu, żeby ominąć zachodnie sankcje, przemycono co najmniej miliard dolarów w gotówce. Embargo nałożone przez Zachód na ten kraj w związku z jego programem nuklearnym odcięło go od globalnego systemu bankowego, utrudniając zdobycie dolarów na międzynarodowe transakcje. Dopiero zniesienie tych sankcji przez Stany Zjednoczone i Unię Europejską w styczniu 2016 roku po wielu latach przywróciło równowagę między tymi krajami. Dubaj, tradycyjny partner biznesowy Iranu i miejsce zamieszkania dużej społeczności irańskiej, mógł wrócić do transparentnych transakcji.

Do rozmowy włącza się Mehrdad. Syn kupca sunnickiego po rewolucji Chomeiniego pracował w Teheranie i był jednym z pierwszych, którzy zdali sobie sprawę z potencjału Dubaju. Postanowił się tu osiedlić i pomimo że irańska diaspora składa się głównie z szyitów, czuje się jej częścią. Jego ziomkowie w większości należą już do drugiego lub trzeciego pokolenia, często też zajmują ważne stanowiska w administracji publicznej. Są doskonale zintegrowani z miejscowymi potomkami rodzin beduińskich, ale mimo wszystko zachowują własne tradycje. Związki małżeńskie zawierają wewnątrz swojej grupy, a w domu posługują się językiem farsi.

— Widać było — mówi — że mieszkańcy Dubaju uważali, iż przechowywanie pieniędzy w banku to czysta strata. Powinno się je inwestować. Gdziekolwiek. Dlatego Dubajczycy rozwinęli talent handlowy. W Abu Dhabi, które ma nieporównywalnie więcej ropy naftowej, jest inaczej, bo tam ludzie są ograniczeni mentalnością Beduinów. Dubajczycy urodzili się jako poławiacze pereł, które potem musieli gdzieś sprzedawać. Handlowali złotem z Indiami.

Mehrdad, podając istotne szczegóły, przybliża tajemnicę sukcesu emiratu.

— Talent do biznesu pozostał. Dubaj postawił na strefę wolnego handlu, stał się nowoczesnym ośrodkiem przeładunkowym — wyjaśnia. — Na regionalnym „składzie", czyli w porcie Raszid i w nowoczesnym, stale rozbudowywanym Jebel Ali, towary nie zatrzymują się, a jedynie tranzytują. W Jebel Ali rocznie przewija się osiem milionów kontenerów. Podobnie jest z importowanym złotem, które zostaje reeksportowane. Liczą się też niezliczone galerie handlowe, obrót produktami luksusowymi, międzynarodowe lotnisko oraz *duty free*, przyciągające zagranicznych inwestorów. Dubaj odgrywa tę samą rolę co niegdyś, tylko w szerszym wymiarze. Dawne centrum wymiany w regionie Rogu Afryki, Jemenu i Iranu, dziś zostało poszerzone o Turcję i Daleki Wschód. Musisz zauważyć, że o rozwój kraju dba cały czas szejk Mo, a on potrafi patrzeć daleko. Czytałem, że któregoś dnia Jego Wysokość zwołał posiedzenie i zarządził, że do końca roku cały sektor publiczny musi zostać skomputeryzowany. Ci, którzy to zrobią, otrzymają premie, a kto do tego się nie zastosuje, lepiej niech poszuka innej pracy.

Tak. Szybkość podejmowanych zmian w świecie biurokracji jest jednym z silniejszych punktów tego niewielkiego księstwa.

Żegnam się z marynarzami. Jutro wypływają do Somalii, dokąd dotrą po piętnastu dniach. Postój przewidziany na rozładunek i załadunek zajmie im sześć dni, po czym wezmą kurs na Dubaj.

W drodze powrotnej z Deiry początkowo nie zauważyłem, że mijam hotel Bustan Rotana. Dopiero gdy dostrzegłem świetlny napis i rząd okien zwieńczonych półkoliście, przypomniałem sobie pewne niebłahe wydarzenie. Po powrocie do hotelu opowiadam o nim Lindzie.

Właśnie w pięciogwiazdkowym Bustan Rotana w 2010 roku doszło do trzeciego w ciągu trzech lat w Dubaju głośnego zabójstwa. Tu dokonano zamachu na Mahmuda al-Mabhuha, wysokiej rangi przedstawiciela zbrojnego skrzydła Hamasu. Zajmujący się zakupem broni w Iranie i mający na sumieniu porwanie dwóch izraelskich wojskowych Palestyńczyk przyjechał dzień wcześniej z Damaszku i zameldował się w hotelu pod obcym nazwiskiem.

Kamery rozmieszczone w hotelu i na lotnisku sfilmowały morderców, co pozwoliło szybko odtworzyć cały przebieg operacji i ustalić wszystkich jej uczestników. Dziesięciu mężczyzn i jedna kobieta, posługujący się sfałszowanymi paszportami i skradzionymi tożsamościami obywateli niemieckich, australijskich i brytyjskich, zamieszkali w różnych hotelach i doskonale wmieszali się w tłum turystów. Akcję zaplanowali perfekcyjnie, z chłodną kalkulacją. Weszli do pokoju ofiary, ogłuszyli ją elektrycznym paralizatorem, następnie wstrzyknęli silny środek znieczulający na bazie hydrochlorydu. Potem udusili al-Mabhuha poduszką, aby śmierć wyglądała na naturalną.

Nikt na świecie nie miał chyba wątpliwości, że dokonali tego agenci izraelskich służb, osławionego, niezwykle skutecznego i bezwzględnego Mosadu. Sama jego reputacja to rodzaj broni psychologicznej, agenci mają w świecie arabskim opinię bezwzględnych i przebiegłych, budzą zarówno nienawiść, jak i skrywany podziw. W dzień po tym zabójstwie izraelska tenisistka Szahar Pe'er zakwalifikowała się do ćwierćfinałów międzynarodowego turnieju w Zjednoczonych Emiratach Arabskich, o czym strona internetowa Ynet napisała: „Jeszcze jedna udana operacja w Dubaju". Jak zwykle Izrael nie potwierdził ani nie zaprzeczył, że miał coś wspólnego z brawurową akcją. Pozostaje faktem, że zabójstwo stało się przyczyną poważnego kryzysu w relacjach dyplomatycznych Izraela i Wielkiej Brytanii oraz Australii.

Mówi się, że rząd izraelski w ten sposób upokorzył Arabów. Wydarzenie to bowiem pozwalało snuć podejrzenia, że Dubaj współpracuje z Mosadem. Jak mogą czuć się mieszkańcy kraju, dowiadując się, że inne państwo dopuszcza się u nich morderstwa w imię własnych celów politycznych?

— Ciekawe, że w czerwcu tego samego roku ślady zabójstwa działacza Hamasu w Dubaju zaprowadziły do Polski — snuję ponurą opowieść, której Linda, chcąc nie chcąc, musi wysłuchać.

Na lotnisku Okęcie zatrzymano, na mocy wystawionego przez Niemcy europejskiego nakazu aresztowania, agenta Mosadu Uriego Brodskiego, legitymującego się paszportem niemieckim i izrael-skim. „Der Spiegel" donosił, że Brodski pomógł w nielegalny spo-sób w uzyskaniu niemieckiego paszportu jednemu z zabójców ha-masowca. Sprawa stała się delikatna, oba kraje domagały się jego wydania. Polska utrzymująca z nimi bardzo poprawne stosunki znalazła się w kłopotliwej, wręcz arcytrudnej sytuacji. Niby mamy prawne zobowiązania wynikające z członkostwa w UE, ale też zo-bligowani jesteśmy do walki z terroryzmem. Finał był taki, że po dwóch miesiącach pracy służby wywiadowcze trzech krajów, wyko-rzystując wszelkie formalno-prawne możliwości, znalazły pomyślne dla wszystkich rozwiązanie. Polski wymiar sprawiedliwości zdecy-dował, iż polskie prawo pozwala wydać agenta Niemcom wyłącznie na podstawie zarzutu o sfałszowanie dokumentów, a nie o szpiego-stwo. Bo, jak tłumaczył rzecznik Sądu Okręgowego w Warszawie, zgodnie z międzynarodowymi zasadami i przepisami dotyczącymi europejskiego nakazu aresztowania „nie wydaje się osoby ściganej, jeżeli miała zarzut popełnienia przestępstwa politycznego bez uży-cia przemocy". Ze względu zaś na zbyt małą karę przewidzianą za takie przestępstwo sąd niemiecki zwolnił Brodskiego, który mógł opuścić Niemcy i wyjechać do Izraela, a zatem uniknąć dalszego postępowania karnego.

W 2009 roku Dubaj znalazł się w centrum uwagi z powodu za-strzelenia Sulima Jamadajewa, głównego przeciwnika politycznego prorosyjskiego prezydenta Czeczenii Ramzana Kadyrowa. Generał w armii rebeliantów, swego czasu uhonorowany tytułem bohatera Rosji, zadomowił się w Dubaju po tym, jak miesiąc wcześniej zamor-dowano jego brata. Mieszkał z liczną rodziną na bardzo bogatym osiedlu Jumeirah Beach Residence. Nieznani sprawcy obezwładni-li w podziemnym parkingu jego ochroniarzy, po czym oddali kil-ka śmiertelnych strzałów. Jamadajewowie, zaliczani do najbardziej wpływowych klanów Czeczenii, rywalizowali z Kadyrowem nie tyl-ko o wpływy w kraju, ale i o pieniądze z Moskwy na odbudowę re-publiki ze zniszczeń wojennych. Jak podała gazeta „Le Monde", szef policji dubajskiej generał Dahi Chalfan Tamim oskarżył o zorganizowanie zabójstwa Adama Delimchanowa, wicepremiera Czeczenii i zarazem deputowanego do Dumy z ramienia partii Jedna Rosja.

Linda wzdycha. W jej artystycznym, poukładanym świecie nie ma miejsca na przemoc.

Ja jednak kończę:

— Do kolejnego zamachu doszło w 2008 roku. Wtedy brutalnie zamordowano w wykwintnym apartamencie 30-letnią libańską piosenkarkę, Suzanne Tamin. Zabójcą słynącej z burzliwego życia, popularnej wokalistki, uważanej za arabski symbol seksu, okazał się oficer egipskiej policji. Działał na zlecenie znanego magnata budowlanego i polityka Heszama Talaata Mustafy, który postanowił zemścić się za odrzucenie przez nią propozycji małżeństwa. Obaj zostali w Egipcie skazani na 15 lat więzienia.

Po tej serii zamachów prasa europejska pisała, że Dubaj stał się niespodziewanie stolicą międzynarodowych sensacji kryminalnych, godnych trzymającej w napięciu powieści Le Carré. A włoski „Corriere della Sera" uzupełnił, że miasto coraz mniej przypomina Wall Street islamskich finansów, a bardziej współczesną wersję Bejrutu lat 70.

Od tego czasu jednak panuje tu spokój, co bardzo cieszy Lindę.

KONSUMPCYJNE
SZALEŃSTWO

25-letni Vinodukmar Varghese z Bombaju nie wierzył własnym uszom. W światłach telewizyjnych jupiterów z urny wyciągnięto kupon z jego nazwiskiem, a to równało się wspaniałej nagrodzie, jaką był nissan patrol. Nawet jego kruczoczarne mongolskie wąsy zdawały się uśmiechać. Przyjechał do Dubaju 16 lat temu i znalazł zatrudnienie w spółce handlowej. „Stałem się bogaty, zamienię tę wygraną na pieniądze i natychmiast pojadę do Indii, aby poślubić swoją ukochaną — skomentował wzruszony do głębi. — Nigdy nawet nie marzyłem o czymś takim".

Rzeczywiście mógł trafić na coś mniej wartościowego, na przykład kilogram złota czy zegarek marki Korloff ze sporym brylantem wartości 2700 dolarów. Z kolei gdyby to zdarzyło się rok wcześniej, zostałby właścicielem jednego z 33 losowanych rolls-royce'ów. Nie może jednak narzekać.

„Dokonujcie zakupów, a nie wojujcie" — sugerował Ahmed ibn Said al-Maktum w imieniu stryjecznego brata, księcia Dubaju al--Maktuma, twórcy wciąż coraz to bardziej innowacyjnych projektów. To podobno on osobiście rzucił w 1996 roku pomysł Dubai Shopping Festival, nieznanej na taką skalę handlowej imprezy, prawdziwego raju konsumpcyjnego. Udział dwudziestu pięciu miejscowych centrów handlowych, w połączeniu ze spektakularnymi wydarzeniami rozrywkowymi podnoszącymi popularność kraju jako ośrodka handlu i miejsca, gdzie warto przyjeżdżać na zakupy, sprawił, że impreza ta stała się nieoficjalnym świętem narodowym Dubaju. Jeśli wierzyć pogłoskom, to w któryś piątek, kiedy jest największy ruch, emir podjechał sam, bez widocznej ochrony, do centrum handlowego niedaleko Burdż Chalifa, wmieszał się w tłum i w księgarni kupił kilka książek. Potem udał się do salonu samochodowego, gdzie nabył najnowszy model dżipa.

Czytam o tym wszystkim nocą, kiedy moja żona śpi już wygodnie w szerokim łożu. I cieszę się, że nikt nie zmusza mnie do udziału w tej nowej procesji do sklepów, w tych nowych obrzędach zarabiania i wydawania bez refleksji i opamiętania.

Z perspektywy naszej starej, pogrążonej w kryzysie gospodarczym Europy w Dubaju nic nie wydaje się normalne. Bo czy można uznać za normalne to, że głównym celem turystycznym są właśnie centra handlowe, a ulubionym zajęciem czy sposobem spędzania czasu całych dubajskich rodzin dzikie w nich zakupy?

Nie rozumiem i chyba już nigdy nie pojmę tego szaleństwa zakupowego, które stało się nową chorobą XXI wieku. Nieustanne agresywne promocje, ogłupiające reklamy zachęcają ciągle do kupowania czegoś nowego po atrakcyjnej cenie. W konsekwencji ludzie stracili zdrowy rozsądek na rzecz absurdalnie wybujałej hiperkonsumpcji dóbr materialnych. Rytuał robienia zakupów czegokolwiek, euforia, przyjemność im towarzysząca — to wszystko utrwala bezsensowną kulturę spożycia, która staje się powoli swoistą religią.

Ba, żeby ta religia chociaż dawała człowiekowi szczęście! Tymczasem im większy mamy wybór, tym większy jest poziom naszej frustracji. Decydując się na zakup jednej rzeczy, udział w jednym wydarzeniu, korzystanie z jednej usługi, mamy świadomość, że zrezygnowaliśmy z dziesiątek innych. Zamiast satysfakcji mamy więc poczucie straty. Czemu ludzie to robią? Nigdy chyba nie znajdę odpowiedzi na to pytanie.

Żyjemy w czasach, kiedy gonitwa za dobrobytem i gromadzeniem dóbr nie jest zjawiskiem wyjątkowym, tylko normą. Poddanie się temu trendowi prowadzi do egocentrycznego materializmu, w którym posiadanie uznaje się za największą nagrodę. Na koniec człowiek trafia w ślepy zaułek. Myśli wyłącznie o korzyściach majątkowych, a tę obsesję podsyca wszechobecna machina marketingowa. Niektórzy, przejęci światowymi problemami głodu, suszy, bezrobocia, społecznego wykluczenia, wmawiają sobie naiwnie, że nie uczestniczą w tym wyścigu. Ale jakoś nie dostrzegam wokół siebie nikogo, kto wybrałby prostsze życie, dobrowolnie wykluczył się z grona „uprzywilejowanych". Osobiście nie liczę na bogactwo, nie gram w totolotka, nie wierzę, że „warto zostać milionerem". Żyję spokojnie i nie dręczą mnie myśli o kredycie hipotecznym czy debecie.

Emirat stał się z czasem niekwestionowaną światową stolicą zakupów. Centra handlowe Dubaju są siłą tej metropolii, tworzą obraz Nowego Jorku Bliskiego Wschodu. Te miejsca są dobre nie tylko na wydawanie pieniędzy, ale i na skrycie się przed upałem porównywanym do skierowanej prosto w twarz suszarki do włosów, na zrelaksowanie się w saunie, spotkania z przyjaciółmi w kawiarni lub zaspokojenie apetytu w jednej z niezliczonych restauracji. To jeszcze nie wszystko: można też, na przykład, ponurkować z rekinami w gigantycznym akwarium.

Odbywające się dwa razy w roku, w styczniu i latem, ogromne przedsięwzięcie napędzające koniunkturę tego kraju sponsorowane jest przez strefę wolnocłową Dubai Duty Free. Przez 30 dni wszystkie punkty sprzedaży na terenie całej metropolii kuszą przystępnymi cenami i różnorodnymi promocjami, niskimi marżami, bo produkty są zwolnione z podatku. A kupić ze sporą zniżką można wszystko. Począwszy od biżuterii i luksusowych artykułów, markowych ubrań, firmowych butów, przez perfumy, elektronikę czy dywany, a skończywszy na przeróżnych kiczach, których nie chciałbym nawet za darmo.

Wielkie Święto Zakupów, utożsamiane z centrum biznesu i turystyki współczesnego świata, to nie tylko przeceny, ale też rozliczne imprezy towarzyszące i wydarzenia kulturalne: pokazy mody, konkursy z nagrodami, imprezy dla dzieci, koncerty, nocne fajerwerki, pokazy laserowe, spektakle uliczne, wystawy czy loterie. Te ostatnie wzbudzają szczególne zainteresowanie, bo nagród jest dużo i są tak atrakcyjne, że przyciągają tłumy. Motywujące do zakupów okazałe nagrody są pomysłem działów marketingu, kierowanych przez amerykańskich i brytyjskich menedżerów.

Zimą 2015 roku w maratońskich zakupach wzięło udział 4,3 miliona osób, które wydały około trzech miliardów euro. Tylko w ciągu jednego miesiąca odnotowano 25 procent obrotów rocznych. Dubai Events and Promotions Establishment wprowadziło promocyjny pakiet, obejmujący specjalne taryfy lotnicze, zniżki w hotelu, bony na zakupy i specjalne oferty handlowe przez miesiąc trwania festiwalu. „Ten wieloraki produkt turystyczny, idący w parze z wizerunkiem Dubaju jako lidera ustalającego globalne standardy na wielu płaszczyznach, jest przykładem partnerstwa pomiędzy rządem a sektorem prywatnym w celu szerszego promowania Dubaju jako mety turystycznej światowej klasy" — powiedziała dla „Gulf News" Laila Suhail, rzeczniczka tej agencji.

Rzeczywiście sektor turystyczny jest największym beneficjentem tej imprezy, gdyż wyjazdy organizowane w tym okresie do Dubaju cieszą się wciąż rosnącym powodzeniem. Hotele, agencje turystyczne, przewoźnicy, touroperatorzy — wszyscy oni pomagają sprzedawać na całym świecie ten turystyczny produkt. W każdym hotelu gościowi proponuje się wizytę w centrum handlowym, zaopatruje się go w mapkę z zaznaczonymi obiektami oraz informuje o rozkładzie odjazdów autobusów sprzed hotelu. „Co roku państwo stara się dodać coś nowego do festiwalu zakupów, zapewnić szczególne atrakcje, tak aby każda jego edycja warta była zapamiętania" — powiedział w wywiadzie dyrektor generalny festiwalu Muhammad al-Nabuda. Rok wcześniej imprezą towarzyszącą przyciągającą najwięcej uwagi były wyścigi konne w ramach Dubai World Cup z główną nagrodą w wysokości 12 milionów dolarów.

Rzadko się zdarza, aby ktoś powiedział, że nie odwiedził centrum Mall of the Emirates i nie widział stoku narciarskiego pokrytego cały rok tonami sztucznego śniegu, z wyciągiem krzesełkowym i pięcioma trasami narciarskimi o różnych stopniach trudności. Albo zainspirowany tradycyjnymi bazarami arabskimi nie odbył pielgrzymki na Souq Madinat Jumeirah, albo do ocenianego jako przepyszne Wafi City, przepełnionego egipską atmosferą, z pozłacanymi sfinksami i dekoracjami starożytnej cywilizacji, które mogłyby stanowić świetne tło tryumfalnego marszu Aidy.

Mówią, że warto też odwiedzić podzielone na strefy tematyczne centrum związane z podróżami czternastowiecznego eksploratora Ibn Battuty, gdzie można kupić produkty z Chin, Persji, Indii, Tunezji i Andaluzji czy spróbować lokalnych specjałów.

Położone w samym sercu prestiżowej części miasta Dubai Mall to największe centrum handlowo-usługowe na świecie. Zawiera ponad 1200 punktów handlowych i usługowych, 120 kawiarni i restauracji. Dla porównania w warszawskiej Arkadii powierzchnia towarowa wynosi ponad cztery razy mniej i gości piątą część sklepów. Wielkie Malle może i robią wrażenie, z pewnością oferują ogromny asortyment i ofiarują nieraz przeceny, ale ile trzeba przebyć kilometrów, aby dotrzeć do odpowiedniego sektora! Zatem czy aby na pewno są to idealne miejsca na przyjazne zakupy?

Do uznawanych za najlepsze znawcy tematu dodają jeszcze Deira City Centre w najstarszej części Deiry, BurJuman Centre specjalizujące się w luksusowej odzieży czy Mercato w stylu włoskiego renesansu. Wszystkie starają się zwabić klientów dodatkowymi atrakcjami. Ktoś policzył, że dubajski *shopping tour* obejmuje ponad 90 milionów metrów kwadratowych powierzchni sklepowych. Ale to cały czas się zmienia, bo firma Link Global Ltd zapowiedziała, że wybuduje za miliard dolarów replikę Tadż Mahal, tylko cztery razy większą, w której powstanie gigantyczny Mall. O tym projekcie mówi się szeroko od dawna, trudno nie podziwiać miejscowego marketingu, który tak przekonująco prezentuje światu coś, czego jeszcze nie ma. Nie wiadomo, kiedy obiekt będzie gotów, podobnie zresztą, jak nie wiadomo, kiedy rozpoczną się inne zaplanowane wielkie przedsięwzięcia.

Czy jednak wszechobecna fama wyjątkowych zniżek podczas święta zakupów odpowiada rzeczywistości? Jak mówiłem, nie należę do bywalców centrów handlowych, dlatego opieram się na opiniach osób, które tam bywały. Mieszkające od kilku lat w Dubaju Aleksandra i Izabela twierdzą, że ceny zdarzają się tam rzeczywiście bardzo atrakcyjne. Ale tylko w odniesieniu do nielicznych produktów. Małgorzata zaś, bywalczyni poznańskich butików, mówi, że tutaj znajduje swoje ulubione marki w cenie dużo niższej niż w Mediolanie czy Paryżu. Ktoś jeszcze inny utrzymuje, że się rozczarował. Izabela podpowiada, że najlepsze ceny są z pewnością w Dubai Outlet Mall, gdzie można dobrze kupić kolekcje niezaliczane do ostatnich. I to przez cały okrągły rok. Jedyna niewygoda, że mieści się on z dala od centrum, ale warto tam pojechać, bo w ponad tysiącu sklepów najlepszych marek dostępne bywają rabaty rzędu 30-90 procent.

Moja dobra znajoma, Włoszka Claudia Giacuso, pracująca dla departamentu projektów ogólnych w Dubaju, opowiadała, jak jej przyjaciółka Leila żaliła się na *shopping* w swoim mieście i pytała, czy mogłaby jej rekomendować jakiś lepszy butik na luksusowej Via Monte Napoleone w Mediolanie.

— Przepadam za torebkami — przyznała się — ale niestety, kiedy tutaj dociera najnowsza kolekcja, to najlepsze odkłada się dla żon i córek szejka, a potem jeszcze dla dalszych członków jego rodziny. Dla nas, prostych dziewczyn, zostają tylko resztki. Ostatnio nawiązałam dobre kontakty w Paryżu i Londynie i wysyłają mi to, czego sobie zażyczę. Mam torebki wszystkich wielkich marek, z wyjątkiem mitycznej, ostatniej wersji Kelly, flagowego produktu z domu mody Hermès, wykonanej na cześć księżnej Monako Grace Kelly. Ale moja mama uważa, że jak się ma 30 lat i posiada Kelly, to znaczy, że niczego już nie trzeba oczekiwać od życia.

Jakie to szczęście, że nie mam problemów z markami torebek.

NIEWOLNICY DUBAJU — TEMAT KŁOPOTLIWY

-Nieprawda — twardo reaguje pod koniec bogato wypełnionego dnia Izmir, kiedy zaglądając w swoje notatki, stwierdzam, że już naprawdę zaczynam rozumieć Dubaj.

Siedzimy w eleganckiej salce *executive lounge* mojego hotelu.

— A czego tu brak? — Stukam palcem w dwa zapisane notesy.

— Prawdziwego mięsa.

Podoba mi się to określenie. Sam go używam, gdy chcę dobitnie wskazać na sedno, esencję, twarde dane i fakty. Mięso. Ale czego nie mam?

— Porozmawiamy o tym za chwilę. Chodźmy do hotelowego klubu odnowy biologicznej Saray.

W luksusowym spa na trzecim piętrze, oazie spokoju w kipiącym nowoczesnością mieście, nie zamierzamy korzystać z sauny czy masażu, siadamy w pomieszczeniu przeznaczonym na relaks.

— To jest jedyne miejsce, gdzie nikt cię nie usłyszy — wyjawia Izmir. — Czy wiesz, że basenów i łaźni nie wolno monitorować? To jest absolutnie zabronione. Tam, gdzie są nadzy ludzie, a zwłaszcza nagie kobiety, nie może być żadnego rejestrowania, bo na to nie pozwala prawo islamskie.

Częstujemy się herbatą. Izmir przez chwilę bawi się filiżanką.

— Byłeś na budowie, prawda? Widziałeś robotników? — rzuca odrobinę nerwowo. — Czy sądzisz, że był wśród nich choć jeden Dubajczyk? I jak myślisz, gdzie się te tysiące robotników podziewają?

A więc do tego przez te wszystkie dni dążył Izmir. Dlatego kazał zmienić swoje imię.

Rozmawiając z nim, z czasem odkryłem, że należy on do tego ginącego gatunku ludzi, którzy poszukują prawdy niezależnie od poglądów i koniunktury. To rodzaj życiowych filozofów, których kultury Wschodu wciąż cenią wysoko — a nasza skomercjalizowana i pozbawiona refleksji kultura ruguje z życia społecznego.

— Pokażesz mi ich Dubaj?

— Tak, Jacku. — Gdy to mówi, błyszczą mu oczy.

— I będzie on mało ekskluzywny?

— Absolutnie — potwierdza skinieniem głowy.

— I będę mógł o tym napisać?

— Ale prawdopodobnie będzie to twoja ostatnia wizyta w tym emiracie. Kto chce tu żyć, pracować, choćby przyjeżdżać, musi milczeć — ostrzega.

Nie waham się ani chwili.

— Więc chodźmy.

Piszący o Dubaju widzą często wyłącznie jego dostatek, nie dostrzegają żyjącej w ubóstwie 300-tysięcznej armii anonimowych gastarbeiterów pracujących na budowach za mizerne wynagrodzenie w półniewolniczych warunkach. Spotkałem ich kilka dni temu w City Center w Szardży. Wyobcowana grupa „kosmitów" w dzień wolny od pracy chłodziła się w klimatyzowanym pomieszczeniu, pożerając oczami przechodzące białe kobiety.

— Tak, to wstydliwy temat — potwierdza raz jeszcze Izmir. — Bo nasza prosperity zbudowana została ich potem.

Trafiamy na plac niekończącej się budowy prowadzonej przez firmę Arab Engineering. Poznajemy tam siedzących w cieniu Burdż Chalifa sześciu wychudzonych, zmęczonych mężczyzn. Obok, w ogłuszającym hałasie buldożerów i młotów pneumatycznych, uwijają się jak mrówki inni robotnicy.

W przybrudzonych granatowych kombinezonach, o twarzach pokrytych bruzdami, w których odkłada się kurz, i w białych chustach chroniących przed palącymi promieniami słonecznymi nie nadają się na plakat reklamujący dubajski raj. A przecież przyjechali tu, pracują, zarabiają.

— Chciałbym poznać wasz camp — proszę po krótkiej rozmowie i sięgam do kieszeni, aby dać im pieniądze.

— Nie trzeba — szturcha mnie Izmir.

A więc pewnie on zapłacił im już wcześniej, musiał przecież ich jakoś urobić.

— Teraz cię zostawię, ale wiedz, że to nie zabawa. Chociaż na tę eskapadę masz przyzwolenie mafii indyjskiej kontrolującej prawie wszystkich robotników w tym mieście, to ryzyko jest zawsze. W razie wpadki powtarzaj na policji, że chciałeś się rozeznać wśród budowlańców, gdzie przewidziana jest następna budowa. To kluczowa informacja dla ludzi zainteresowanych kupnem nieruchomości, zanim ukaże się ona oficjalnie na rynku. Dzwoń, jak wrócisz do hotelu — mówi, po czym obejmuje mnie tak, jakbyśmy się mieli już więcej nie zobaczyć.

Podają mi kombinezon — identyczny jak te, które mają na sobie. Do kompletu jeszcze kask i rękawice robocze.

— Autobus będzie za godzinę, pojedziesz z nami, tylko się nie odzywaj — ostrzega mnie Ataur Rahman z Bangladeszu. — Czekamy, bo dziś skończyliśmy wcześniej. Wieczorna wylewka poszła szybko i trzeba czekać.

— Wylewka? — powtarzam.

— Tak — potwierdza chudy mężczyzna. — Betonu nie można lać w dzień, bo słońce za mocne. Nagrzeje się i popęka. Lejemy wieczorem, żeby spokojnie zastygał. A po wylewce nie można tam chodzić ani nic robić. To nas puścili.

— Opowiedzcie mi o sobie — proszę, wkładając kombinezon.

Potem siadam na murku między nimi. Teraz jestem robotnikiem jak oni, i jak oni pocę się w brudnym ubraniu ochronnym.

— Dubaj był moim miastem marzeń — odważnie zaczyna Rahman.

Pokonując niedobory angielszczyzny, odmalowuje obraz, na jaki dał się nabrać. Ze stron reklamowej broszury lśniły drapacze chmur, idylliczne plaże i pozornie nieograniczone możliwości. Rekrutujący, który pięć lat temu zjawił się w jego wiosce, zwabił go obietnicą wysokich zarobków. Zapewniał, że w Dubaju można zarobić 450 euro miesięcznie, że czeka tam komfortowe zakwaterowanie i obfite jedzenie. Oferta brzmiała egzotycznie i kusząco, należało tylko wykupić wizę pracowniczą za 2500 euro. Rahman wyliczył, że z łatwością spłaci dług w ciągu sześciu miesięcy. To był istny los wygrany na loterii, drzwi do lepszego życia. Sprzedał ziemię swojej rodziny i zapożyczył się u sąsiadów, aby dotrzeć do tej ziemi obiecanej.

Dzisiaj, po długich pięciu latach katorżniczej, niebezpiecznej pracy w doskwierającym upale i mieszkania w warunkach urągających ludzkiej godności, z rozgoryczeniem mówi, że został oszukany. Rahman, który ma 28 lat, ale wygląda na dziesięć więcej, ciągnie swoją opowieść niskim, urywanym głosem:

— Zaraz po przyjeździe pracodawca odebrał mi paszport i od tamtej pory go nie widziałem. Powiedzieli mi bez ogródek, że będę pracować 10 godzin dziennie za 240 dolarów miesięcznie, a jeśli mi się nie podoba, mogę wracać, skąd przyjechałem. Ale jak, skoro nie mam ani paszportu, ani pieniędzy na bilet? Najgorsze, że byłem zadłużony po uszy. Nie miałem wyboru, byłem przerażony. Syn, córka i żona, jej rodzice, wszyscy oczekiwali na moje finansowe wsparcie. No i byli dumni, że się ustawiłem.

Jego oczy są zamglone, a bezradny wzrok wyraża rozpaczliwą samotność.

— Praca jest bardzo ciężka, noszę cegły i 50-kilogramowe worki z cementem. Najtrudniej jest w skwarne dni, kiedy słońce rozpuszcza asfalt. Oni wtedy w ogóle nie opuszczają swoich klimatyzowanych pomieszczeń. Tu nie można chorować, bo potem odliczają te dni od wypłaty. Czy uwierzysz, że przez te lata nie widziałem Dubaju inaczej, jak tylko z okna autobusu na trasie dom–praca–dom? Z trudem wytrzymuję, ale muszę akceptować każde warunki, żeby móc utrzymać rodzinę.

— I przez ten cały czas się stąd nie ruszyłeś?

— Byłem w domu dwa razy.

— Czyli jednak zwrócili ci paszport.

Rahman tylko kiwa głową.

— Dwa razy byłem w domu. Tam oczywiście nikomu nie przyznałem się do tego, jak tu jest.

Przyjeżdża autobus.

Przedpotopowa drynda przypominająca nasze „ogórki" z lat sześćdziesiątych odstaje dramatycznie od przepychu Dubaju. Aby znaleźć miejsce siedzące, należy się szybko przepychać. Gdy ze zgrzytem rusza, zaczynam podziwiać kierowcę za odwagę — przecież ta kupa złomu w każdej chwili może się rozlecieć albo spłonąć!

— Co będzie dalej? — podejmuję rozmowę z Rahmanem.

Milczy przez chwilę, potem patrząc w ziemię, mówi zakłopotany:

— Nie mam wyboru. Ani nic do stracenia, bo w mojej wsi ludzie żyją na granicy przetrwania. W ubiegłym roku na jednej z budów robotnicy rozpoczęli strajk, bo przez cztery miesiące nie wypłacano im pensji. Policja użyła armatek wodnych, a przywódców protestu aresztowała. Nie wolno nam się żalić, bo jesteśmy totalnie uzależnieni, żyjemy w ciągłym strachu przed utratą pracy i wydaleniem z kraju — urywa zdanie w połowie — ale jeszcze przedtem wsadzą cię do więzienia. I co będzie wtedy jadła moja rodzina? Nie mamy prawa protestować, jako muzułmanie możemy tylko się modlić o polepszenie warunków życia.

Po chwili przerwy dodaje jeszcze:

— Tęsknię za swoją rodziną, swoją ziemią. W Bangladeszu możesz uprawiać kawałek ziemi i zbierać potem żywność. Tutaj nic nie rośnie. Tylko ropa naftowa i wieżowce.

Jedziemy w milczeniu. Spod kasków wyzierają dziesiątki spalonych słońcem wymizerowanych twarzy o zamglonych oczach i zapadłych policzkach. Nasz robotniczy autobus nieustannie wyprzedzają różne superauta, podkreślając istniejące sprzeczności. Raz jest to jakieś ekskluzywne coupé w kolorze metalicznego złota, a za chwilę kosmiczny aston martin CC100 speedster, za który trzeba zapłacić 700 tysięcy euro, czy dwa razy droższy ekscentryczny maybach 62 landaulet. Kontrast uderza z całą mocą i arogancją.

„Stłumiona i wzgardzona rasa ludzka, podporządkowana wszechmocnej potędze dobrobytu" — zapisuję w notesie.

Autobus mija lotnisko i coraz bardziej zaniedbanymi ulicami dzielnicy Muhaisnah dojeżdża do ogromnego, dwu-, trzykondygnacyjnego osiedla robotniczego. Ogrodzony i ochraniany *labour camp* to istne imigranckie getto. Od razu kojarzy mi się z identycznymi budynkami do dziś widywanymi na Warmii i Mazurach. U nas są to pozostałości po PGR-ach, relikt czasów, gdy masowo sprowadzano ludzi na wieś, by tam pracowali przy hodowli zwierząt, uprawie, połowie ryb i przetwórstwie.

Autobus zatrzymuje się przed dziś szarym, brudnym i pełnym zacieków, niegdyś białym blokiem. Wnękowe balkony zasłonięte są suszącymi się wypranymi koszulami i spodniami. Zmęczeni robotnicy wciąż bez słowa opuszczają cuchnący potem pojazd i przygarbieni wędrują do swoich klitek.

Nie mieszkań, nie apartamentów, a klitek właśnie.

— Tutaj mieszkam z jedenastoma współtowarzyszami — Rahman z oporami pokazuje mi ciasne pomieszczenie z niedużym oknem.

Wyraźnie się wstydzi, jakby to on odpowiadał za jakość zakwaterowania.

Warunki są skandaliczne, brak miejsca na szafę, stół czy nawet krzesło. Ubranie i parę osobistych drobiazgów trzymają upchane w wolne miejsca.

Łazienka? Jest, owszem. Jedna na każde piętro.

Pokazują mi coś, co przypomina polskie dworcowe szalety sprzed trzech dekad — to, czego najbardziej wstydziliśmy się, zapraszając do kraju ludzi z Zachodu. Łazienka jest źle skanalizowana i wciąż przepełniona ekskrementami ściągającymi chmary much.

Upał i smród są nie do zniesienia. Oczywiście nie ma tu mowy o klimatyzacji.

— W nocy pocę się niemożliwie — dodaje robotnik. — Trudno jest tu zasnąć, nieraz idę na dach, bo tam bywa nieco chłodniej. Do tego wciąż jesteśmy śledzeni. Sam zobacz — wskazuje za okno. — Tylko ostrożnie. Ci dwaj z lewej strony to prywatna ochrona z ramienia firmy, ale dużo gorsi są donosiciele, których nie brak w kwaterach.

— Zjesz z nami?

W pierwszym odruchu paniki mam zamiar odmówić, ale byłoby to obrazą.

Kuchnię stanowi wydzielony kąt pomieszczenia ze zniszczonym dziurawym gumolitem, po stokroć zachlapanym, z wyraźnie wypalonymi dziurami i wdeptanymi weń resztkami jedzenia. Dwupalnikowa kuchenka gazowa pamięta czasy, gdy wszyscy w Dubaju znali się chociaż z widzenia. Ale działa.

Zagotowana w poobijanym garnku kasza smakuje jak wywar z trocin. Po raz kolejny gratuluję sobie, że na wyprawy na wszystkie kontynenty zawsze zabierałem żelazne porcje żywnościowe i nie musiałem prosić się o lokalne specjały. A tu — w Dubaju — spotyka mnie taka niespodzianka!

Moi gospodarze siedzą i w milczeniu, zmęczeni, jedzą kleik.

Sonapur jest największym i najbardziej znanym obozowiskiem w Dubaju. Podobnych, chociaż dużo mniejszych, jest wiele na obrzeżach miasta. Ten gigantyczny „hotel robotniczy" został zbudowany przez rząd, a następnie wynajęty firmom, które zasiedliły go swoimi pracownikami. Niezliczone jednakowe budynki rozdzielone kanałami ściekowymi, żwirowymi drogami pełnymi wysypisk śmieci, dają dach nad głową ponad stu tysiącom budowlańców. To istny tygiel narodowości: Hindusi, których jest najwięcej, Pakistańczycy, Banglijczycy, Nepalczycy, Irańczycy, Irakijczycy. Wokół piaski pustyni, tylko w oddali widać las strzelistych wieżowców i blask bogactwa. Tym ludziom jednak stolica luksusu zapewnia jedynie wyczerpującą pracę w spiekocie, niskie zarobki, no i nędzę. Niewyobrażalne warunki egzystencji — degradacja żyjących w cieniu zamożnego Dubaju. Turyści nigdy tego nie zobaczą. Skrajne ubóstwo Sonapuru — co jak na ironię w hindi oznacza „Miasto Złota" — mogłoby wysadzić w powietrze mit Dubaju.

Moi gospodarze przygotowują drugie danie: smażoną paprykę, cebulę z pomidorami i ryżem. Dziś, widzę, na bogato.

Po posiłku kilku towarzyszy Rahmana, spoglądając spode łba na nowego — czyli na mnie — kładzie się na brudnych legowiskach. Zasypiają niemal od razu, mimo upału i smrodu. Muszą być potwornie zmęczeni. Jutro ich dzień zacznie się o 4.30, umyją się, zjedzą coś i godzinę później wsiądą do autobusu. Potem, nie licząc godzinnej przerwy na obiad, będą pracować do osiemnastej. Do domu wrócą przed dwudziestą. I tak przez sześć dni w tygodniu, przez cały rok.

Nagle spostrzegam, że kiwa na mnie jakiś inny robotnik.

W czapce na głowie, by mniej rzucać się w oczy, przemieszczam się do sąsiedniego bloku. Schodzę za nim do cuchnącej piwniczki. Wbrew oczekiwaniom nie jest tu wcale chłodniej. Za to zapach jakby swojski...

Oto za prowizoryczną ścianą z dykty widzę w świetle latarki plastikową beczkę i rurkę o znajomym kształcie. Dalej na stole rozlokowano prostą destylarnię. Chłopaki stworzyli sobie gorzelnię!

Czyjaś ręka wciska mi w dłoń metalowy kubek z podejrzanym płynem. Nie odmawiam — smakuje jak tania wódka. Ale chwalę, co mam zrobić?

Dużą butlę, którą wynoszą z piwnicy, obalają w dwunastu w znanym mi baraku.

W przeciwieństwie do nich nie zapadam po trzech łykach w pijacki sen. Ale i tak muszę spędzić z nimi czas do jutrzejszego poranka. Nikt nie ma prawa stąd wychodzić za bramę bez specjalnego zezwolenia.

Zmęczeni, niedomyci faceci śpią kamiennym snem. Noc przynosi trochę chłodu. Rano zerwą się, zjedzą coś i pojadą znów na budowę. I tak całe lata. Istny koszmar.

Niestety, mnie sen nie jest pisany. Znajduję jakiś kąt na korytarzu i łączę się przez komórkę z internetem. Próbuję zabić bezsenne godziny. Wierzę, że i ja wkrótce się zdrzemnę. Tymczasem wyszukuję teksty o piekle, w którym się znalazłem.

10 marca 2015 roku światowe agencje prasowe podchwyciły za arabską telewizją Al-Dżazira informację o setkach pracowników najemnych z Arabian Construction Company, którzy wyszli w Duba-

ju na ulicę, blokując ruch w centrum miasta, by pomimo represji i szantażu zaprotestować z powodu niskich płac, ciężkich warunków pracy, braku wynagrodzenia za nadgodziny i niewystarczających racji żywnościowych. Komendant główny policji w Dubaju generał Chamis Mattar al-Mazeina oświadczył potem: „Interwencja policji rozwiązała problem po tym, jak pracownikom obiecano rozważyć ich żądania".

W Zjednoczonych Emiratach Arabskich firmy budowlane rekrutujące imigrantów mają poparcie państwa i korzystają z systemu prawnego *kafala*, praktykowanego we wszystkich krajach Zatoki Perskiej, jak niegdyś przez byłych brytyjskich kolonizatorów. To gwarancja nierozerwalnie wiążąca pracownika z pracodawcą, która zapewnia pełną kontrolę nad przyjezdnym. Uprawnia między innymi prywatne firmy do wydawania wiz pracowniczych dla swoich robotników oraz określa ich status prawny. Metoda zaciągu jest bardzo prosta i przypomina nabycie niewolnika. Biuro pośrednictwa pracy w kraju pochodzenia znajduje dla kandydata na wyjazd pracodawcę gotowego sponsorować imigranta. Gwarantuje on władzom, że dana osoba będzie przestrzegać wszystkich praw obowiązujących w kraju, co automatycznie stawia go w sytuacji prawnie odpowiedzialnego za robotnika, którego zatrudnia. Nic dziwnego, że robotników pozbawia się wolności, odbiera im paszporty i zmusza do życia w warunkach podobnych do niewolnictwa.

Takie prawo pozwala na wiele nadużyć, bo pracodawca zawsze może zagrozić wydaleniem pracowników, którzy wyłamują się z ustalonych norm. *Kafala* jest argumentem, z powodu którego prawie osiem milionów robotników w krajach całego regionu, mimo haniebnego traktowania, nie odważy się na podejmowanie z rozmysłem strajków i protestów, gdyż zgodnie z obowiązującym prawem, podobnie jak tworzenie związków zawodowych, są one formalnie zakazane. Ustanowione przez państwo prawo pracy w przeważającej mierze sprzyja chlebodawcy.

O wyzysku mas imigrantów pochodzących z biednych obszarów Azji: Indii, Nepalu, Sri Lanki, Bangladeszu, Indonezji, Filipin, a także z Somalii, Erytrei i — zwłaszcza — Etiopii, zmuszonych do walki o prawie wszystko, co jest niezbędne do codziennego życia, zaczęto nieśmiało mówić jeszcze w 1998 roku. Sześć lat później wybuchł pierwszy duży bunt. Kilka tysięcy zdeterminowanych robotników odważnie przemaszerowało główną arterią miasta Sheikh Zayed w kierunku Ministerstwa Pracy, gdzie zatrzymały ich uzbrojone jednostki policyjne. Nikt nie wie, jakie były wówczas konsekwencje nielegalnej demonstracji w kraju, gdzie prawa polityczne i obywatelskie nie istnieją. Ale to jakoś wtedy nikogo nie szokowało.

Azjaci tracili cierpliwość, rosła frustracja i narastała determinacja. Ale wobec zakazu manifestacji ludzie pochodzący z najbiedniejszych środowisk, zdając sobie sprawę z konsekwencji utraty pracy, mieli prawo odczuwać lęk przed podejmowaniem protestów. Mimo to decydowali się kontestować.

Niewielkie wiece i strajki z powodu niewypłaconych na czas wynagrodzeń, złych i niebezpiecznych warunków pracy, braku minimum warunków higienicznych czy zaopatrzenia w wodę pitną w *labour camp* powtarzały się jeszcze kilkakrotnie. Do największego wystąpienia, będącego pierwszym sygnałem zorganizowanego ruchu, doszło w 2006 roku na budowie Burdż Chalifa. 2500 rozgniewanych robotników zaatakowało siedzibę największej firmy budowlanej w regionie Zatoki Perskiej, Arabtec, podpaliło samochody służbowe, zdemolowało biura, zniszczyło komputery. Skończyło się na osadzeniu przywódców buntu w więzieniu i deportacji kilkuset osób.

W połowie listopada 2007 roku, tuż po tym, jak cztery tysiące budowlańców po fali demonstracji wróciło do pracy na place budów, dubajskie media na pierwszych stronach pisały o księciu z rodziny Saudów Abdullahu al-Walidzie ibn Talalu, który zakupił do prywatnego użytku największy pasażerski samolot świata, airbus A380, jakiego nie miała jeszcze żadna linia lotnicza. Multimiliarder przekształcił go w latający pałac wezyra z salą koncertową, parkingiem dla rolls-royce'a oraz pięcioma sypialniami dla siebie i dwudziestoma dla gości. Prasa wspomniała, że kaprys ten kosztował księcia ponad pół miliarda dolarów. I ani jednego słowa nie poświęciła strajkowi. Całkowity blackout.

Ale dostrzegł to już świat. Fakt, że doszło do tak licznych protestów robotniczych, był sam w sobie ewenementem, kamieniem milowym. Nad takimi wydarzeniami trudno było przejść do porządku dziennego. Liczące się agencje prasowe zaczęły interesować się wyzyskiem niemającej żadnych praw pracowniczych najemnej siły roboczej. Dużą rolę spełnił między innymi „Wall Street Journal", który pokazał rozpaczliwą walkę o bardziej godne i ludzkie warunki pracy i zamieszkania.

Mimo grożących konsekwencji wystąpienia powtarzały się. W 2013 roku telewizja Al-Dżazira informowała o dużej fali wywozowej robotników domagających się podwyżki płac o 50 procent oraz obiecanych im w momencie zatrudnienia darmowych posiłków. Do sporych rozruchów doszło także w dzielnicy portowej Jebel Ali, gdzie cztery tysiące robotników sparaliżowało centralną arterię. Demonstracja przerodziła się w niepohamowane zamieszki i uliczną bitwę z oddziałami policji. I tym razem nie obyło się bez deportacji setek uczestników protestu. W tym samym roku do podobnych wydarzeń, tyle że o znacznie większej skali, doszło w Arabii Saudyjskiej, gdzie w odwecie za strajki wydalono 100 tysięcy pracowników.

Chyba zasnąłem. Ktoś szarpie mnie za ramię, jakiś Pakistańczyk. Jest wczesny ranek.

Przy kiepskiej kawie Mohan zwierza mi się.

— Jestem szczęśliwy, że udało im się wyjechać z mojej wsi i zarobić chociaż cokolwiek. Tu nie jest tak beznadziejnie, żeby nie dało się żyć. Nie boję się ciężkiej pracy, ale żeby trochę więcej dali zarobić. I żeby człowiek nie żył tak jak zwierzę. W 2009 roku znalazłem się na bruku, bo firma redukowała etaty. Nakazano mi opuścić Dubaj, ale jakoś mi się udało i znalazłem nową pracę. Przez cztery lata żyłem nielegalnie, ale na szczęście władze ogłosiły amnestię dla takich jak ja. Chociaż bardzo się bałem, to jednak zgłosiłem się na policję. Mogli mnie odesłać do domu bez opłacenia dużej kary albo oficjalnie przedłużyć wizę. Wybrali to drugie.

Mohan uśmiecha się.

— To drobny prezent od emiratu oferowany co pięć lat, w dniu święta narodowego, tym, którzy sami się ujawnią. Mówią, że dwa lata temu z amnestii skorzystało blisko trzysta pięćdziesiąt tysięcy imigrantów.

Nie trzeba wielkiej wyobraźni, aby dostrzec, że przedsiębiorcy z ZEA, podobnie jak ich rządy, mają podstawy do obaw. Nieuniknione jest polityczne dojrzewanie najemnych pracowników z krajów Trzeciego Świata. Kiedy zyskają oni wreszcie poczucie własnej wartości i dotrze do nich świadomość, że to dzięki ich wysiłkowi stoi dzisiaj ta awangardowa metropolia, z pewnością zrodzi się siła, która nawet mimo nieobecności związków zawodowych zagrozi absolutnej władzy monarchy.

Gdy spojrzymy z tej perspektywy, stanie się oczywiste, że władzy musi bardzo zależeć na zachowaniu spokoju. Z pewnością nie chciałaby ona być świadkiem narodzin „Solidarności" w cieniu minaretów. Dubaj zainwestował tak dużo w idylliczny wizerunek raju ekonomicznego, że zryw robotniczy mógłby mieć katastrofalny wpływ na rozwój turystyki i zaufanie inwestorów.

Możemy sobie wyobrazić, że władza zrobi wszystko, aby do tego nie dopuścić. Oprócz typowych represji, masowych zwolnień czy aresztowań ma ona jeszcze inne instrumenty. Na przykład eliminowanie opozycji już w zarodku, stąd przenoszenie ludzi do innych miejsc pracy, antagonizowanie środowiska, fluktuacja zatrudnienia. Mimo niskich płac i nieludzkich warunków pracy napływ migracji z biednych regionów nie ustaje. Poza tym kraje, z których pochodzi siła robocza, wcale nie kwapią się z protestami.

Słyszymy głośny dźwięk klaksonu. Mohan podrywa się do wyjścia. Jestem zmęczony spaniem w niewygodnej pozycji pod ścianą, ale wiem, że za pół godziny wyjadę stąd, wrócę do wygodnego hotelu, wezmę prysznic i opowiem Lindzie o nocy w innym Dubaju.

A oni tu zostaną.

Autobus wyrzuca nas na placu budowy. Jest dusząca spiekota, wbrew wszelkiej logice, nie wiem dlaczego postanawiam wrócić do hotelu metrem. Ze stacji mam jeszcze jakieś dziesięć minut piechotą. Po drodze zauważam trzech robotników w pomarańczowych kombinezonach, którzy dzielą się małą butelką wody.

Wyciągam więc z plecaczka bidon gatorade, który w taki skwar zawsze mam przy sobie. Podaję im. Jeden z nich przyjmuje go dwiema rękoma na znak szacunku, więc zagaduję, jak im się tu żyje.

Odpowiada najstarszy, wysoki, szczupły, o trochę nerwowych ruchach, który najlepiej mówi po angielsku:

— Przyjechałem siedem lat temu w nadziei lepszego zarobku. Z trudem przetrzymałem pierwsze lata katorgi, ale nie miałem wyjścia, musiałem troszczyć się o zapewnienie edukacji dwóm synom. Potem powiodło mi się, przez przypadek zmieniłem pracodawcę — u niego warunki pracy były bardziej ludzkie. W ostatnich latach rząd obiecał poprawę bytu, sporo się o tych zobowiązaniach mówi. Na naszej budowie wiszą nawet plakaty „Dbamy o bezpieczeństwo pracy". W 2010 roku otrzymaliśmy broszurę w sześciu językach „Statut pracowniczy", który określa nasze prawa i obowiązki w świetle „prawa i wolności" określonych przez konstytucję. Niby ma też pomóc znaleźć ochronę prawną 17 milionom migrantów w ZEA w przypadku jakichś nadużyć pracodawcy, molestowania czy znęcania się. Wprawdzie możemy pisać, skarżyć się, ale czy to coś daje? Aha, dostajemy trochę więcej wody do picia, ale przy tych temperaturach to wciąż jest za mało.

Po chwili słyszę historię chwytającą za serce. Jego najbliższy przyjaciel Mamnun, z tej samej co on wioski w prowincji Sindh, po 13 latach zdecydował się na powrót do domu. Trzy tygodnie temu, kiedy przygotowywał się do wyjazdu, dostał wiadomość o śmierci żony. Nie wytrzymała fali spiekoty niespotykanej w Pakistanie od trzydziestu lat. Prasa donosiła, że liczba ofiar śmiertelnych sięgnęła ponad 1200 osób. Sytuację pogorszyły przerwy w dostawie elektryczności i niedobór wody pitnej. Obchodzono właśnie ramadan i ze względu na post wymagany od wschodu do zachodu słońca sklepy nie zawsze chciały sprzedawać wodę. Mamnun był w szoku, liczył na to, że po latach rozłąki będzie mógł cieszyć się rodzinnym życiem.

— Ale to tylko połowa historii — ciągnie Pakistańczyk. — Z powodu żaru i przepracowania tragedia dotknęła i jego. Gdybyśmy mieli więcej wody, nie doszłoby do tego nieszczęścia. Trudno mi się pogodzić ze stratą przyjaciela. Na dodatek wczoraj na sąsiedniej budowie, o, w tym wieżowcu — wskazuje ręką na plac budowy z dźwigami i innym ciężkim sprzętem — zginął robotnik z Bangladeszu. Pragnąłbym bardzo już rzucić ten tułaczy żywot, ale przez kilka lat mam jeszcze zobowiązania finansowe związane z edukacją synów.

Chciałbym jeszcze kontynuować rozmowę, ale ognisty upał zmusza mnie do jak najszybszego szukania klimatyzacji na stacji metra. Na zakończenie pytam jeszcze:

— Jutro jest piątek, dzień wolny. Co będziesz robić? Wyskoczysz na miasto, do Mallu?

— O nie! Ja mieszkam daleko, w Sonapur. Wiesz, gdzie to?

— Tak, wiem, byłem tam.

— Jutro zajmę się praniem, obejrzę jakiś piękny film z Bollywood i rozluźnię się nielegalnie produkowaną u nas gorzałką.

Docieram do hotelu koło południa. Biorę prysznic i zasypiam.

Po przebudzeniu znajduję karteczkę od Lindy z informacją, że wróci na kolację.

Otwieram więc komputer i wracam do świata mojej nocnej wyprawy.

Według międzynarodowych raportów 300 tysięcy robotników żyje w Dubaju poniżej standardów cywilizacyjnych, a Międzynarodowa Konfederacja Związków Zawodowych określa warunki pracy i zakwaterowania zagranicznych pracowników w emiratach mianem „niewolnictwa XXI wieku". I to w sytuacji, kiedy księstwo jeszcze w 1820 roku jako pierwsze w historii wypowiedziało się przeciwko handlowi niewolnikami.

W 2012 roku dziennikarz BBC Ben Anderson pokazał w dokumentalnym filmie *Niewolnicy z Dubaju* dramatyczne losy armii niskopłatnych budowlańców, którzy urzeczywistniali wielki sen szejka Muhammada ibn Raszida al-Maktuma. Nakręcony wówczas potajemnie reportaż wywołał niemalże wojnę dyplomatyczną między Zjednoczonymi Emiratami Arabskimi a Wielką Brytanią.

Hadi Ghaemi z Human Rights Watch, powołując się na źródła rządowe, podaje szokujące liczby: w Dubaju tylko w 2010 roku straciło życie w miejscu pracy ponad sześciuset robotników budowlanych. Większość zginęła w nieszczęśliwych wypadkach, chociaż powodem śmierci bywały także udar mózgu, hipertermia, zmęczenie czy zawał serca z powodu wycieńczającej pracy w skwarze. A to wszystko przy braku pomocy lekarskiej. Robotników zmusza się do ciężkiej pracy nawet w najbardziej upalnych miesiącach, chociaż prawo pracy przewiduje, że latem robotnikom przysługuje przerwa od 11.30 do 15, nie mówiąc o tym, że w ciągu doby mogą przepracować maksymalnie dziesięć godzin.

Pracują w skwarze sięgającym nawet 50 stopni, co często prowadzi do udaru cieplnego. Z własnego doświadczenia wiem, co to znaczy. To bezwzględny zabójca, który w 1995 roku podczas letniej fali spiekoty w Chicago doprowadził w ciągu tygodnia do zgonu setek osób. Fizjolodzy uważają, że prawdopodobnie nic bardziej nie obciąża ludzkiego organizmu niż wysiłek fizyczny w upalne dni. Człowiek w zimnie toleruje duży spadek temperatury ciała, ale nie poradzi sobie z niewielkim wzrostem ciepłoty, bo hipertermia prowadzi do wyczerpania, które może łatwo skończyć się udarem cieplnym. Bez natychmiastowej pomocy medycznej dochodzi wtedy do utraty przytomności i śmierci. Obrona przed hipertermią jest prosta, trzeba dużo pić, szukać cienia, a przede wszystkim unikać większego wysiłku fizycznego. Tak, ale firmy budowlane nigdy nie troszczyły się o zdrowie pracowników. Cała troska ogranicza się do dostarczenia większej ilości wody. To nie chroni przed udarem cieplnym, bo organizm człowieka traci w upale nawet dwa litry potu w ciągu godziny, a jest w stanie wchłonąć najwyżej litr. Dlatego mimo picia nieustannie się odwadnia.

Zdarza się, że robotnicy, którzy przyjechali tutaj z jednym celem: polepszyć byt rodzinie, nie wytrzymują i popełniają samobójstwo. Zwykle pracodawcy nie zgłaszają tych przypadków, a rząd je ukrywa. Niektóre zdarzenia przenikają jednak do wiadomości publicznej. W 2011 roku gazeta „Gulf News" doniosła, że 38-letni Hindus Athiraman Kannan, któremu dyrekcja odmówiła zgody na wyjazd na pogrzeb brata, targnął się na swoje życie: wyskoczył ze 147. piętra Burdż Chalifa i spadł na platformę obserwacyjną dwadzieścia cztery piętra niżej. Zostawił żonę w szóstym miesiącu ciąży i trzyletniego syna. Według konsulatu Indii w Dubaju rok wcześniej popełniło tutaj samobójstwo 110 Hindusów.

Ministerstwo Pracy próbowało zająć się problemem tych biedaków, wprowadziło nawet pewne reformy dające możliwość zmiany miejsca pracy czy nakładające dotkliwe kary na firmy niewypłacające na czas pensji. Dzisiaj teoretycznie każdy może zadzwonić na infolinię ministerstwa, aby przedstawić swoje skargi, które potem powinny być zweryfikowane przez właściwych inspektorów.

Gdy patrzę na tłum Azjatów w krajobrazie Dubaju, na tych, którzy wybudowali tutaj pałace i piramidy, cisną mi się na usta najostrzejsze słowa. To bezwzględny wyzysk ekonomiczny. Trzeba jednak, jak zauważa kanadyjski ekonomista Michael Walker z Fraser Institute, zdawać sobie sprawę z dwóch kwestii. Nasz osąd wynika z zachodnich standardów. Uwarunkowania bytowe, które nam wydają się nieludzkie, dla tych, którzy pochodzą z innych części świata, mogą być wprawdzie niehumanitarne, ale są do zaakceptowania. Wynagrodzenie, które wydaje się żałosne, dla nich jest w miarę rozsądne, a nawet dobre.

Życie jest bezwzględne. Trudno się oszukiwać: jeśli bezrobotny otrzyma choćby mało intratną ofertę pracy, niełatwo mu się jej oprzeć. Nawet jeśli ta praca ma niewolniczy charakter.

Jakkolwiek patrzeć, praca w Dubaju zapewnia imigrantom stabilne zatrudnienie i stały dochód, którego nie mają w swojej ojczyźnie. Ktoś powie, że jestem cyniczny. Oczywiście, piętnuję tę sytuację, ale jestem realistą, bo wiem, że po 5–10 latach pracy są w stanie poprawić egzystencję swojej rodziny.

To, co tutaj widzę, dla mnie jest piekłem, a dla nich kuszącą perspektywą, i wciąż nie brakuje tu chętnych do pracy.

Jak wynika z raportu Ministerstwa Pracy Zjednoczonych Emiratów Arabskich, pracujący tam robotnicy fizyczni rocznie wysyłają do swoich krajów ponad 6 miliardów dolarów.

„Koniec legalnego niewolnictwa w Stanach Zjednoczonych i na całym świecie nie oznaczał jego końca w ogóle — powiedziała Hillary Clinton w Departamencie Stanu, prezentując raport Human Rights Watch zatytułowany «Wznosząc wieżowce, oszukując robotników». — Historie zniewolonych przypominają nam, do jak nieludzkiego traktowania drugiego człowieka wciąż jesteśmy zdolni. Musimy więc pamiętać, że wojna przeciwko ciemięzcom nie jest zakończona".

Z danych Międzynarodowej Organizacji Pracy na rok 2014 wynika, że na całym świecie blisko 24 miliony ludzi pada ofiarą współczesnego niewolnictwa, jest zmuszanych do niskopłatnej pracy i wykorzystywanych seksualnie. Niewolnictwo to jedno z najcięższych przestępstw na terenie Unii Europejskiej. Według tygodnika „Der Spiegel", powołującego się na dane zebrane przez komisję Parlamentu Europejskiego, w krajach UE 880 tysięcy osób pracuje w warunkach zniewolenia, a jedna czwarta z nich wykorzystywana jest seksualnie. Na terenie Unii działa 3600 międzynarodowych dobrze zorganizowanych grup przestępczych zajmujących się procederem handlu ludźmi, których obroty szacowane są na 25 miliardów euro rocznie.

Rozlega się dzwonek telefonu. To Linda. Mówi, że jest z Agnieszką w jednej z hotelowych restauracji, i prosi, abym do nich dołączył. Jestem im wdzięczny. Głód zaczął już mi doskwierać.

W oczekiwaniu na posiłek opowiadam im o swojej nocnej wyprawie.

— Ten oszałamiający Dubaj to dekoracja dla ludzkiego poniżenia. Czy można się tym zachwycać? To jak współczesne piramidy.

Agnieszka uśmiecha się.

— Tak, oczywiście, tylko pamiętaj, że nie tylko do Dubaju przyjeżdżają ludzie w poszukiwaniu pracy. Tak dzieje się w Chinach, gdzie bezrobotni z głębi kraju udają się na wybrzeże, na Filipinach, gdzie wieśniacy szukają lepszego bytu w Manili, i w Kalifornii, do której przyjeżdżają biedni Meksykanie. A sami Polacy? Już nie mówięc o masowej polskiej emigracji zarobkowej do Ameryki ponad sto lat temu. Ale zobaczcie, co się dzieje dzisiaj. Poza krajem przebywa ponad dwa miliony osób, czyli co dziesiąty dorosły Polak jest za granicą. To skutek niskich zarobków, braku pracy i perspektyw życiowych. Istna katastrofa dla Polski, społeczna, demograficzna, ekonomiczna i polityczna. Niewolnictwo istnieje także na rodzimym rynku. Pamiętacie, jak w 2013 roku krakowski sąd skazał na karę ośmiu lat pozbawienia wolności głównego oskarżonego w procesie tak zwanych obozów pracy we Włoszech? Został uznany za winnego zorganizowania i kierowania grupą przestępczą zajmującą się oszustwami i handlem ludźmi. Osoby chętne do pracy sezonowej werbowano poprzez ogłoszenia, transportowano i przekazywano do dalszego przetrzymywania. Warunki urągające ludzkiej godności. Tych robotników pilnowali ukraińscy, włoscy i polscy uzbrojeni strażnicy. Opór tłumiono biciem, szczuciem psami i grożeniem bronią.

Kiwam głową.

Liczba Polaków wykorzystywanych do pracy przymusowej między innymi w Wielkiej Brytanii, Hiszpanii, Niemczech i we Włoszech rośnie. W ostatnim z tych krajów w latach 2000–2006 nasi rodacy, przetrzymywani w prymitywnych warunkach, byli zmuszani do nieludzkiej pracy na plantacjach za głodową pensję. Kobiety gwałcono, mężczyzn bito i poniżano, kilka osób przepadło bez śladu. Policja nie wyklucza, że przy zbiorach pomidorów mogło też dochodzić do zabójstw i śmierci z wycieńczenia. Temat ten ujrzał światło dzienne po uwolnieniu w regionie Apulia na południu Włoch 119 Polaków. W sumie ofiarą tego procederu mogło paść — według szacunków policji — ponad tysiąc Polaków. Cztery osoby popełniły samobójstwo. Sąd w Bari skazał 17 osób, podając w uzasadnieniu, że Polaków traktowano „jak niewolników w starożytnym Rzymie". Włochy były wstrząśnięte tym odkryciem. „La Stampa" podała, że w kraju szerzy się plaga pracy przymusowej przy zbieraniu truskawek, malin i szparagów. Pracuje tam 200 tysięcy niewolników, najwięcej z Polski, Ukrainy i Białorusi.

W 2007 roku aresztowano kilku Polaków winnych organizowania niewolniczej pracy przy zbiorach pomarańczy w Hiszpanii. „Tylko niektórym udało się uciec z piekła, ludzie byli traktowani jak zwierzęta" — opisywała sytuację jedna z ofiar. Koszmar przeżyła grupa Polaków zatrudniona w holenderskim Gerwen, poniżana i mieszkająca w koszmarnych warunkach bytowych, często zmuszana do pracy na akord, co w tym kraju jest zabronione. Jedna z głośniejszych spraw dotyczyła wykorzystywania Polaków do pracy siedem dni w tygodniu przez kilkanaście godzin dziennie w niebezpiecznych warunkach przy rozbiórkach budynków w Londynie.

Polacy byli zmuszani do pracy przymusowej także w Niemczech. Kilka lat temu program pierwszy niemieckiej telewizji publicznej ARD pokazał dokumentalny film o systemie niewolniczej pracy w rzeźniach, gdzie zatrudniano imigrantów zarobkowych ze Wschodu. Urodziłem się w jednym z obozów pracy na terytorium Trzeciej Rzeszy, do których okupant wywoził ludność polską, i straszne wrażenie zrobiło na mnie to, że podobny proceder mógł się powtórzyć siedemdziesiąt lat po zakończeniu drugiej wojny światowej.

Przypadki wykorzystywania ludzi do przymusowej pracy, do której trafiają zazwyczaj osoby zza wschodniej granicy i z Azji, zdarzają się dzisiaj także w Polsce.

Ofiarą wyzysku padają najczęściej osoby bezdomne, bezrobotne, bez żadnych perspektyw finansowych, nieznające języków obcych. Oferta jest zawsze „specjalna", jedyna w swoim rodzaju. Na miejscu pracownikom zabiera się dokumenty. Ludzie często nawet nie wiedzą, gdzie się znajdują, a jeśli próbują się przeciwstawiać, są bici i narażeni na groźby.

1 stycznia 2015 roku w orędziu na 48. Światowy Dzień Pokoju papież Franciszek, zwracając się do wszystkich narodów świata, szefów państw i rządów oraz zwierzchników różnych religii, zaapelował o mobilizację w walce ze zniewalaniem ludzi w różnych dziedzinach, mającym miejsce zarówno w krajach, w których prawo pracy nie jest zgodne z minimalnymi normami i standardami międzynarodowymi, jak i tam, gdzie ustawodawstwo chroni pracowników.

Paradoksem współczesnego świata jest to, że pomimo prioryte-tów rządów, które deklarują walkę z plagą niekontrolowanego hand-lu ludźmi, ich batalia jest mocno utrudniona ze względu na brak koordynacji działań pomiędzy różnymi krajami. Sprawę komplikuje-je też to, że tania siła robocza jest w wielu krajach wręcz pożądana. Pamiętajmy, że żyjemy w systemie nakierowanym na konsumpcję, gdzie najważniejszy jest bóg pieniądz. Nic więc dziwnego, że wobec różnych form niewolnictwa dominuje u nas obojętność i powszechna bierność.

No dobrze, ale tymczasem jestem w Dubaju. Tutaj różnica między pławiącymi się w luksusie bogaczami a skazanymi na wegetację biedakami osiąga kosmiczne rozmiary. Bunty w Dubaju przypomi-nają mi wyświetlany kilka lat temu fantastycznonaukowy film *Eli-zjum*. Jego akcja przenosi nas półtora wieku w przyszłość i pokazuje gigantyczną stację orbitalną, na której wybrańcy żyją w przepychu, a reszta ludzkości zamieszkuje przeludnioną i kompletnie zniszczo-ną Ziemię. Aby zapewnić komfortową egzystencję wybrańcom, rząd stacji podejmuje surowe restrykcje antyimigracyjne, mające na celu powstrzymanie nielegalnych przybyszy z zewnątrz.

Nagle zdaję sobie sprawę z tego, że tymi poważnymi kwestiami zepsułem moim paniom wieczór. Mówi mi o tym uniesiona brew Lindy. Nie po to ją tutaj przywiozłem.

Skruszony zmieniam temat, by choć na koniec zostawić dobre wrażenie.

W lutym 2016 roku, wiele miesięcy po naszej wyprawie, opowiadam Lindzie o tym, co na pozór zmieniło się w emiracie na lepsze.

W rządzie doszło do największych w historii Zjednoczonych Emiratów Arabskich przetasowań. Coś podobnego, tylko w dużo mniejszej skali, zdarzyło się w 2008 roku, kiedy władca postano-wił oczyścić najwyższą instancję z kumoterstwa i rosnącej korupcji. Premier Muhammad ibn Raszid al-Maktum ogłosił zamiar stwo-rzenia gabinetu elastycznego, młodego, gotowego zapewnić wszyst-kim mieszkańcom realizację ich aspiracji. Połączył niektóre resorty, zmienił nazwy innych, wreszcie stworzył kilka nowych. „To początek zupełnie nowej drogi zmierzającej do tego — podkreślił al-Maktum — by zaoferować obywatelom to, czego oczekują. Prosimy Allacha, żeby pomógł nam służyć obywatelom i dbać o nich". Tak jak podjęcie tematu tolerancji, która ma stać się „jedną z fundamentalnych wartości w ZEA", przeszło właściwie bez echa, tak powołanie kierowanego przez panią Ohood al-Rumi nowego Ministerstwa Szczęścia, mającego „stworzyć dobre samopoczucie i satysfakcję społeczeństwa", odebrane zostało przez komentatorów z dużym rozbawieniem.

— Każdy znający powszechny dobrobyt tego kraju i pamiętający o tym, że wskaźnik PKB i tak stawia ZEA na piątym miejscu na świecie, popatrzy na te aspiracje z przymrużeniem oka — zauważa Linda.

— Tak, ale szejk chciałby podnieść przy tym „wskaźnik szczęścia" będący miernikiem samopoczucia obywateli, bo w tej kwestii, według rankingu Organizacji Narodów Zjednoczonych, księstwo znajduje się dopiero na dwudziestym miejscu.

— Jakkolwiek by patrzeć, rządowymi decyzjami nie da się zadekretować zadowolenia społecznego. To takie mącenie w głowie, czyste matactwo, przykrywka mrocznych stron — stwierdza Linda nie bez racji. — Nie zapominajmy o braku wolności słowa, o cenzurze czy nieuzasadnionym pozbawianiu wolności ani o braku zapewnienia oskarżonym prawa do uczciwego procesu,

Potwierdzają to niezliczone komentarze w sieci: „Nie może być szczęścia przy despotycznych władcach, zwłaszcza jeśli oni bombardują Jemen", „Szczęście znajduje się już w Koranie, do tego nie potrzeba ministerstwa" albo „Co się stanie, jeśli szczęściem dla jakiegoś obywatela okaże się dołączenie do Bractwa Muzułmańskiego?".

Koncepcja zapewnienia pomyślności swoim obywatelom pojawiła się już w 1776 roku w Filadelfii, kiedy ojcowie trzynastu kolonii północnoamerykańskich wyjętych spod Imperium Brytyjskiego zapisali uroczystą deklarację, że dążenie do „poszukiwania szczęścia" będzie stanowić podstawę konstytucji nowo powstałego kraju. Bo powodzenie wydłuża życie — pisano — stanowi antidotum na choroby, zwiększa produktywność w pracy i poprawia samoocenę.

Szczęście jako cel rządu było także pomysłem wenezuelskiego prezydenta Nicolasa Maduro, który w 2013 roku ośmieszył się, obiecując swoim rodakom zwalczenie ubóstwa.

Wróćmy jeszcze do zrekonstruowanego rządu ZEA. Wśród dwudziestu dziewięciu ministrów znalazło się osiem kobiet. Równość płci to tylko pozory w tym zakątku świata. Kobiety bowiem nadal tworzą zdecydowaną mniejszość siły roboczej, dla nich wciąż zarezerwowana jest przede wszystkim rola żony i matki. Nic dziwnego, że organizacja Human Rights Watch wezwała rząd ZEA, aby bardziej skupił się na praworządności niż na nominacjach administracyjnych. „Pamiętajmy, że w Dubaju nie tylko nadal nie jest możliwy rozwód, ale wciąż dozwolona jest poligamia — przypomina działacz misji śledczej tej organizacji. — Nie mówiąc o tym, że kodeks karny dopuszcza użycie przez mężczyzn siły fizycznej względem żony".

EXPO 2020 — PRZYĆMIĆ CAŁY ŚWIAT

W Dubaju wszystko już się kręci wokół Expo 2020. Jego organizacja będzie kosztować państwo ponad 8 miliardów dolarów, czyli dwa razy więcej niż Szanghaj dziesięć lat wcześniej. Władze są dumne i zachwycone. A ja zastanawiam się, czy będę miał szansę tu wrócić i zobaczyć te wszystkie zapowiadane cuda. Izmir nie dawał mi na to zbyt wielkiej nadziei. Dubaj jest otwarty tylko dla tych, którzy się nim zachwycają.

W pracowniach architektonicznych rodzą się miriady najwymyślniejszych, surrealistycznych projektów, ruszają nowe, przytłaczające ogromem, podszyte pychą inwestycje, nowe mniej lub bardziej kreatywne projekty. Rozpoczęto kolejne oszałamiające przedsięwzięcia. Powstaje Dubailand wartości 70 miliardów dolarów, największy, o powierzchni Poznania, park rozrywki na świecie. Planowana jest budowa podwodnego hotelu i niespotykanych atrakcji turystycznych, takich jak las deszczowy czy City of Wonders — miasta, w którym zostanie odwzorowanych siedem cudów świata. Symbolem potęgi, który przyćmi wszystko to, co istnieje na ziemi, mają być Mall of the World i pierwsze na świecie w pełni klimatyzowane miasto pokryte ogromną szklaną kopułą.

Wyścig ku kolejnym „naj" nie ma końca, a wszechobecny na wielkich billboardach ambitny szejk, niezachwianie wierzący w swoją gwiazdę, bez wielkiej pokory twierdzi, że dzisiejszy Dubaj to dopiero 10 procent jego wizji. Człowiek, który z wydm piaskowych stworzył meganowoczesną metropolię, zwierciadło Półwyspu Arabskiego: mieszankę niemających granic ambicji i megalomanii, islamskiego tradycjonalizmu i postępu, połączonych ze sobą gigantycznym biznesem, lubi imponować swoim gościom, wygłaszając stare aforyzmy. Jego ulubiony to: „Kto nie próbuje zmienić przyszłości, pozostanie więźniem czasu przeszłego".

Nietrudno jednak nie zauważyć, że listę niezliczonych „naj" uzupełnia rejestr projektów: „tutaj powstanie", „w tym miejscu stanie" itp. 70 procent budowli istnieje wyłącznie na makietach architektonicznych, w komputerowych wizualizacjach i reklamowych broszurach. Dubaj sprzedaje przede wszystkim obietnice, to, czego nie ma. Nawet na mapach turystycznych pojawia się wiele skrótów „u.c." (*under construction*). Aż trudno uwierzyć, że zamiast wywołać niezadowolenie czy ironiczny uśmiech, ta niekompletność potęguje urok, bo to nie zabytki ściągają tutaj turystów, a wiara we wszechmoc pieniądza.

Istnieje jednak przekonanie, że Expo 2020 spowoduje powrót do przynajmniej niektórych zarzuconych projektów. Bo miasto musi przyćmić wszystko, co było do tej pory. Logo światowej wystawy widoczne jest tutaj na każdym kroku i prace na 438-hektarowym terenie niedaleko lotniska są bardzo zaawansowane. Oblicza się, że przypadająca na okrągłą rocznicę 50-lecia ZEA impreza przyciągnie 25 milionów zwiedzających, zainteresowanych innowacjami, pomysłami oraz nowinkami ze świata nauki i techniki. Expo zawsze stanowi zastrzyk pomysłów dla przemysłu, a jego celem jest promowanie zmian o zasięgu światowym. Tym razem jego motyw „Łączenie umysłów, tworzenie przyszłości" ma przyciągnąć uwagę do Dubaju, który — jako gospodarz wystawy — stanie się forum dla dyskusji o ważnych problemach globalnych, takich jak odnawialność zasobów i energii, mobilność oraz szanse.

Lecz dziś sytuacja tutaj nie przedstawia się zbyt różowo. Intensywny rozrost miasta sprawił, że oczyszczalnie nie nadążają z utylizacją ścieków. Woda pitna pochodzi z odsalania, którego proces pochłania olbrzymie ilości ropy naftowej. Pośród ogromnych obiektów odsalania wody największy znajduje się w porcie Jebel Ali, kosztował 13 miliardów euro i może produkować do 600 tysięcy metrów sześciennych wody dziennie. Jej większa część służy do chłodzenia miasta. Woda w tym kraju kosztuje więcej niż benzyna. Powszechne stosowanie klimatyzatorów i korzystanie z samochodów przyczyniło się do tego, że federacja siedmiu emiratów zajmuje obecnie pierwsze miejsce na świecie w emisji gazów cieplarnianych w przeliczeniu na jednego mieszkańca.

Rząd obiecuje, że do Expo Dubaj stanie się jednym z najbardziej zrównoważonych miast na świecie. Na wszystkich dachach mają powstać panele słoneczne, zastosuje się zapewniającą bardziej efektywną izolację termiczną, farby odblaskowe i materiały pochodzące z recyklingu, takie jak drewniane panele, zieleń na tarasach, fasadach i dachach, zintegrowane systemy oszczędzania wody. Dubaj już wszedł na drogę zrównoważonego rozwoju dla wszelkich projektów deweloperskich. Szacuje się, że w 2016 roku powierzchnia zajmowana przez budynki eko może osiągnąć ponad 800 hektarów. Zrównoważona architektura przyczyni się do osiągnięcia celu, jaki sobie Dubaj wyznaczył, czyli na chwilę otwarcia światowej wystawy zmniejszy zużycie energii o 20 procent, a do roku 2030 o 10 więcej.

Program ten odpowiada rządowemu planowi „Vision 2021". Cel jest jasny i daleki od skromności. „Chcemy do roku 2021 znaleźć się wśród najlepszych krajów na świecie" — głosi urzędowy slogan. Na oficjalnej stronie programu możemy przeczytać: „Ambitni i odpowiedzialni obywatele ZEA ukształtują z powodzeniem swoją przyszłość, aktywnie angażując się w przemianę środowiska społeczno-gospodarczego. Czerpiąc wzór z silnych społeczności, bazując umiarkowanie na wartościach islamskich i głęboko zakorzenionym dziedzictwie, zbudujemy kwitnące społeczeństwo".

MIESZANE UCZUCIA

Dubaj można by poznawać latami, odkrywając kolejne warstwy — nie tyle piasku, ile społecznych zależności, tradycji, rozrywek i polityki. Byłem tu wielokrotnie, ale przyszedł czas, gdy trzeba było się spakować i po raz ostatni rzucić okiem na pustynne eldorado. No i teraz mam dylemat. Podróże to moje życie. Tutejszy węzeł lotniskowy jest mi niezbędny. Izmir i paru innych przyjaciół wyraźnie mnie ostrzegało. Jedno krytyczne zdanie i drzwi do raju-Dubaju zamknięte. A tych zdań trochę mi się nazbierało.

Dubaj.

Mówi się, że do jego opisania wystarczyłyby tylko dwa przymiotniki: przesadny i wyjątkowy. Ten pustynny klejnot, jedno z centrów globalnej gospodarki i najszybciej rozwijające się miasto na naszej planecie, każdego dnia stara się udowodnić światu, że nie ma sobie równych. W 1990 roku jego horyzont zdobił tylko jeden wieżowiec — Dubai World Trade Centre. Dzisiaj jest ich kilkaset.

To miasto jednak pozostawia mieszane uczucia.

Z jednej strony imponuje luksusem i rozmachem, kusi bogactwem i piękną pogodą, z drugiej, z tym swoim ostentacyjnym zbytkiem i wszystkimi swoimi ekscesami, jest jakby na pokaz. Pod wieloma względami niepokoi, dezorientuje tempem rozwoju. Wielu sądzi, że wyjazd do Dubaju musi łączyć się z dużymi nakładami, a tak wcale nie jest. Wbrew temu, co się powszechnie uważa, ten kierunek jest dostępny także dla podróżnych z ograniczonym budżetem, a już szczególnie dla tych, którzy korzystając z ofert biur podróży, zdecydują się tam pojechać latem.

Podczas gdy świat muzułmański, pogrążony w ciągu ostatniej dekady w kryzysie gospodarczym, zagrożony dyktaturami i wojnami domowymi, tonący w ekstremizmie politycznym i religijnym pogodził się z coraz gorszymi notowaniami, Dubaj cieszy się przychylnością niebios.

Ktoś porównał księstwo do diamentu, jako że skrzące się blaskiem kamienie szlachetne nobilitują i zapewniają niepowtarzalny urok. Jednak ich przeciwległa, nieatrakcyjna powierzchnia zwykle skrywa skazy.

Wielu ludzi zafascynowanych czarem Dubaju nie dostrzega właśnie tej drugiej, ciemniejszej strony. A krytycy zarzucają fikcyjne życie polityczne i brak pluralizmu czy swobody mediów.

Niewiele jest regionów na świecie tak pełnych sprzeczności. Dla jednych to miejsce wakacji w stylu *Baśni z tysiąca i jednej nocy*, dla innych — gigantyczny plac budowy, miasto bez serca, z przemijającą, niczym w hotelu czy na lotnisku, atmosferą. Bez domowników, którzy by je kochali jak coś swojego i niezastąpionego. Bo prawie dziewięćdziesięciu mieszkańców na stu to ludzie przyjezdni, którzy wcześniej czy później wrócą do swoich domów.

Moja obyta w świecie przyjaciółka Iwona Bogucka nakazuje, aby pamiętać, że telefon dotarł tutaj wcześniej niż woda pitna, samolot przed pociągiem czy raczej metrem, a komputera używano wcześniej niż widelca. A mimo to w Dubaju można wyróżnić dwie szybkości rozwoju: szaloną, jeśli chodzi o rytm pracy, oraz ostrożną i pełną skrupułów w codziennym zachowaniu, kontaktach z rodziną i względem grzechu.

Rozwój urbanistyczny i ekonomiczny Dubaju, ze swoim dążeniem do najwyższego luksusu i wszelkiego nadmiaru, przyczynił się do stworzenia dwuznacznego i kontrowersyjnego modelu, widzianego jako przykład do naśladowania, ale również jako demonstracja wyobcowania i depersonalizacji człowieka i miejsca. Podczas pobytu w Dubaju różne myśli naruszały spokój mojego sumienia. Raz nawet zapisałem w notesie taką myśl: *Islam kontra Nowy Jork równa się 11 września. Islam plus Nowy Jork to Dubaj.*

Bywało, że zadawałem sobie pytanie, jaki sens ma wyścig w kierunku nieokiełznanego luksusu, ekshibicjonizmu i nieuzasadnionej degeneracji? A może to jest tak, że jedynym sposobem pokonania fanatyzmu islamskiego jest przekupienie go wybujałą konsumpcją, dobrem luksusowym i zachodnimi obyczajami? Wydaje się, że w Dubaju wizja sułtańskich zbytków godnych raju Allacha to potwierdza.

O wrażenia z Dubaju pytam też Lindę, bo to przecież dla niej miała być ta podróż.

— Sama myśl o spędzeniu tam wakacji była dla mnie dużą frajdą. A kiedy już dotarłam na miejsce — poczułam się tak, jakbym ze złotego kielicha piła czarodziejski nektar, dzięki któremu mój umysł, bombardowany na co dzień całym złem tego świata, wreszcie się wyciszył i mógł odpocząć.

Po długim nocnym locie słuchałam jak zahipnotyzowana delikatnej arabskiej melodii płynącej z radia w taksówce, zachwycona obserwowałam pierwsze promienie wschodzącego słońca, niebo przechodzące z różowego w blady błękit, wytworny, prawie niematerialny w brzaskach dnia Burdż Chalifa.

Przez kilka dni zachwycałam się tym, co jest moją pasją: nowoczesną architekturą, rewolucyjnymi wręcz technikami konstrukcyjnymi i materiałami budowlanymi. Bo Dubaj jest kompendium tego wszystkiego. To wielkie laboratorium pomysłów, odwagi i szacunku do szczegółów.

Ciekawa byłam, jacy są ludzie tu żyjący. Pewnego dnia, gdy czekałam na ciebie w lobby, przysiadła się do mnie pani omotana od stóp do głów w czarne szaty. Zaczęła od banalnego pytania, czy jestem katoliczką, ale już po chwili wyszło na jaw, że sporo o nas wie — słyszała na przykład, że mój mąż zajmuje się pisaniem. Nie to jednak interesowało ją najbardziej. Wiedziona kobiecą ciekawością zapytała, czy mąż obdarowuje mnie biżuterią i czy ona mi się podoba. Bo mężowie tutejszych kobiet obsypują je złotem od stóp do głów. Wyjaśniłam nowej znajomej, że złoto nie robi na mnie wrażenia, sama wiele lat zajmowałam się projektowaniem biżuterii. Wolę podróżować z mężem po świecie, poznawać ludzi, ich życie i zwyczaje.

A złoto? Co mi po nim, kiedy przyjdzie odejść z tego świata? Widziałam zdziwienie w jej oczach, jedynej widzialnej części ciała. Teraz ja zapytałam, czy ta zakrywająca nos i usta tkanina jej nie przeszkadza. Ja pewnie tak odziana nie mogłabym oddychać.

— Och, skądże znowu — zaprzeczyła, jak mi się wydawało, z uśmiechem. — Jesteśmy do tego przyzwyczajone.

Obie miałyśmy ochotę na dalszą pogawędkę, ale wróciłeś i musiałyśmy się pożegnać.

Niewiele czasu wystarczyło, by zobaczyć wszystko, co w Dubaju warte jest obejrzenia. Próg centrum handlowego Dubai Mall przekroczyłam tylko po to, by poobserwować tłum, który w amoku szturmował kolejne butiki. Sama nie znoszę zakupów. Ale widziałam tam wiele kobiet z nosami zalepionymi plastrem po wizycie u chirurga estetycznego.

Przewodniki zapraszają do odwiedzenia „muzeum". To nieporozumienie, straciłam tylko czas. Zero śladów początków osadnictwa miasta-księstwa, tylko dobrze rozreklamowane piaski. Zadumałam się. Pochodzę z kraju zakorzenionego w zamierzchłych czasach, gdzie historii dotyka się na każdym kroku, gdzie najwyższym punktem widokowym są wieże kościelne, a na placach i przylegających do nich uliczkach gromadzą się otwarci i przyjaźni ludzie. Tu wszystko było nowe, bogate i sztuczne.

Podróżując, zwykle najpierw po prostu rejestruję w pamięci to, co widzę, dopiero potem pojawiają się głębsze przemyślenia. Tutaj oprócz śmiałej architektury mogłam obserwować jedynie wierzchołki palm wystające zza wysokich murów otaczających niewidzialne pałace. Za bardzo wszystko zamknięte, całkowicie ukryte, bezduszne i niedostępne.

Powiem tak: na początku Dubaj urzekł mnie, zrobił wrażenie swoim zbytkiem i okazałością. Jednak szybko wyszłam z podziwu. A powodów z każdym dniem było coraz więcej. Wielka konglomeracja okazała się wyobcowana, zdominowana przez imigrantów, wygląda jakby zupełnie nie miała duszy. Tę szarość pogłębia obraz miasta z wyraźnie zmaskulinizowaną populacją. Kobiet na ulicach nie widziałam wiele, ale i te oddziela od przyjezdnych bariera nie do przekroczenia.

To nie jest mój świat. Fakt, poznałam wielu ludzi licznych ras. Ale nie miejscowych. A szkoda.

Opuszczam księstwo niepewny własnych wrażeń.

Na zawsze już zapamiętam słowa Izmira, gdy z poważną miną żegnał się z nami na lotnisku. Wahał się chwilę, jakby zastanawiał się, jak ująć swoje myśli, po czym lekko machnął ręką i wypalił wprost:

— Napisz prawdę. Tylko o to cię proszę. Oddałem ci swój czas i pokazałem, jaki jest Dubaj. Napisz o nim prawdę, bo takie jest posłannictwo dziennikarza.

I zanim zdążyłem zareagować, odwrócił się i znikł w tłumie. Takiego go zapamiętam. Pełnego nadziei, że spełnię za niego jego misję.

Dubaj pozostawia mnie z mnóstwem pytań. Czy miastu na pustyni, zbudowanemu po to, aby wywołać zdumienie świata i wyprzedzić wyobraźnię człowieka, nie grozi przypadkiem fiasko na skutek mieszanki wybuchowej, czyli fuzji zwyrodniałych finansów i gigantyzmu infrastrukturalnego oraz niezdrowej gospodarki?

Jak długo może trwać powszechny zachwyt nowoczesnością w porównaniu do uroku starożytnych monumentów historii wytrzymujących próbę czasu? Podczas gdy Notre Dame czy Koloseum pozostają niedościgłym pięknem chwalebnej przeszłości, tutejsze wspaniałe budowle w pewnym momencie staną się kupą złomu i zastąpią je nowe cuda.

Nie wiem.

I pewnie nigdy się nie dowiem.

Ale poleciałem do Dubaju nie tyle po gotowe odpowiedzi, ile po zestaw pytań o nowoczesny świat. O jego sens, tempo, kierunek, w którym zmierza. Chciałem zapytać samego siebie, czy to ten sam świat, który tak bardzo chciałem poznawać przez pół wieku nieustającej eksploracji.

I dopiąłem swego.

Bibliografia

Barrett Raymond, *Dubai Dreams: Inside the Kingdom of Bling*, 2010

Davidson Christopher, *Dubai: The Vulnerability of Success*, 2008

Kantner Katarzyna, *Jak bańka mydlana*, http://wiadomosci.onet.pl/prasa/jak-banka-mydlana/y9nsk (dostęp 7.03.2016 r.)

Krane Jim, *City of Gold*, 2010

Nazzaro Sergio, *Dubai confidential*, 2009

Roth J.R., *Sheikhs, Lies and Real Estate: The Untold Story of Dubai*, 2012

Siti Walter, *Il canto del diavolo*, 2009

Syed Ali, *Dubai Gilded Cage*, 2010

Thesiger Wilfred, *Arabian Sands*, 2010

Tiouli Touria, *Honor kobiety*, 2007

Spis treści

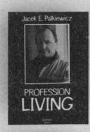

PROFESSION LIVING

SURVIVAL
SZTUKA PRZETRWANIA

oltre ogni limite

TERRA INCOGNITA

LEGGENDE DELLA SIBERIA

PASSAPORTO PER L'AVVENTURA

ANGKOR

PRZEPUSTKA DO PRZYGODY

PO BEZDROŻACH ŚWIATA

GLI ULTIMI MOHICANI DEGLI OCEANI

Survival sztuka przetrwania

Sztuka przetrwania w mieście

NO LIMITS
BEZ OGRANICZEŃ

IL MIO BORNEO

SCUOLA DI SOPRAVVIVENZA IN MARE

ПРОФЕССИЯ-ЖИЗНЬ

ПРИКЛЮЧЕНИЕ

MESTIERE VIVERE

SZALUPĄ PRZEZ ATLANTYK

TAJNA MISJA

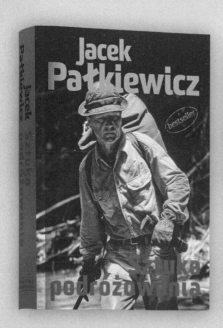

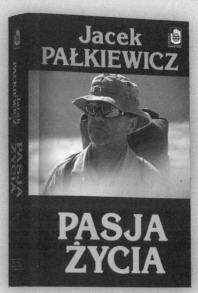

www.zysk.com.pl

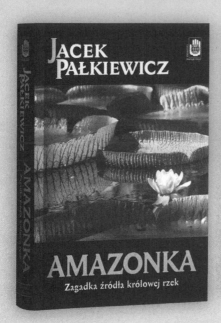

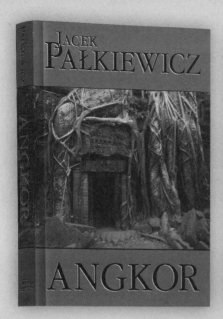

JACEK PAŁKIEWICZ

ANGKOR

JACEK PAŁKIEWICZ

DŻUNGLA MIASTA

KLUCZ DO BEZPIECZEŃSTWA

PRZECZYTAJ DZISIAJ -
UNIKNIESZ PROBLEMU JUTRO

www.zysk.com.pl

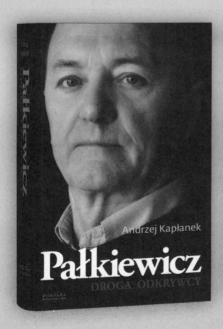

Pałkiewicz

Andrzej Kapłanek

Pałkiewicz

DROGA ODKRYWCY

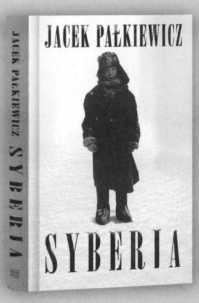

JACEK PAŁKIEWICZ

SYBERIA

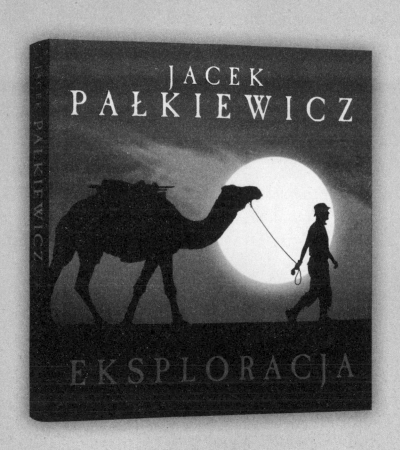

www.zysk.com.pl